D0982656

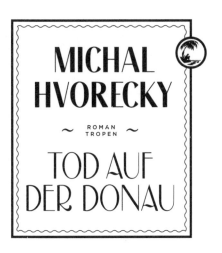

MICHAL
HVORECKY

~ ROMAN
TROPEN ~

TOD AUF
DER DONAU

AUS DEM
SLOWAKISCHEN
VON
MICHAEL STAVARIČ

Das Buch wurde von der Robert Bosch Stiftung im Rahmen
des Förderprogramms »Grenzgänger« gefördert.

Tropen
www.tropen.de
Die Originalausgabe erschien 2011 unter dem Titel
»Dunaj v Amerike« im Verlag Albert Marenčin PT, Bratislava.
Die Fotos stammen vom Autor.
© 2010 by Michal Hvorecky
© 2012 by J. G. Cotta'sche Buchhandlung
Nachfolger GmbH, gegr. 1659, Stuttgart
Alle deutschsprachigen Rechte vorbehalten
Printed in Germany
Schutzumschlag: Herburg Weiland, München
Gesetzt aus der Linux Libertine in den Tropen Studios, Leipzig
Gedruckt und gebunden von CPI – Clausen & Bosse, Leck
ISBN 978-3-608-50115-5

PROLOG

Martin Roy mühte sich im dichten Rauch vorwärts, der von mehreren Nebelmaschinen im Gang verteilt wurde. Er trug einen silbernen Feuerschutzanzug und auf dem Kopf einen gelben Helm. Er sah keinen Schritt weit. Der Mund schien wie verschnürt. Voller Ungeduld und ganz im Sinne der Regeln kniete er nieder, tastete sich mit den Händen vorwärts und robbte sogar ein Stück weit. Diese neue Lage war zwar unbequem, allerdings auch sicherer. Auf Bodenhöhe gab es noch etwas Sauerstoff. Die Klimaanlage rauchte, was das Zeug hielt, und in der Hitze klebte ihm die Kleidung im Nacken. Aus den Boxen drangen Warnsignale und menschliche Stimmen.

Das Stroboskop simulierte eine Feuersbrunst. Der enge Raum wirkte noch kleiner, klaustrophobisch geradezu. Martin versuchte sich daran zu erinnern, wo sich die nächste Tür befand. Das Schiff schien nun viel größer zu sein, als er es in Erinnerung hatte. Der Gang nahm kein Ende. Er hatte Angst, er würde es nicht schaffen. In diesem unmöglichen Aufzug schwitze er wie ein Schwein. Er hatte längst zehn Kajüten passiert, eine ganze Menge Zeit verloren und die betreffende Person noch immer nicht entdeckt. Links, rechts, links, er legte alle Energie in die Bewegungen, und seine Lunge drohte dabei zu bersten. Die Haut brannte, er war verwirrt, nervös, und in seinem Kopf drehte sich alles. In seinem schmerzenden Fuß verspürte er einen Krampf, Schauer liefen seinen Rücken entlang.

Er musste ständig daran denken, dass eine unerbittliche Schiedsrichterin mit einer Stoppuhr an der Rezeption saß. Die Amerikaner werteten ständig die Reaktionen von alten und neuen Angestellten aus. Irgendwo hinter ihm stand einer der Laufburschen, jede seiner Bewegungen versuchte er mit der Kamera einzufangen und übertrug bestimmt alles live nach Chicago. All seine Bemühungen schienen erfolglos – für diese Arbeit war er einfach nicht geeignet! Er kam sich unbeholfen vor, eine typische Landratte eben.

Martin durchlebte seinen ersten »fire drill« in Lobith, inmitten der holländischen Docks: eine Übung, um die Reaktionen bei Schiffskatastrophen zu trainieren, bei Feuer, Wassereinbruch und Piratenangriff. Eine komplette Feuer- und Sicherheitsschulung sowie der Umgang mit Terrorangriffen, dies wurde nicht nur in der Nähe der somalischen Küste oder in ostasiatischen Gewässern eingefordert, nein, es galt in der gesamten Europäischen Union. Eine Gruppe Angestellter trainierte soeben gemeinsam die Verhaltensregeln für ein großflächiges Feuer. Das GPS hatte schon vor einer halben Stunde ein Warnsignal abgesetzt, das automatisch die Position des Schiffes übermittelte und Hilfe herbeirief. Die gespielte Rettungsaktion lief auf Hochtouren. Wertvolle Sekunden verstrichen, und Martin stand unter Zeitdruck. Die meisten seiner Schritte erfolgten gemäß dem Plan. Doch irgendwo steckte noch eine Person, ohne die man die Evakuierung nicht abschließen konnte. Die Verantwortung oblag ihm. Es stand zu befürchten, dass sich, sofern er die Übung nicht in den nächsten beiden Minuten abschließen konnte, der gesamte Raum hermetisch verschließen und kein Hahn mehr nach ihm krähen würde. Er würde nicht mehr nach draußen gelangen können und auch kein anderer, der hier mit ihm – und ohne es verschuldet zu haben – hinter der Barriere zurückbleiben müsste.

Schnell aufzugeben würde allemal Schande bedeuten. Es hatte ihn beträchtliche Mühen und Geld gekostet, bis zu dieser abschließenden Prüfung zu gelangen. Und eigentlich hatte er gar keine Lust, jetzt schon abzureisen – in diesem Fall würde man ihm nicht einmal Flugticket und Spesen erstatten. Er wollte um jeden Preis das Ziel erreichen. Er tastete sich mit den Fingern die Tapeten entlang, fand einen Metallrahmen und eine Klinke. Er drückte sie und stolperte in die Kajüte. Mit Hilfe der Taschenlampe konnte er in der Dunkelheit einige Gegenstände ausmachen. Der winzige Raum hatte eine weiß gestrichene Decke, und an der Wand befand sich ein Klappbett. Er richtete sich auf und eilte zum Bett, enttäuscht musste er feststellen, dass es leer war. Eigentlich legte man die Puppen und Büsten sonst hier ab. Er musste husten, all der beißende Rauch, der bis zum Boden reichte. Auf einem Tischchen befanden sich eine Tastatur und darüber ein Monitor.

Eine winzige Tür führte ins Bad. Er öffnete diese, und auf einer Miniaturanrichte unter dem Spiegel erkannte er eine Seife, Duschgel und ein verpacktes Shampoo. Keiner da. Er schob den Duschvorhang zur Seite. Ein entscheidender Moment. Endlich! Martin leuchtete tatsächlich einem jungen Mädchen direkt ins Gesicht – eigentlich sollte sie eine Ohnmacht vortäuschen, doch stattdessen grinste sie breit.

»Autsch, schalt das ab, du machst mich ja blind!«, rief sie.

»Bist du o.k.? Kannst du atmen? Ich nehm dich auf meine Schultern und dann los. Ich muss dich evakuieren! Brauchst du Erste Hilfe?«, sprach Martin die eingeübten Sätze.

Er erinnerte sich an einige Fakten, die sie ihm in den letzten sieben Tagen eingetrichtert hatten. Von morgens bis abends lief er die drei Decks auf und ab, er hörte zu, er antwortete, keinen Moment lang konnte er ausruhen. Er übte, blitzschnell die Rettungsweste anzuziehen, die Signalpistole zu bedienen, mit dem Rettungsboot herumzupaddeln und um jede Sekunde zu kämpfen. Sie trichterten ihm die Firmenphilosophie ein: Verlier niemals die Selbstbeherrschung. Höflich bleiben unter allen Umständen. Ein Problem ist eine Herausforderung. Das Leben ist ein Schiff und eine Karriere das Ziel. Die ADC ist unser ABC. Die anderen Anwärter blickten so aufmerksam drein, als ob sie vorhätten, jedes Wort auswendig zu lernen.

Er musste so lange vor einem Spiegel sein »kommerzielles Lächeln« üben, bis ihm das ganze Gesicht wehtat. Zwei Vormittage lang wurde er sogar im Selbstverteidigungstraining auseinander genommen, mit der »Krav Maga«-Kampftechnik sollte er künftig für alle Krisensituationen gewappnet sein. Beim Firmenseminar konnte er sich der Macht der Gruppe kaum entziehen, für Martin war es allerdings noch wesentlich anstrengender, dass ein jeder dieser Abende mit einem Besäufnis endete.

Im Jahre 1991 war bei Hainburg ein Motorboot der österreichischen Zollbehörde mit einem russischen Schiff havariert – drei Tote. Im Jahre 1996 sank in der Nähe des Hochspannungswerks Freudenau der slowakische Schlepper *Dumbier* – acht der neun Besatzungsmitglieder starben. Im Sommer 2004 prallte ein deutsches Ausflugsschiff gegen den Pfeiler der Wiener Reichsbrücke, 19 Personen wurden dabei verletzt. Im Dezember 2005 sank nach einem Feuer in der Nähe der rumänischen Stadt Braile ein Schubschlepper. Alle elf Besatzungsmitglieder ertranken. Am 21. August 2009 brannte ein deutsches Schiff mit einhundertfünfzig Passagieren an Bord vollends nieder, zum Glück starb nur eine Person. Diese und weitere Katastrophen, die entlang der Donau passiert waren, musste er auswendig kennen, wo und wann und vor allem warum sie passiert waren und wie man sie künftig vermeiden könnte. Abschließend war Martin einer strengen Prüfung all dessen unterzogen worden. Bei der theoretischen Prüfung war er erfolgreich gewesen. Nunmehr musste er die praktische abschließen.

»Jetzt übertreib mal nicht! Wo warst du so lange? Mir war schon langweilig ...«, lachte das Mädchen.

»Was? Red nicht blöd rum und komm! Wir müssen uns beeilen«, sagte er.

»Also bitte, ich mache das schon zum dritten Mal. Es reicht, das Ergebnis bekanntzugeben und fertig. Sie werben uns bei der Schauspielschule in Amsterdam an. Zahlen recht gut, nur schade, dass der Dollar so gesunken ist ...«, antwortete sie und schaltete ihr Funkgerät an: »Er hat mich gefunden. Macht den Lärm aus. Ich bin schon völlig fertig davon, und dieser Gestank bringt mich noch um. Der Neue ist ziemlich geschickt. Ein bisschen gedauert hat es zwar, doch er hat auf jeden Fall Talent.«

»Das ist alles? Muss ich dich nicht tragen? Bist du sicher?«, wollte Martin wissen. Er fühlte, das Ziel war zum Greifen nahe.

»Hey. Du kannst meine Hand nehmen, mich zum Bett führen und mir bisschen Mund-zu-Mund-Beatmung beibringen«, antwortete sie und streckte ihre Hand aus. »Aber hör vor allem auf, mir in die Augen zu leuchten!«

Martin rang nach Luft. Er machte die Taschenlampe aus und betrachtete sie genauer: eine junge Schauspielerin mit auffällig schwarzen Augen, roten Wangen und spitzen Lippen. Die Haare klebten an ihrer Stirn. Sie streckte sich ein wenig in ihrer überaus unbequemen Position. Unter ihrem T-Shirt zeichneten sich volle Brüste ab. Ein bisschen zögerte er, er half ihr auf und küsste sie kurz auf die Wange.

»Du spielst recht gut«, antwortete er. »Du solltest dich lieber im Theater engagieren lassen. Ciao!«

Um zwei Uhr fand im Salon das Abschlussmeeting statt, die feierliche Beendigung des Trainings gewissermaßen. Martin wurde kurz vom Teamleiter vorgestellt und danach gefragt, ob er Herausforderungen liebe. Ganz klar, dass er dies nicht wahrheitsgemäß beantworten durfte.

»Jawohl, sehr«, sagte er.

Die ersten zwei eigenständigen Worte, die er in seiner neuen Berufung von sich gab. Bis zu diesem Zeitpunkt hatte er nur genickt und wiederholt, was ihm aufgetragen wurde.

»Dann erlaube mir, dich hiermit feierlich zum Direktor zu ernennen. Ich wünsche dir in deiner neuen Funktion viel Erfolg, zum Wohle der gesamten Firma American Danube Cruises!«, rief der Teamleiter.

Martin stierte ihn ungläubig an und bekam ein Dokument mit vielen goldenen Lettern überreicht. In diesem Moment war aus ihm ganz offiziell ein Cruise Director geworden, ein Schiffsleiter. Er bildete sich darauf nicht sonderlich viel ein, denn er erfuhr schon bald, dass es zahlreiche Titulierungen und Auszeichnungen bei untergeordneten Posten gab, damit ging man durchaus inflationär um. Die Direktoren waren bei der ADC so zahlreich wie das Unkraut am Zaun. In der Firma hieß sogar ein Zimmermädchen »Chairwoman of Housekeeping«, ein Matrose wiederum »Chief Nautical Officer« und der allerletzte Maschinist »General Engineer Commander«.

Auf der Abschlussparty floss der Whisky in Strömen, alles auf Kosten von Chicago. Martin lernte seine Kollegen kennen: die drei Offiziere, die Rezeptionistin, die Köche, Matrosen und das Reinigungspersonal. Die Besatzung der *MS America* flanierte vor seinen Augen auf und ab. Er hielt sich mit dem Alkohol zurück, doch die anderen verhielten sich ganz anders, sie taumelten heiter und trunken herum – oder spielten sie das nur? Irgendwas schien nicht zu stimmen.

Abgesehen davon irritierte ihn ein kleiner Altar, der sich an der Wand befand – dem jüngsten O'Connor war dieser gewidmet, dem Erben der ADC. Am Mittwoch hatte sich der junge Mann sogar mittels Videoübertragung aus Chicago zugeschaltet, im Rahmen einer Marketingschulung. Seine Ansprache lobte alle in höchsten Tönen, doch Martin stach vielmehr der Maßanzug ins Auge. Einen noch viel größeren Wert musste jedoch das breite goldene Armband haben, das Martin an dem Mann erkennen konnte, er trug es an seinem linken Handgelenk. Nach jeder dummen Bemerkung des Eigentümers waren im Raum ein beipflichtendes Raunen und Applaus zu vernehmen. Selbst auf dem Gang, wo die Angestellten an seinem Foto vorbeigingen, schienen alle noch von ihm eingenommen zu sein. Irgendwer erwähnte, dass er O'Connor letztes Jahr in Brasilien die Hand reichen durfte, und alle anderen gratulierten ihm daraufhin.

Kurz vor Mitternacht wurde Martin Roy schließlich dem Kapitän vorgestellt – dieser hieß Atanasiu Prunea.

»Was würde denn passieren, wenn das alles wirklich passiert?«, wollte er wissen.

»Ich verstehe nicht. Was meinst du?«, antwortete der Kapitän mit schwerer Zunge.

Martin war noch nie einem seltsameren Menschen begegnet. Vom ersten Tag an hatte er das Gefühl, dass mit diesem Mann etwas nicht stimmte. Kein Besatzungsmitglied vermochte es, eine solch vollkommene Illusion von langen und erfolgreichen Schiffsreisen zu erwecken wie Atanasiu. Er arbeitete schon seit fünfundzwanzig Jahren auf Schiffen, sowohl im Mittelmeer als auch auf allen Ozeanen. Er erweckte den Eindruck eines melancholischen Riesen, um seine Augen zogen sich viele Fältchen, und die Wangen waren von Wind und Sonne, von allen geographischen Breiten und der unerbittlichen Zeit gezeichnet. Er verfügte über keinerlei Bildung, auch über keine außerordentliche Intelligenz – wie hatte er diese Position dann erlangen können? Vielleicht lag es an seiner Geduld und seiner Gesundheit. Er hatte zwei Jahre lang, ohne auch nur einmal Urlaub oder Krankenstand zu nehmen, seinen Dienst versehen. Eine solche Einstellung schätzte die ADC natürlich. Die Firmenvorschriften hielt er penibelst ein, als wären sie die einer Sekte. Was seine Dienstauffassung anlangte, so konnte sich keiner mit ihm messen. Er hatte als Matrose begonnen und sich bis zum allerhöchsten Rang gedient. Mit dieser Verbissenheit gelangte er im Laufe seines Lebens von kleinerem zu immer größerem Reichtum.

»Irgendein Unglück ... Feuer ... Wasser ... was weiß ich – all das, was wir trainiert haben«, erklärte Martin.

Kaum hatte er dies ausgesprochen, musterte ihn der Kapitän misstrauisch.

»Jetzt pass mal auf, daran solltest du gar nicht denken und schon gar nicht an einem solchen Ort. Menschen sind vertrauensselig auf Schiffen, und über manche Dinge spricht man einfach nicht … Das solltest du gleich mal verinnerlichen, sonst wird dich die Crew nicht akzeptieren. Alles klar, Junge? Verstehst du mich? Wie heißt du überhaupt?«

Martin stellte sich noch einmal vor.

»Für einen Kapitän ist es eine Sünde, wenn auch nur die Unterseite des Schiffes, das er befehligt, irgendwo leicht am Grund schrammt. Die Firma würde es wohl nie erfahren, doch der Mensch wird das nicht mehr los, er trägt es für immer mit sich, es ist wie ein Stich mitten ins Herz. Es reicht eine Berührung mit dem Boden oder auch nur ein leichtes Kratzen am Blech, und das gesamte Schiff wird bis ins Mark erschüttert. Ich weiß, wovon ich spreche, ich habe das schon erlebt und erinnere mich daran, manchmal träume ich sogar davon, werde wach und denke darüber nach, ich gehe noch mal alles durch. Du weißt also gar nichts von Schiffen?«

»Nein, bislang nicht, aber ich will es lernen. Ich habe eigentlich schon damit begonnen. Über die Donau habe ich alles gelesen, was man auftreiben kann.«

»Das glaubst du nur. Trau den Büchern nicht! Bestimmt denkst du dir, wie belesen du bist. Das kannst du aber alles vergessen. Du wirst von neuem anfangen müssen. Doch ich würde zu gerne wissen, warum so einer wie du auf ein Schiff will? Du wirkst nicht wie die üblichen Kandidaten. Es ist alles ein wenig verdächtig, dein Interesse – nicht? Ich hoffe nicht, dass du von der Polizei gesucht wirst. Hast du was gestohlen? Mit Drogen gedealt? Bist du süchtig? Rück nur raus damit!«

Martin protestierte.

»Verzeih, dass ich so hartnäckig bin. Doch wenn ich mich irre, könnte dies schwerwiegende Folgen haben. Nicht nur für dich, sondern für das gesamte Schiff.«

»Ich sage die Wahrheit«, antwortete Martin.

Die Festigkeit und Stärke in Atanasius Stimme schüchterte ihn ein, wo er doch noch vor wenigen Augenblicken der Meinung gewesen war, dieser könne sich kaum artikulieren.

»Und Sie …? Haben Sie eine Ehefrau? Oder Familie?«

»Seeleute haben keine Ehefrauen, eher noch Witwen. Kinder habe ich, zum Glück, nicht, zumindest weiß ich nichts davon. Und Frauen findest du in jedem Hafen, wenn dich das interessiert.«

»Warum sind Sie auf der Donau unterwegs?«

»Um Geld zu verdienen, das ist doch klar. Was denkst du denn? Bist du dir wirklich sicher, dass du auf das Schiff willst?«

»Ganz sicher!«

»Also gut, es gilt. Hier hast du, trink aus. Prost! Und von jetzt an per Du!«, schlug der Kapitän vor und reichte ihm ein bis zum Rand gefülltes Glas. Martin trank es auf ex und hatte dabei das Gefühl, dass er alles, was er in dieser Woche an Sicherheitsvorkehrungen gelernt hatte, eben jetzt wieder vergaß.

I. TEIL

»Ab und zu scheint es mir so, dass auf der Donau die Schiffe voller Wahnsinniger ins Unbekannte fahren.«

Umberto Eco: Der Name der Rose

»Als ich ins Donauwasser tauchte, spürte ich die Kraft des Stroms und hörte ganz auf dem Grund ein ganz stilles Zischen: die Steinchen und umgeschütteter Sand haben gesungen. Der Klang schwamm zusammen mit mir, immer schneller und rauschhafter, und ich wusste, dass, wenn ich wieder aus dem Fluss rauskomme, ich auf dem anderen Ufer die Stadt sehen werde, weit und strahlend im Sonnenschein.«

Pavel Vilikovský: Mein Bratislava

»Die Stadt Pressburg gehörte nicht uns und gehörte genauso wenig den Ungaren. Es ist eine deutsche Stadt. Aber wir haben das Recht drauf, weil der Boden slowakisch ist. Wir brauchen unbedingt die Donau.«

Tomáš Garrigue Masaryk,
Präsident der Tschechoslowakei,
im Dezember 1918

I. QUELLEN

Schon in der allerersten Nacht auf Reisen hatte er von der Donau geträumt. Das deutsche Städtchen Donaueschingen hatte er einmal besucht. Der Strom entspringt dort als dünnes Rinnsal im Schlosspark der Fürstenbergs, in einem Behältnis aus weißem Marmor, das einer Wiege ähnelt, umsäumt von allerlei Statuen. Das Wasser sprudelt aus einem der Westhänge des Schwarzwalds, stammt zugleich jedoch auch aus den Tiefen der europäischen Geschichte. Der Strom setzt sich aus den Zuflüssen der Bäche Brigach und Breg zusammen und ist an dieser Stelle tatsächlich blau.

Der Legende nach hatten die erschöpften römischen Soldaten keine Lust mehr gehabt, sich durch finstere Wälder bis zur echten Quelle vorzuarbeiten, die in der Antike ein ähnliches Geheimnis umgeben hatte wie den Ursprung des Nil; kurzum, sie entschieden schließlich, besagten Ort als Quelle festzulegen.

Die Donau begibt sich von da an in Richtung Osten, durch die Schwäbische Alb, durch allerlei poröses Gestein in den Hügeln, um dann plötzlich in Immendingen im Untergrund zu verschwinden und erst zwölf Kilometer weiter entfernt wieder aufzutauchen.

In seinem Traum goss Martin Unmengen von Beton in die Quelle und drängte das Wasser in sein unterirdisches Becken zurück. Doch die Donau gab nicht auf, immer wieder durchstieß sie die Ummantelung. Er schüttete noch mehr Beton nach. Doch das Wasser fand immer wieder einen Fluchtweg, es blubberte in wiederkehrenden Geysiren auf, warf Steine hoch und zog Furchen und Gräben, bis es ihn selbst wegschwemmte. Er wälzte sich im Bett herum, verbarg sich unter der Decke und erwachte.

Entschlossen öffnete er die Augen, stand auf und beeilte sich. Eine schnelle Dusche, anziehen und ohne Frühstück zum Taxi. Er holte die Passagiere am Franz-Josef-Strauß-Flughafen in München ab. In der Ankunftshalle sperrte er das angemietete Sicherheitsfach der Firma auf. Er zog ein paar Plakate aus festem Karton und einige Holzplatten hervor und baute sich an dem ihm zugewiesenen Platz ein kleines Empfangspult mit dem Logo des Reiseveranstalters American Danube Cruises auf, der lokalen Tochter der »American Global Cruises«. Auf den Bildern waren digital verjüngte Pensionisten zu sehen, und die Donau floss majestätisch durch Budapest, das voller glücklicher alter Menschen war. Die Gesichter auf den Plakaten wirkten ungefähr so natürlich und ungarisch wie ein Bison inmitten des Café Gerbeaud.

Von der Firma ADC war hier so manches bekannt, Gutes und recht Schlimmes. Fest stand, dass sie auf der Donau neun Schiffe besaß und während des gesamten Flussverlaufs die Luxusklasse dominierte. Die Muttergesellschaft operierte auf fünf Kontinenten, ihre Zielgruppe waren Pensionisten, und sie beförderte jährlich mehr als zweihunderttausend Passagiere. Sie gehörte einer bekannten Kaufmannsdynastie aus Chicago, der Familie O'Connor, und war zu einer globalen Aktiengesellschaft angewachsen, sie erwirtschaftete aus den Flüssen ein niemals versiegendes Meer an Geld. Die Verwaltung füllte einen ganzen Wolkenkratzer, doch lehnte die Führung alljährlich kategorisch ab, auch nur eine zusätzliche Arbeitskraft aufs Schiff zu holen. Die Familie O'Connor kannten in Europa alle Mitarbeiter von Schifffahrtsbetrieben und natürlich auch alle Kapitäne, doch noch weitaus massiver war die Firma in China, Australien, Ägypten und in den USA präsent.

Anfang August, um sieben Uhr morgens, lag noch ein ziemlich langer Arbeitstag vor Martin Roy. Zum Gästeempfang trug er eine helle Leinenhose und ein dezentes, kurzärmliges Hemd. Das Namensschild, versehen mit dem Logo des ADC, alles golden umrahmt, konnte er nicht ausstehen, doch es war Pflicht, dieses anzustecken. Die Firmenvorschriften legten ganz genau fest, welche Kleidung in welcher Arbeitssituation zu tragen war, die jeweiligen Stücke mussten sich die Mitarbeiter allerdings selbst besorgen.

Um Kosten zu sparen, orderte die Firma die billigsten Flugtickets, und so kam es regelmäßig zu Verspätungen und Gepäckstückverlusten. Die Touristen stammten zumeist aus den USA. Manche von ihnen mussten bei ihrer Anreise drei bis viermal umsteigen.

Am Flughafen war es laut. In der Nacht waren plötzlich die Rechner ausgefallen, was die Arbeit des Towers wesentlich verlangsamte, das verursachte Verspätungen bei vielen nachfolgenden Verbindungen. Sogar jene Reisenden, die unter normalen Umständen nicht zu nervösen Reaktionen neigten, verloren allmählich ihre Fassung. Sie fächerten sich mit Tickets und Zeitungen etwas Luft zu. Martin versuchte zu lesen, um die Zeit irgendwie zu nützen, doch er konnte sich in dem Chaos schlecht konzentrieren. Zudem musste er die automatische Tür im Auge behalten, ob nicht irgendwo hinten bei der Gepäckausgabe schon seine Leute zu erkennen waren. Regelmäßig sah er auf die digitale Anzeigetafel. Ihr zu Folge sollten diejenigen, die am Flughafen Heathrow in London umgestiegen waren, jeden Augenblick eintreffen.

Den ersten Tag mit neuen Reisenden erachtete er als einen »Schlüsselmoment«. Martin wurde an einem solchen Morgen als sein eigener Zwilling wiedergeboren. Diesen »schauspielerischen Kunstgriff«, hatte er in den letzten drei Jahren – mit Hilfe der Firma – nahezu perfektioniert.

Das Ganze begann damit, dass er sein kommerzielles Lächeln aufsetzte. Danach veränderte sich seine Stimmlage, der nervöse Gesichtsausdruck wich vollkommener Gelassenheit, selbst seine fahrigen Gesten verschwanden, alles wurde von Klarheit und Genauigkeit überschrieben, er hatte das in diversen Kursen erlernt. Er wurde zu einem anderen Menschen, liebte nunmehr Sport und Melodic Rock. Und er schwärmte in breitem Amerikanisch von seiner fiktiven Verlobten und seinen Eltern. Er verwendete plötzlich nur noch die

Maßeinheiten Fuß und Meile, das Erdöl wurde in Barrel bemessen, das Gewicht in Pfund und die Temperatur in Fahrenheit.

In den großen Schiebetüren tauchten die ersten Touristen auf. Er hätte sie sofort erkannt, auch wenn sie nicht – wie man es ihnen bereits zu Hause empfohlen hatte – Namenskärtchen mit dem Logo des Reiseveranstalters um den Hals getragen hätten. Die Pensionisten in Zweierreihen konnten ihre amerikanische Herkunft nicht verbergen, manche bemühten sich darum, europäischer zu wirken oder zumindest so, wie sie sich »Europäertum« vorstellten. Die Greise und Greisinnen hielten sich verkrampft an den bis obenhin mit Gepäckstücken beladenen Wägelchen fest.

Das erste Männlein, das bei Martin vorstellig wurde, ein New Yorker namens Erwin Goldstucker, hatte ein zerfurchtes Gesicht und am Kopf einige verbliebene Haarbüschel. Er war so gealtert, dass er beinahe verschwunden wäre, doch irgendetwas ließ ihn weiterhin existieren. Beim Gehen stützte er sich auf einem weißen Blindenstock ab.

»Guten Tag! Ich darf Sie im Namen des Reiseveranstalters American Danube Cruises sehr herzlich in Ihrem Urlaub willkommen heißen, der, davon bin ich überzeugt, der schönste Ihres Lebens sein wird. Mein Namen ist Martin Roy, und ich bin für Ihre Reiseorganisation verantwortlich. Wir danken Ihnen, dass sie sich für uns als Reiseveranstalter entschieden haben. Ich bitte Sie auch gleich um etwas Geduld, bis genug Leute beisammen sind, um im Autobus Platz zu nehmen, Ihre ganze Gruppe wird dann unverzüglich an Bord gebracht!«

Ein weiterer Mann, Jeffrey Rose, kam aus Michigan, und abgesehen von einem Kranz aus festem, mausgrauem Haar war er in der Mitte seines Schädels völlig kahl. Seine Augen tränten, und sein Gesicht hatte im Flughafenlicht die Schattierung eines Leichnams angenommen. Die lethargischen Bewegungen ließen jedwede Kraft vermissen.

»Sind wir schon in Europa?«, wollte Jeffrey wissen.

»Ganz genau, Mister Rose, Sie sind in München, in Bayern gelandet«, antwortete Martin.

»Gott sei Dank«, entgegnete Jeffrey. »Und nenn mich Jeff. So wie bei den anonymen Alkoholikern.«

»Klar, Jeff.«

Jeffs Ehefrau Ashley musste einst eine Schönheit gewesen sein, doch heute war sie verschrumpelt und voller Falten.

»Darf ich was fragen, wird auf diesem Schiff getrunken?«, fragte Ashley.

»Meinen Sie Alkohol? Ja, der wird serviert«, antwortete Martin.

»Das dachte ich mir schon. Wir werden auf unsere Männer achtgeben müssen.«

»Wir werden Ihnen gern dabei helfen. Mit Alkoholikern haben wir an Bord reichlich Erfahrung«, flüsterte er zurück.

Martin wiederholte seine Begrüßungsformel, und weitere Touristen stürmten ihm entgegen. Diese anstrengende und ermüdende Arbeit erwartete ihn den ganzen Tag. Die Passagiere kamen todmüde an, sie waren hungrig, durstig, sie mussten dringend auf Toiletten, Medikamente einnehmen ... Vor allem jedoch hatten sie panische Angst vor fast allem: dem Wetter, dem Euro, Taschendieben, den Unannehmlichkeiten der Zeitverschiebung ...

Im Alter lässt alles langsam nach. Die Haut bekennt sich zu ihren Unregelmäßigkeiten, die Knorpel verlieren an Kraft, und die Knochen reiben gefährlich aneinander. Zudem waren diese Menschen gern auf längeren Urlauben, viele Jahre lang, Aufenthalte auf Schiffen, Autobusfahrten, Stadtbesichtigungen und längere Märsche, all das hätte selbst bei Jüngeren Spuren hinterlassen. Als ob der nahende Tod die Amerikaner dazu verleiten würde, sich in Mitteleuropa all das anzuschauen, was sie bislang noch nicht gesehen hatten. Auf dem Schiff hatten sich 120 einquartiert, wobei ein jeder von ihnen für die zweiundzwanzigtägige Reise von Regensburg bis zum Donaudelta in Rumänien mehr als 8000 Dollar zu berappen hatte.

Wer sich danach sehnt, europäische Flüsse in der Luxusklasse zu bereisen, benötigt eine Menge Geld und erwartet dafür auch entsprechende Dienstleistungen. Diese Menschen haben schon alles auf ihren Urlauben erlebt: Strände auf künstlichen Inseln im Stillen Ozean, Schlafstätten in Hotelanlagen am Meeresgrund oder Skiabenteuer auf verborgenen Pisten inmitten der arabischen Wüste. Die Amerikaner gönnen sich erst im hohen Alter so richtig Urlaub, bis dahin arbeiten sie sehr hart. Während die Europäer nur noch apathisch auf den Tod warten, umringt von Pflegekräften und bei den eigenen Kindern und Nachbarn verhasst.

Das Durchschnittsalter der Passagiere hat die Firma mit 73 berechnet. Es tauchen allerdings auch regelmäßig Neunzigjährige auf. Auf seiner ersten Fahrt hatte Martin eine hundertjährige Greisin aus New Jersey in seiner Gruppe, die während der Reise verstarb ... sie hatte noch versucht, irgendwie den Hauptplatz von Linz zu erreichen.

Die Gesellschaft ADC war versucht, jeden aufs Schiff zu bekommen, der Geld übrig hatte, um die Konkurrenten auszubremsen. Sie hatten es dabei auf einen genau definierten Kunden abgesehen, sowohl was die Nationalität als auch dessen Geschmack betraf: Es sollte ein Mensch sein, der an Bord lieber romantische Bücher von Rosamund Pilcher oder Thriller von Tom Clancy oder Robert Ludlum las, als zu saufen und zu feiern. Er folgte dem Reiseführer, buchte die meisten zusätzlichen Ausflüge und kaufte selig all die überteuerten Souvenirs ein, ein Bildchen von Mozart oder zumindest eines von Josip Tito.

Vor der Wirtschaftskrise waren die Donauschiffe von ADC stets ausverkauft gewesen, besonders im Sommer, und ein jeder Ausfall konnte mit dutzenden Nachrückern kompensiert werden, die auf ein günstigeres Angebot in letzter Minute hofften. Die Firma fand alles über ihre Kundschaft heraus. Der durchschnittliche Reisende männlichen Geschlechts wog 130 Kilogramm, die Frau circa zehn weniger. Sobald sie eine Kreditkarte benutzten, verteuerte sich ihre Reise um ein Drittel. Sobald sie einen Enkel mitnahmen um die Hälfte. Man wusste, was sie zwei Tage vor der Abfahrt im Supermarkt eingekauft hatten und wie viel das gekostet hatte, wie es um ihre familiären Bindungen stand, ob der Sohn ein Falschspieler und seine Braut arbeitslos war, welche Webseiten sie aufsuchen, wie viele Kartoffelchips sie beim Fernsehen zu sich nahmen und so weiter.

»Hey, du, bring uns zum Schiff! Worauf warten wir noch? Wir werden uns beschweren! Ich verbitte mir das!« Peggy, eine der Mitreisenden, bekam einen Wutanfall, ein neurotisches Monstrum, das die Augen weit aufriss, die so eine furchteinflößende Größe anzunehmen schienen.

»Ja doch, wir wollten was zu essen! Was soll das bedeuten? Wofür haben wir bezahlt? Dass wir hier auf dem Flughafen herumhängen?« Andere schlossen sich an.

»Ich bitte Sie noch um ein wenig Geduld, meine sehr verehrten Reisenden. Sobald sich vierzig von Ihnen eingefunden haben, geht es sofort los!«, antwortete Martin.

Er begrüßte weitere Neuankömmlinge, navigierte sie zu Toiletten oder Wechselstuben, verteilte Halbliterflaschen mit Mineralwasser und beschwichtigte die größten Unruhestifter. Auf den Bänken gab es bereits keine Sitzplätze mehr.

Minuten des Wartens verronnen, bald war eine erste Stunde um. Das war der größte Trost, an den Martin während der gesamten Reise dachte. Die Zeit bleibt nicht stehen. Er zählte gerade den vierzigsten Passagier ab und nahm sich nunmehr der nächsten, nicht gerade leichten Aufgabe an:

»Unweit von hier erwartet Sie der Autobus.«

Die Halle füllte sich mit höhnischem Applaus.

»Hurra, endlich Urlaub! Let's go! Gehen wir!«

»Wie weit ist es? Wir wollen nicht zu Fuß gehen!«, brüllte das Ungetüm Peggy.

»Es ist ganz nah. Wir sind in drei Minuten dort.«

»Wer trägt mein Gepäck?«

»Ich bitte Sie um Ihre Aufmerksamkeit, das hier ist ganz wichtig: Für seine Koffer ist jeder selbst verantwortlich. Vergessen Sie deshalb nichts. Ein jeder nimmt seine Taschen! Wir bewegen uns jetzt gemeinsam zum Autobus. Wiederholen wir ...«

Er blieb ruhig, weil er ganz genau wusste, dass es immer so ablief: Er würde ganz langsam sprechen, sich deutlich artikulieren und unendlich oft mit stoischer Ruhe jeden Satz wiederholen – ein Sisyphos der Tourismusindustrie. Wie der mythologische Held gab auch er nicht auf und zum hundertsten, wenn nicht zum tausendsten Mal fügte er sich in die Erfüllung seiner Aufgaben. Er ging los, über seinem Kopf hielt er ein buntes Signalfähnchen, und die Gruppe in seinem Rücken setzte sich langsam in Bewegung. Für die hundert Meter zum Parkplatz brauchten sie eine Ewigkeit.

Sie trugen breite Trainingshosen und durchgeschwitzte T-Shirts. Für die Reise hatten sie große, weiße Sportschuhe mit einer groben Sohle an oder leichte Sommerschlüpfer. Den Männern wuchs aufgrund ihrer Fettleibigkeit am Brustkorb ein mächtiger Busen, und an den Bäuchen hatten sie riesige Falten. Ein jeder trug zudem einen Fotoapparat um den Hals. Schon am Flughafen hatten sie dauernd Bilder und diverse Filmchen gemacht.

Beim Einsteigen gab es einen Tumult um die besten Plätze ganz vorn. Die Amerikaner befiel eine groteske Unruhe und Nervosität, sie veränderten sich, wurden zu Brülläffchen, benahmen sich kindisch, mitunter gar euphorisch. Jede Stufe war zu hoch, jede Halteschlaufe zu weit entfernt. Jeden ihrer Schritte begleitete ein kleiner Vortrag, was alles besser sein könnte. Martin hörte nur mit einem halben Ohr hin. Sobald sie alle saßen, stieg auch er ein. Er überprüfte, ob der Chauffeur die Lautstärke der Boxen aufs Maximum gestellt hatte, denn viele der Gäste waren nahezu taub. Er baute sich vorn unter dem Monitor auf.

»Ich wünsche Ihnen eine gute Anreise, die Fahrt dauert etwa eineinhalb Stunden. Ihr Chauffeur, Heinz, bringt Sie sicher bis nach Regensburg. Ich freue mich auf unser Wiedersehen an Bord. Während der Fahrt können Sie eine Präsentation unseres gesamten Programms anschauen. Auf Wiedersehen!«

»Bye, bye, Martin! See you soon! Bleib doch hier!«

Er schaltete die DVD ein und stieg aus dem Bus. In die Halle strömten bereits die nächsten Passagiere.

2. DIE LANDKARTE

Martin kam erst gegen acht Uhr abends in den Autobus, mit der letzten, dritten Gruppe. Der ganze Tag war überaus stressig verlaufen. Ab und zu gelang es ihm, hektisch einen Kaffee in sich hineinzuschütten, gerade mal gut genug, um später Magengeschwüre zu bekommen, er aß ein Kaloriensandwich mit einem Stück trockenem Käse und einem Salatblatt und schluckte eine Vitaminpille.

Aus der Pensionistengruppe stach eine schöne Vierzigjährige heraus, die sich als Foxy Davidson vorgestellt hatte. Sie trug ein lilaseidenes Kleid mit einem tiefen Ausschnitt. Über die hohe Stirn fiel bordeauxrotes Haar. Sie musste noch vor kurzem schwarzes Haar gehabt haben. Auf den Lippen lag ein gewinnendes Lächeln, ihre weißen Zähne blitzten. Sie roch nach einem guten Parfüm und ledernen Flugzeugsitzen.

Mit Foxy hatte Martin nunmehr 39 Passagiere beisammen, doch es fehlte die letzte Person – Clark Collis. Ob sie ihn so lange bei der Passagierkontrolle aufgehalten hatten? Martin begann langsam nervös zu werden. Was, wenn dem Mann etwas passiert war? Er rief bei der Zentrale der Fluggesellschaft an, doch der Reisende hatte seinen Flug nicht verpasst, er musste sich noch irgendwo in der Halle aufhalten. Die anderen Passagiere traten ungeduldig von einem Fuß auf den anderen. Er konnte es ihnen nicht einmal übelnehmen, dass sie sich nach dem Schiff sehnten – er selbst wünschte sich ja sehnlichst dorthin. Er rief noch einmal bei der Zentrale an, doch man wusste keinen Rat. Die Ankunft der Maschine lag nun bereits fünfzig Minuten zurück. Martin hatte viel Zeit gehabt, sich die unterschiedlichsten Gesichter mit Hilfe seiner Liste einzuprägen.

Endlich zeigte sich Clark Collis. Vier Flughafenmitarbeiter trugen ihn auf einem Spezialstuhl für Menschen mit extremen Behinderungen, er thronte dort wie ein afrikanischer König – oder vielmehr wie ein Leichnam auf einer Bahre. Er gab sich jedenfalls majestätisch. Vierzig Augenpaare stierten den Nachkömmling an, dem der Bauch bis zu den Knien hing. Er war 65 Jahre alt, aufgequollene Wangen und Miniaturaugen, die die Welt verdächtig musterten. Er atmete schwer, und seine Gelenke quietschten, vermutlich waren sie ausgetrocknet.

Die Helfer stellten den Transportstuhl erschöpft am Boden ab. Clark reichte ihm umständlich die Hand, und Martin begrüßte den Gast. Nach einigen Höflichkeitsfloskeln wies er ihn auf eine wichtige Tatsache hin:

»Werter Herr Collis, ich muss Ihnen mitteilen, dass unsere Reise kürzere und auch längere Märsche beinhaltet. Ich weiß nicht, ob Sie ...«

»Keine Angst, Martin, ich werde dir keine Probleme bereiten. Ich will lediglich in der Kabine sein und die Fahrt auf dem Wasser genießen. Das ist alles. Ich habe nicht vor, irgendwo hinzugehen, ich werde mich nicht von Bord rühren. Du wirst keinerlei Probleme mit mir haben ...«

»So habe ich das nicht gemeint, aber ... ich schätze Ihre Einstellung. Ich danke Ihnen.«

»Die Firma hat mich informiert. Sie sicherten mir zu, dass du Verständnis haben würdest.«

»Ich werde dafür sorgen, dass Sie in der Kabine ein nettes Programm haben werden.«

Dieses gigantische Geschöpf sprach mit einer fipsigen Stimme. Clark stieß die Worte nur so von sich, wohl auch deshalb, weil die schnellen Schläge seines Herzens auf sein Sprechtempo Einfluss nahmen.

»Verehrte Passagiere, wir können aufbrechen!«, rief Martin.

Herr Collis stellte sich mit Hilfe von drei erwachsenen Männern auf die Beine. Es fiel ihm schwer, sich irgendwie aufrecht zu halten, die Anstrengung ließ seine Beine erzittern, auch der dunkelblaue Stoff seines Hemdes bebte. Martin befürchtete, dass ihm jeden Augenblick die Knie einknicken könnten. Entgegen aller Befürchtungen schob er sich jedoch unaufhaltsam vorwärts, selbst wenn er dabei kaum Luft bekam. Die Mitreisenden halfen ihm beim Einsteigen in den Bus, sie schoben ihn förmlich nach innen, damit er irgendwie durch die Tür passte. Er brauchte zwei Sitzplätze und war nicht in der Lage, den Sicherheitsgurt zu schließen. Man sah nun allen an, wie erleichtert sie waren. Martin zählte die Pensionisten durch. Danach fuhren sie auf der A9 nach Regensburg.

Er nahm neben dem Chauffeur Platz, griff sich das Mikrophon, und 40 Reisende lauschten aufmerksam. Er schmeichelte ihnen, bedankte sich ausführlich und lobte ihre Umsicht, dass sie den Reiseveranstalter American Danube Cruises gewählt hatten. Er war sich sicher, dass es glaubwürdig klang. Ihm war aufgefallen, dass Foxy direkt hinter ihm Platz genommen hatte. Sobald er sich ein wenig zur Seite neigte, konnte er sie in einem alten Spiegel erkennen.

»Ich bin davon überzeugt, die nächsten zwanzig Tage bringen keinerlei Stress und Müdigkeit, vielmehr Freude und Erholung. Ich gehe davon aus, dass Sie einen unterschiedlichen Grad an Interesse für Geschichte mitbringen, und wenn sich jemand nicht unbedingt für eine bestimmte Sache interessiert, verspreche ich, derjenige wird auf keiner schwarzen Liste landen«.

Der geradlinige Humor funktionierte.

»Es wird der Moment kommen, wo selbst ich keine Lust mehr auf eine weitere Barockkirche oder die nächste Pestsäule habe«, kündigte er an. »Uns erwarten ungefähr dreitausend Kilometer auf der Donau, was in etwa tausendsiebenhundert Meilen entspricht. Wir wollen, dass Sie die Reise genießen. Ich werde alles tun, damit Sie diesen Urlaub niemals vergessen.«

»Wie wird das Wetter?«

»Sie haben ausgesprochenes Glück. Ich sprach heute Morgen noch mit dem Kapitän, und er versicherte mir, dass uns in den nächsten Tagen ein wunderschöner mitteleuropäischer Sommer erwartet.«

Frenetischer Applaus brandete auf. Foxy klatschte nicht mit. Ihre Lippen umspielte weiterhin ein Lächeln, und sie warf ihm allerlei Blicke zu.

»Nunmehr können Sie gerne Fragen stellen. Selbstverständlich werden wir jetzt nicht allzu lange miteinander plaudern, Sie sollen sich doch endlich ausruhen können. Alles Wichtige kann ich Ihnen dann auf dem Schiff erzählen.«

Er stand auf und verteilte Mineralwasser an die Passagiere. Er hasste es jedes Mal, im Bus herumgehen zu müssen, doch er hatte keine Wahl.

»Wie kommt es, dass du so gut Englisch sprichst? Die Firma hat uns zwar zugesichert, dass die Leute vor Ort unsere Sprache beherrschen, doch ich hatte mir natürlich Sorgen gemacht, ob wir uns verständigen können«, fragte Ashley.

Eine dankbare erste Frage. Er antwortete ganz automatisch. Was er antworten sollte, dafür gab es in der Firma ein ganzes Handbuch.

»Ich liebe die amerikanische Sprache. Ich habe sie lange in der Schule gelernt, im Gymnasium, später dann auf der Universität ...«

»Du hast einen Titel, Martin?«

»So ist es. Ich bin Magister, was bei Ihnen dem Master entspricht. Ich habe Italienisch studiert und Literatur sowie Englisch und amerikanische Geschichte.«

Das Letztere hatte er frei erfunden, doch die Wirkung war umso größer. Von überall war ein »Oh« und »Ah« und anerkennendes Pfeifen zu hören. Er wusste, diese Nachricht würde sich augenblicklich an Bord verbreiten, und er würde von Anfang an Respekt genießen.

»Wir sind froh, dass uns die ADC einen solch qualifizierten jungen Mann zuwies!«

»Ich bin so gern für die Gesellschaft tätig. Es ist mir eine Ehre, dabei zu sein.«

Er log wie gedruckt. Überall in Mittel- und Osteuropa arbeiteten auf Martins Position Leute mit Hochschulbildung. Unter seinen Kollegen fanden sich Sprachwissenschaftler, Musikkritiker, Theaterdramaturgen und sogar Philosophen.

»Wie oft hast du die Reise bereits absolviert?«

»Das kann ich nicht einmal mehr sagen, viele Male«, antwortete er. Die Route war ein neues Produktangebot im Katalog, und alle an Bord machten die Reise zum ersten Mal. Bis zum Donaudelta war bislang noch nie ein ADC-Schiff gefahren.

»Macht dir die Arbeit Spaß? Es muss mitunter schwer sein, mit Menschen unserer Generation.«

»Wer hat Ihnen das denn auf die Nase gebunden? Das kann ich gar nicht glauben ... aber allen Ernstes – wenn Sie erst mal all die Schönheiten und bezaubernden Orte sehen, die Burgen, das Kulturangebot, wenn Sie die neuen Sprachen kennenlernen, dann werden Sie gewiss verstehen, dass so etwas einen Menschen niemals langweilen kann. Auf der Donau gibt es immer etwas zu entdecken.«

Die müden Reisenden machten es sich in den Sitzen bequem, sie versuchten, die beste Position für ihre Beine zu finden, und dösten ein. Ab und zu gab es noch eine Frage, Martin beantwortete sie, dann ließ er ganz leise etwas Musik laufen. Ein paar Minuten lang würde er jetzt verschnaufen können. Er öffnete einen Autoatlas und verfolgte darauf die Fahrt.

Schon von seiner Kindheit an mochte er Landkarten. Stundenlang vermochte er sie zu betrachten, und in seinem Kopf rotierte die pure Abenteuerlust. Ein jedes Land hatte eine andere Farbe, rot, braun, grün, und das Wasser war blau. Es quälte ihn die Sehnsucht nach allem, das weit entfernt lag.

Die Donau erinnerte an eine lang gezogene Schlange, deren Kopf im Schwarzen Meer lag, ihr Körper breitete sich über den gesamten Kontinent aus, und die Schwanzspitze verlor sich irgendwo im Schwarzwald. Der Fluss faszinierte ihn. Dorthin musste er mal fahren! Die Schlange hatte ihn hypnotisiert.

Schon als Kind ging er zum Lesen an die Ufer der Donau. Er stellte sich vor, wie es um ihn herum nur so vor Gestalten aus diversen Büchern wimmelte – die Seelen verblichener Schiffer, Seeleute mit einem Eisenhaken, die Schatten von Erhängten auf ihren Galgen, verrückt gewordene Kapitäne, blutrünstige Piraten und ausgesetzte Säuglinge in ihren Wiegen.

In den Donaugeschichten mangelte es nicht an Gespenstern und Geistern, die während all der schrecklichen Zeiten den Fluss heimsuchten und die Menschen in unbekannte Tiefen zogen; die Wassermänner ersäuften nur zu gerne Kinder. Er träumte davon, unweit die Stimmen trauriger Mütter und Ehefrauen zu vernehmen, er hörte die Stimmen der Ertrinkenden, das Gewimmer der verlassenen Säuglinge, bis der Fluss ihre nächtlichen Klagen verschluckte.

Der Bus nahm nach hundertfünfzig Kilometern den letzten Teil der Etappe in Angriff. In der Ferne konnte man schon die Umrisse der alten Donaubrücke erkennen. Hier nahm die Donau drei weitere kleine Zuflüsse in sich auf: die Laaber, die Naab und den Regen. So kam es, dass Regensburg als die Stadt der vier Flüsse galt.

»Meine sehr geehrten Reisenden, demnächst werden wir gemeinsam das Schiff betreten. Wenn Sie durch die vorderen Fenster blicken, erkennen sie die Donau und die sogenannte Steinerne Brücke, sie wurde 1146 auf Geheiß des bekannten Fürsten Heinrich dem Stolzen fertiggestellt. Sie wurde zum Vorbild für viele andere europäische Brücken, auch die berühmte Karlsbrücke in Prag orientiert sich an ihr. Die Brücke lässt kleinere Schiffe unter sich passieren, doch die Wege der internationalen Schifffahrt stromaufwärts enden zumeist hier. Von den ursprünglich drei Türmen blieb nur einer erhalten, man nennt ihn das Brücktor. Wer es schafft, diesen Namen zu wiederholen, der hat bei mir einen Drink frei. Und rechts von Ihnen erwartet sie bereits die *America*!«

Sobald die Passagiere das Schiff sahen, verschlug es ihnen den Atem. Es dämmerte, doch auf dem Blechpanzer war ganz deutlich und leuchtend die Aufschrift »MS America« zu erkennen, aus eleganten Metallbuchstaben zusammengesetzt. Das Schiff erinnerte an ein lebendig gewordenes Gemälde, das aus den Tiefen aufgetaucht war, um dort irgendwann erneut unterzutauchen. Fachleute hielten die *MS America* für das schönste Donauschiff. Die Konstruktion überragte alles andere in ihrer Nähe. Obenauf befand sich die Kapitänsbrücke. Der Rumpf sah aus wie ein großes Wassertier, das nur darauf wartete, mit Menschen gefüttert zu werden.

Die *America* hatte vor einem Jahr sogar einen Fahrtrekord auf dem Weg von Melk nach Passau aufgestellt. Ihr Innenleben hatten die Ingenieure überaus innovativ und überlegt gestaltet: drei Stockwerke mit Kajüten, ein zwanzig Meter langer Pool, ein Restaurant, eine großzügige Wellnesszone, zwei Saunen, ein Rauchersalon, es gab sogar eine kleine Bibliothek.

Das Schiff war von einer weithin bekannten Werft im finnischen Hafen von Turku gefertigt worden. Es beeindruckte nicht durch Größe, die auf Flüssen per Verordnung geregelt blieb, sondern vielmehr durch seine Gesamtkonzeption und all die technischen Errungenschaften wie die energiesparenden Heizmodule oder das integrierte Warentransportsystem. In den Kajüten konnte man neunzig amerikanische Fernsehprogramme auf einem Plasmabildschirm verfolgen, Computerspiele für Pensionisten hochladen oder im Internet surfen. Das Display war extra für weitsichtige Menschen eingerichtet worden.

Die *America* verkehrte von März bis Mitte Januar, und danach verbrachte sie sechs Wochen in holländischen Docks, wo sie sorgfältig auf die nächste Saison vorbereitet wurde, Kontrollen, Zertifikate und Registrierungen – in der Branche herrschten strenge Regeln und Vorschriften.

»Bitte nehmen Sie Ihr Handgepäck mit. Die großen Taschen und Koffer wird Ihnen unser wunderbares Team direkt in Ihre Kajüte bringen. An der Rezeption holen Sie sich einfach Ihren elektronischen Schlüssel, sowie Ihren Schiffspass ab, der dazu dient, dass ich und mein Team immer wissen, ob sich alle an Bord befinden. Bitte sehr, Sie können aussteigen.«

Martin ging voraus. Eine Rampe führte zum Eingangsbereich, sie war auf beiden Seiten mit genieteten Metallleisten gesichert. Durchsichtige Glasscheiben erlaubten einen ersten Blick ins Innere.

Das Begrüßungskomitee hatte sich nach einem genau festgelegten Protokoll am Eingang aufgebaut und nickte den Ankömmlingen zu. Den Amerikanern gefiel dieses Ritual. In der Mitte stand der rumänische Kapitän Atanasiu Prunea, in weißer Hose und Hemd, er trug eine dunkelblaue Weste und eine edle Seidenkrawatte. Seine Hand zierte ein großer goldener Ring mit einem schwarzen Edelstein, und auf seiner Kapitänsmütze war mit silbrigem Faden der Name des Schiffes eingestickt. Seine Uniform war sein wertvollster Besitz, sie kostete mehr als 3000 Euro, und er trug sie mit Noblesse. An sein Amt waren Seriosität und Haltung geknüpft, er legte auf beides Wert. Er erwartete sich von seiner Besatzung keinerlei übertriebenen Respekt, allerdings forderte er ein Mindestmaß an Anstand und Reinlichkeit. Dank seiner zahlreichen Fahrten auf den europäischen Flüssen war Atanasiu in der Lage, sich mit den Angehörigen der meisten Nationalitäten gebrochen in ihrer Muttersprache zu unterhalten. Seine Schwächen lagen beim Englischen und dem Alkohol – er hatte es nie geschafft, beides zu beherrschen. Sein fürchterliches Sprachdefizit konnte manchmal aber durchaus charmant wirken. Er begrüßte die Passagiere mit folgenden Worten:

»Also, ich willkommen to you! Haben Sie fun! You verstehen?! Danke! Thank you! Spaß, Spaß!«

Martin ging ins Innere des Schiffes, in die erste Halle, die nach Raumspray duftete, er begrüßte die Kollegen. Nach diesem ersten Tag fühlte er eine wohltuende Müdigkeit in sich aufsteigen, vergleichbar mit der von Schauspielern, die gerade ihre Premiere absolviert haben. Er war längst an das sanfte Schaukeln gewohnt, ein jeder Schritt bedeutete für ihn eine sachte, angenehme Rückkehr. Die Eingangshalle wurde von einem Stiegenabgang umfasst, den man bei Empfängen teilen konnte.

»Guten Tag, fühlen Sie sich an Bord wie zu Hause!«, erklärte der

Erste Offizier Tamás Király. Bei der Begrüßung der Gäste standen ihm auch noch zwei Kollegen zur Seite, die Zweiten Offiziere Emil und Sorin.

»Seien Sie willkommen bei uns. Guten Abend. Erlauben Sie? Wir bringen Ihre Tasche gern zu Ihrer Kajüte.« Weitere Besatzungsmitglieder gesellten sich dazu.

»Erlauben Sie, bitte schön, noch zwei Schritte, Madame, sehr gut!«

Am Schiff herrschte eine (für Amerikaner) ideale Temperatur, die, bedauerlicherweise, der europäischen Besatzung nicht gerade entgegenkam. Die eisige Kühle dämpfte immerhin die Ausdünstungen der Passagiere. Martin erteilte dem Ersten Offizier Tamás ganz genaue Anweisungen, welche Touristen Kinderportionen wünschten, wer welches gesundheitliche Handicap aufwies und beschrieb auch die Lage von Clark Collis, dem man das Essen würde servieren müssen.

Die Passagiere brauchten jetzt Schlaf. Sie tranken ein Glas Orangensaft, holten sich ihre elektronischen Schlüssel ab und gingen zu ihren Kajüten. Die VIPs erhielten die schönsten Zimmer am Oberdeck, die doppelt so groß waren wie alle übrigen. Die anderen mussten aufs Unterdeck. Martin fühlte sich erschöpft, ausruhen konnte er sich allerdings jetzt noch nicht.

3. WELLE

Nach dem Abendessen, das Martin allerdings geschwänzt hatte, fand ein »Kennenlernabend« statt. Martin lief kurz in seine Kajüte. Dort krempelte er die Ärmel seines Hemdes hoch, wusch sich mit kaltem und warmem Wasser Hände und Handgelenke, dann beugte er sich vor und hielt seinen Kopf unter den Wasserhahn. Diesen Reinigungsakt führte er vor und nach jedem Ausflug durch, als ob er so auch seine Gedanken reinigen könnte. Unter die Achseln sprühte er sich ein Deo, er wechselte das Hemd und streifte sich ein Sakko über.

Er beeilte sich, in den Salon zu kommen, einen großen runden Raum mit Podium und Kuppel, alles war voller lärmender Amerikaner, Gespräche und Gelächter hallten durch das Schiff.

Die Decke war mit Stuck verziert und die Bar mit einem hochwertigen Marmorimitat verkleidet. In der Ecke stand ein Konzertflügel, vor dem ein junger ungarischer Klavierspieler, Gábor Kelemen, saß, vormals ein großes Talent, heute Alkoholiker. Nicht einmal in seiner Freizeit verließ er das Schiff. Als Klavierspieler mit außerordentlichem Imitationstalent pflegte er abends aufzuspielen. Liebend gern forderte er das Publikum auf zu erraten, wen er gerade zum Besten gab. Doch die Amerikaner, die meist schon recht angeheitert waren, wünschten sich ohnehin ständig Schlager und Evergreens aus ihrer Jugend: Elvis oder Frankie.

Auf ein Zeichen hin unterbrach Gábor sein Spiel, und Martin schaltete das Mikrophon ein. Konzentriert machte er die Amerikaner mit dem Programm vertraut, das sie in den nächsten zwanzig Tagen erwarten würde, erklärte in aller Kürze die Regeln der Schifffahrt, zählte die angebotenen Dienstleistungen auf und beantwortete Fragen. Besondere Aufmerksamkeit widmete er der Stadtbesichtigung am nächsten Tag. Unauffällig hob er dabei die Bedeutung seiner Arbeit hervor.

»Ich stehe Ihnen rund um die Uhr zur Verfügung. Ein jeder von Ihnen kann auf der Rückseite seines Namenschildes meine Mobilnummer finden. Ganz egal was passiert, ich bin da, um Ihnen zu helfen. Wenn Sie mich mal nicht sehen, so fürchten Sie sich nicht, das ist ein gutes Zeichen. Es heißt nämlich, dass alles funktioniert und ich mich gerade darum kümmere, dass es am nächsten Morgen auch so ist.«

Er klopfte mit einem Messer gegen das Glas und prostete dem Kapitän und dem ganzen Team zu, danach hieß er die Passagiere ganz offiziell willkommen. Die Korken flogen, und Applaus ertönte. Die uniformierten Kellner stoben auseinander.

An jedem Tisch standen ein silbernes Gefäß mit einer gekühlten Flasche Don Perignon sowie eine Wasserkaraffe mit Eiswürfeln. Aus der Küche brachte man auf gewärmten Platten und in diversen Porzellanschüsseln verschiedenste Kanapees. In einer Ecke servierte man Kaffee. Der Cognac wurde feierlich präsentiert.

Gábor setzte sich wieder ans Klavier und improvisierte. Die Gespräche und das Gelächter verstummten, die Zuhörer standen auf und hörten zu, mit Champagnergläsern in den Händen. Bunte Lichtlein wurden eingeschaltet. Draußen war es dunkel geworden, und die Kellner räumten das Tanzparkett leer. Die Pensionisten bildeten überraschend schnell einige Paare. Martin schritt zufrieden durch den Raum und sprach einige Gäste an, nachdem er auf ihr Namenskärtchen geschielt hatte.

»Guten Abend, Jeff!«, sagte er zu dem Mann, der nur Wasser trinken durfte.

»Ich würde so gern etwas trinken!«, ließ ihn Jeff mit knirschenden Zähnen wissen.

»Amüsieren Sie sich gut, werte Catherine?«, fragte Martin eine VIP-Reisende.

»Danke, Martin, es geht mir gut, ich hab allerdings schon viele

Schifffahrten hinter mir, es ist demnach nichts Neues für mich, doch ich lasse mich gern überraschen«, antwortete sie. »Das ist meine Cousine, sie heißt Peggy Patterson. Ich möchte euch bekannt machen.«

»Peggy, es ist mir eine große Ehre, für Sie tätig sein zu dürfen«, sagte er und stellte sich auch diesem Monster vor.

Er wollte der Dame seine Hand reichen, doch sie machte ein finsteres Gesicht und streckte ihm nur widerwillig einen Finger entgegen. Offenbar drehte sich ihr bei seinem Anblick der Magen um. Sie fürchtete sich vor Osteuropäern und Bakterien und war prinzipiell sehr skeptisch, wenn sie als amerikanische Staatsbürgerin einem Ausländer die Hand reichen sollte. Eine Haltung, die Martin liebend gern auf das ganze Schiff ausgeweitet gesehen hätte. Sie wirkte kühl, mit strengen Lippen und einer geraden Nase, doch hinter ihren schwarz geschminkten Augen vermutete er einen schlummernden Vulkan. Sie trug auffällige Kleidung und bemühte sich wohl darum, einen jugendlichen Gesamteindruck zu vermitteln. Ihre lackierten Nägel sahen aus wie Blutstropfen. Aufmerksam musterte sie das Martini-Glas, welches ihr der Kellner reichte, sie wischte den äußeren Rand mit einem Desinfektionstuch ab. Langsam öffnete sie ihre schmale Krokodillederhandtasche und zauberte eine längliche Börse aus dem Reptil hervor. Mit ernster Mimik reichte sie Martin einen Dollarschein.

»Das ist für den Transport vom Flughafen«, kommentierte sie.

»Vielen Dank, das wäre nicht nötig gewesen«, erwiderte Martin und verabschiedete sich.

Er kam vom Regen in die Traufe. Ein paar Minuten lang versuchte er, sich mit Gordon Murphy zu verständigen, einem Mann mit von Pockennarben entstelltem Gesicht, dessen Kopfhaut mit Schuppen übersät war. Wenn dieser den Mund öffnete, schien seine Sprache nur aus Vokalen zu bestehen.

»Gefällt Ihnen Ihre Kajüte?«, fragte Martin.

»Eeeee?«, rief der Mann.

»Sind Sie mit Ihrer Kajüte zufrieden?«, wiederholte Martin.

»Aaaaa!«

Unwillkürlich zuckten Martins Wangen. Er rieb sie diskret mit den Fingerspitzen und gab sich alle Mühe, gefasst zu bleiben.

»Ich wünsche Ihnen eine gute erste Nacht am Schiff!«, verabschiedete er sich an der Tür. »In dieser Nacht werden angeblich alle Wünsche wahr. Ruhen Sie sich aus. Morgen erwartet Sie ein exzellentes Programm!«

»Auch dir eine gute Nacht. Danke für den wunderbaren Abend!«

»Ich danke Ihnen. Gute Nacht!«

Foxy blieb. Sie wedelte mit ihrem Fächer und sah ihn an. Dann forderte sie ihn zum Tanz auf, nach dieser Nummer waren sie die Einzigen auf dem Parkett. Sie lächelte, schaute ihm in die Augen und blinzelte. Er spürte ihren Puls an seiner Brust. Sie lehnte ihren Kopf an seine Schulter.

»Woher bist du, wenn die Frage erlaubt ist?«, wollte er wissen. Englisch bot ihm die wunderbare Möglichkeit zwischen Du und Sie nicht entscheiden zu müssen; es klang weder unhöflich, noch zu zugeknöpft.

»Ich bin aus Donau«.

»Entschuldige, ich verstehe nicht«, sagte er lächelnd.

»Aus Donau in Amerika. Aus einer Kleinstadt im Norden der USA, Minnesota um genau zu sein, wenn dir das etwas sagt.«

»In Amerika war ich noch nie. Und doch bin ich jeden Tag dort. Wie viele Einwohner hat Donau?«

»Ungefähr fünfhundert. Jedes Jahr werden es weniger. Du kannst dir vorstellen, warum ...«

»Nein. Wie lebt es sich denn so bei dir?«

»Super. Donau liegt am Highway 212, das ist eine ziemlich wichtige Straße.«

»Ich wusste, dass es in Amerika ein Paris, Moskau und St. Petersburg gibt. Doch ich hatte keine Ahnung, dass es dort auch ein Donau gibt.«

»Die Stadt wurde 1901 gegründet. Was sagst du zu den Alten? Es muss schrecklich für dich sein.«

»Auf den Schiffsreisen dominieren nun mal die Pensionisten. Dabei wäre es auch ein toller Urlaub für ein jüngeres Publikum.«

»Nur haben die in Amerika kein Geld«.

»In Europa erst recht nicht. Ich wäre aber nicht hier, wenn ich diese Arbeit so gar nicht aushalten würde. Was machst du denn?«

»Ich bin Juristin mit eigener Firma und vier Angestellten. Kinderlos. Geschieden. Und du? Bekommst du regelmäßig Heiratsanträge von alten Damen?«

Kokett wandte sie ihm den Kopf zu, und Martin fühlte sich unwohl. Ihre Augen loderten.

»Wie es eben so ist. Ich bin allerdings Single«.

»Das kann ich nicht wirklich glauben.« Mit der Hand fuhr sie ihm durchs Haar. Das war jetzt eindeutig zu viel. »Was machst du denn, wenn du frei hast und mal nicht allein auf Urlaub fährst?« Sie fasste seine Hand und drückte sie. Ihr Atem ging schneller. »Ich spiele Tennis und Golf. Und unterhalte mich gern mit angenehmen Menschen, ich freue mich einfach, wenn ich jemand kennenlerne, der es wert ist ... Martin ... zu dir oder zu mir?«

Er war verblüfft, dachte zuerst, falsch gehört zu haben.

Es passierte ihm schon manchmal, dass ihn einsame Reisende provozierten, sich aufreizend verhielten und auf der Suche nach einer Gelegenheit waren. Er hatte auch schon erlebt, dass eine Alte, die ihn in einer angeblich dringenden Sache sprechen wollte, mit entblößten Brüsten erwartete. Doch auf diesen Angriff war er nicht vorbereitet.

Wellen prallten gegen die Bordwand, das Schiff schaukelte ein wenig, und er fluchte innerlich, weil er so viel getrunken hatte. Er folgte Foxy auf dem weichen Teppich im langen Flur. Sie betrat ihre Kajüte auf dem oberen Luxusdeck. Martin drehte sich vor der Tür um, ob ihn auch niemand sah, doch der Gang war leer.

Zwei Lampen verliehen ihrer Kajüte eine gemütliche Atmosphäre. Die oberen Fenster konnte man nicht öffnen, die Lüftung erfolgte hauptsächlich mittels Klimaanlage, das Zimmer hatte jedoch auch einen kleinen Balkon – laut einhelliger Meinung der größte Vorteil. Das Lederfauteuil mit hoher Lehne stand bei einem kleinen Tisch. In der Ecke thronte ein ausziehbares Bett, das Foxy zielsicher ansteuerte. Blitzschnell zog sie sich ihre Bluse aus und öffnete den BH. Martin konnte seinen Augen nicht trauen und sagte nur:

»Du wirst es mir zwar nicht glauben, Foxy, doch ich hatte schon seit drei Jahren keinen Sex. Und das wird sich heute nicht ändern. Ich arbeite zwar auf einem Schiff und bin Osteuropäer, doch keinesfalls eine Hure. Du kannst dich ruhig über mich beschweren, das habe ich schon öfter erlebt. Gute Nacht.«

»Martin, glaub mir, ich meine es ernst …«, flüsterte Foxy.

Mit gekrümmten Fingern fuchtelte sie in der Luft herum, als ob sie ihm die Augen ausstechen wollte. Die ihrigen verdunkelten sich.

»Klar. Es gibt nur ein paar Details, die so nicht stimmen. Du hast vier Kinder und bist zum dritten Mal verheiratet. Dies ist dein zehnter Urlaub mit der ADC, und bei zwei anderen Reisen gab es schon Probleme; sagen wir mal, Beschwerden über unwillige Reiseführer.«

»Woher…? Das ist eine…!«

»Im Unterschied zu meinen Kollegen lese ich die Passagier-Dossiers auch. Man weiß ja nie, wen man trifft. Gute Nacht …«

Er übertrieb ein wenig, doch tatsächlich las er die Informationen, die ihm die ADC zukommen ließ.

Er konnte danach lange Zeit nicht einschlafen, deshalb übersetzte er noch zwei Stunden lang im Bett und schlief erst in den frühen Morgenstunden endlich ein.

4. DIE MASKE DER ANGST

Martin frühstückte mit den Amerikanern und setzte ein Gesicht nach Vorschrift auf: lächelnd, zuvorkommend und überaus interessiert an all dem leeren Gerede. Sie hatten die Zeitverschiebung noch nicht ganz überwunden.

»Exzellentes Essen«, merkte er ab und zu an, er sprach für alle und niemanden.

»Du hast recht, wirklich ausgezeichnet«, antwortete Jeffrey. »Es schmeckt mir hier.«

»Vergesst bitte nicht, es auch den Köchen zu sagen, sie verdienen das und werden sich sehr freuen.«

Auf weißen Tischtüchern standen Vasen mit frischen Strelitzien. Am Büfett wurden verschiedenste Sorten von Müsli, Schinken, frischen Säften, Joghurts, Hummersalat, gefüllten Krabben, panierten Hühnerflügeln, Pflaumenpudding und Zitronenkuchen angeboten. Chefkoch Suang stand hinter den Tischen und beaufsichtigte seine Assistenten, die Omeletts zubereiteten. Suang stammte aus Thailand, er war schlank, hatte eine breite Nase und tief liegende dunkle Augen. Seine Haare waren glatt und nach hinten frisiert, wodurch er seinen zurückgehenden Haaransatz entblößte. Die vier Köche, ebenfalls seine Landsleute, waren phantastisch. In der Küche und vor all den Kunden gaben sie sich taktvoll, leichtfüßig und agierten nahezu geräuschlos. Überall verbreiteten sie gute Laune und eine natürliche Fröhlichkeit. Martin schaute ihnen gern bei der Arbeit zu, noch lieber aß er allerdings deren Ergebnisse, immer war alles auf den Punkt genau gebraten und vortrefflich gewürzt. Die Kochkunst genoss auf dem Schiff ein hohes Ansehen, und ein Koch an Bord verfügte über fast denselben Stellenwert wie ein Offizier. Früher kannte Martin viele Speisen nur aus Erzählungen reicherer Mitschüler, die gerne damit prahlten. Er hätte nie gedacht, jemals so gut und ausgiebig essen zu dürfen – wenn er doch nur mehr Zeit dafür gehabt hätte!

Atanasiu erschien gegen acht Uhr – schwer verkatert. Ihm wohnten jedoch die heilenden Kräfte aller Trinker inne, er sah erstaunlich frisch aus. Aufmerksam erkundigte er sich nach Stimmung und Wohlbefinden einiger Damen und begrüßte jeden Gast persönlich.

»Guten Morgen! Dobro jutro! Frisch und o. k.? Gustirati! Schmecken guten!«, sagte er.

Die Gäste beschwerten sich bei ihm über den Motorenlärm und die zu lauten Nachbarn. Er täuschte gekonnt vor, dass es ihn interessieren würde, und versicherte, für Abhilfe zu sorgen. Kaum setzte er sich wieder hin, schon hatte er alles aus seinem Kopf gestrichen, da ging es ihm so ähnlich wie Martin. Nur wenige Passagiere ahnten, dass er mit seinen Anmerkungen bereits seinen gesamten Wortschatz ausgeschöpft hatte.

Das Hauptprogramm des Tages begann um neun Uhr. Martin rief 15 Minuten vor Aufbruch die Gäste übers Audiosystem des Schiffes zusammen, das alle Kajüten, den Salon und das obere Deck beschallte. Die Leute begannen sich langsam an der Rezeption zu sammeln. Als die Meisten da waren, stellte er sich mit dem Mikrophon nach vorne und legte los:

»Sehr geehrte Reisende, ich wünschen Ihnen allen einen wunderschönen guten Morgen! Haben Sie gut geschlafen?«

»Ja, Martin!«, schrien einige Amerikaner.

»Hat Ihnen das Frühstück geschmeckt?«

»Sehr.«

»Sind Sie bereit, den Urlaub nun in vollen Zügen zu genießen?«

»Sicher doch!«

Er bemühte sich darum, alles möglichst schnell zu erklären:

»Das freut mich sehr. Jetzt schauen Sie bitte einmal nach rechts.

Die Donau sieht überall etwas anders aus, doch wenn Sie erst mal einen Teil von ihr halbwegs verinnerlicht haben, werden Sie sie immer erkennen. In Regensburg ist sie schön und präzise. Nicht mehr ganz so schmal wie im Schwabenland, doch noch längst nicht so imposant wie in Belgrad. In dieser Stadt, einer Handelsmetropole, hatte jahrhundertelang der Reichstag des Heiligen Römischen Reiches Deutscher Nation seinen Sitz. Die Steinbrücke war lange Zeit die einzige zwischen Ulm und Wien und verband den Norden Europas mit Venedig.«

Sein Blick schweifte über den Fluss, auf dem einige Schiffe dahinglitten.

»Während der Besichtigung werden Sie natürlich auch den gotischen Dom und das Rathaus sehen. Auch über die Steinbrücke machen wir einen Spaziergang.«

»Mit dem Bus?«

»Nein, zu Fuß. Auf der Brücke dürfen gar keine Busse fahren, schon gar nicht würden diese in die schmalen Gassen der Altstadt passen. Wir werden zu Fuß gehen.«

»Schade!«, riefen einige Gäste.

Die Gruppe setzte sich in Bewegung; bis auf Clark Collis, der die Reise ausnahmslos in seiner Kajüte verbringen wollte. Martin bedankte sich bei ihm für dessen Entgegenkommen, da er schon einige extrem beleibte Passagiere erlebt hatte, die sehr wohl erwartet hatten, dass man sie mit dem Rollstuhl durch all die Donaustädte fuhr.

Er erblickte Foxy und grüßte sie höflich. Sie wagte ein Lächeln, und sie wechselten ein paar Worte. Keiner von ihnen hatte vergessen, was in der Nacht zuvor passiert war. Er dachte über die Folgen nach und hoffte inständig, dass es keine geben würde. Sollte sich Foxy tatsächlich beschweren, wäre es für ihn durchaus ungünstig. Manche Passagiere erpressten die Schiffsbesatzung auch nach einer Reise noch monatelang, und die Firma opferte lieber einen »Bauern«, um sich das Problem vom Hals zu schaffen.

Nachdem der letzte Bus abgefahren war, hatte Martin weniger Arbeit, die Besatzung jedoch umso mehr. Schwitzend trugen die Matrosen Schachteln, Pakete und Plastikkisten. Die Mechaniker inspizierten das Deck und putzten die großen Bullaugen. Lautlos wurden die Spiegel, Säulen und Geländer gereinigt. Die Lebensmittel wanderten ins Lager, ein Raum mit schmalen vergitterten Fenstern, übervoll an Düften: Ein ganzes Schwein hing da, riesige Schinken, Mehlsäcke, Butterwürfel, Gemüsekisten. All das verwandelte sich mit Hilfe der Alchemie der Köche in Hunderte wohlschmeckende Portionen.

An Bord lebte Martin in einer Männergesellschaft. Von morgens bis abends atmete er eine Luft, die mit Männergerüchen gesättigt war. Er gewöhnte sich an ihre Gesten, den schnellen Gang, die verrauchten Stimmen und versoffenen Augen. Die meisten mochte er auch auf gewisse Art und Weise, allerdings war dies mehr eine Zweckgemeinschaft, ihm blieb gar nichts anderes übrig, wollte er nicht verrückt werden.

Atanasiu nahm keine allzu großen Mühen auf sich, er beaufsichtigte in der Regel. Er beschimpfte keinen Matrosen, doch wusste er sehr wohl, wie man sie richtig zum Schuften brachte. Ein Blick genügte, und die Männer wurden nervös, sie nahmen Hammer, Seil, Fetzen oder Staubsauger in die Hand, je nach Zuweisung, und machten sich an die Arbeit.

»Hast du Kopfweh?«, fragte Martin.

»Nein, nur die Ohren rauschen ein wenig. Was hältst du von ihnen?«, fragte Atanasiu.

Martin wusste genau, was er meinte.

»Eine gute Gruppe. Reiche und anständige Leute, ein bisschen vorlaut ... Sollte es unter ihnen problematische Individuen geben, so habe ich sie noch nicht lokalisiert. Na ja, eine Person machte mir zu schaffen, doch die habe ich befriedet. Gut ist auch, dass wir kaum verlorene Gepäckstücke haben. Der Anfang ist gelungen.«

»Ich brauche eine gute Bewertung.«

»Ich auch.«

»Die beiden letzten waren schlecht. Man hat schon aus Chicago angerufen. Wir rangieren grad mal auf dem fünften Platz unter den Schiffen.«

»Ich werde mein Bestes geben.«

»Das neue Programm macht mir etwas Sorgen. Alles kann passieren. Das Delta ist eine echte Wildnis.«

»Das schaffen wir schon. Ich achte auf alles. Keine Angst.«

Das »Rating« füllten die Passagiere am Ende einer Schiffsreise aus. Ein schlechtes Ergebnis konnte den Rausschmiss bedeuten. Das Verhalten von Touristen und Personal wurde permanent von idiotischen ADC-Marketingmenschen analysiert. Langweilige, sture Beamte, die ihr Büro ein Leben lang nicht verließen, sie verbrachten insgesamt eine ganze Stunde (beim feierlichen Empfang) an Bord, in der Schifffahrt kannten sie sich angeblich ganz toll aus, und so sparten sie nicht an idealen Lösungen, die sie aus dem Ärmel schüttelten – bei einer Skype-Konferenz aus Chicago.

Auch die Besatzungsmitglieder waren verpflichtet, sich gegenseitig und schriftlich zu bewerten. Die Kollegen zitterten alle um ihre Posten, da die Arbeitsplätze am Schiff heiß umkämpft waren. Man musste taktisch vorgehen. Wie präzise und ausgetüftelt das Entlassungssystem war, rief Staunen und Entsetzen in Martin hervor. Er arbeitete eigenständig, zugleich war er jedoch Chicago, dem Kapitän und auch noch dem Ersten Offizier unterstellt, wobei die Befehle von oben auch einzelne hierarchische Stufen überspringen konnten. Jedes Detail, bei der Kleidung angefangen bis hin über die Art zu gehen, wurde hier als Vorwand genommen, um jemanden anzuschwärzen. In den wenigen freien Augenblicken hielt er sich meistens von allen fern, er blieb am liebsten allein. So hatte er bereits drei Saisons überlebt. Jedes Jahr wurde mehr als die Hälfte des Personals ausgewechselt. Und bei der Entlassung wurde mit den Mitarbeitern nicht wie mit Direktoren umgegangen.

Früher dachte Martin noch, dass diese Fragebögen niemand so richtig lesen würde. Doch bei der ADC wurden die Formulare mit einer solch fanatischen Akribie überprüft, die man wohl nur mit jener der Geheimpolizei eines totalitären Regimes vergleichen konnte. Jedes Adjektiv, jedes Füllwort wurde analysiert und ausgewertet. Nur das allergrößte Lob zählte, und es drückte sich in dem Wort »exzellent« aus. Dies hatte zur Folge, dass Martin und andere Besatzungsmitglieder dieses Wort in jeden nur denkbaren Satz schmuggelten und den Amerikanern deswegen »einen exzellenten guten Morgen« und einen »exzellenten guten Appetit« wünschten oder solchem Unsinn absonderten, wie »War Ihr Ausflug auch exzellent?« oder »Haben Sie heute exzellent geschlafen?«.

Er ging hinein. Auf dem passagierlosen Schiff herrschte Totenstille. Hinter der Bar putzte der Kellner die Gläser. Die hermetisch verschlossenen Fensterläden wurden mit Wasser und Spülmittel bespritzt. Endlich hatte er Zeit, seine Sachen auszupacken und sich auf seine Aufgaben vorzubereiten. Am liebsten hätte er sich hingelegt, es wartete allerdings noch viel Arbeit auf ihn. In den letzten zwei Saisons hatte er seine Kajüte mit zwei Mechanikern geteilt. Niemand schläft gern mit anderen. Fremde Leute gingen im Raum herum, verschoben die Möbel, soffen sich unter den Tisch, spielten Tarock auf seinem Computer. Nun hatte er endlich seine eigene Kajüte, obwohl sie zu den kleinsten an Bord zählte.

Er packte aus, machte im Bad etwas Ordnung und las sich das Programm für die nächsten Tage durch. Er rief die Agenten der Reisebüros an und bestätigte die Busbestellungen und Zufahrtsbewilligungen ins Zentrum. Er überlegte, ob er nicht noch etwas vergessen hatte, konnte sich aber vor lauter Müdigkeit kaum konzentrieren. Von der Passagierliste versuchte er sich möglichst viele Namen einzuprägen: Jeff, Foxy, Jonathan, Arthur, Catherine, Peggy, Gordon, Ashley, Barbara, Clark – eine schwierige Aufgabe, die jedoch Früchte trug.

Er hoffte, von den Amis mit einem guten Trinkgeld belohnt zu werden. Wie bei amerikanischen Touristikunternehmen üblich, bekam er kein Gehalt, er lebte nur vom Trinkgeld der Gäste. Nach seiner ersten Reise öffnete er in einem Bukarester Hotelzimmer zögerlich die Kuverts mit seinem Namen und leerte allen Inhalt aufs Bett.

Er streckte seine Hand aus und berührte die Dollarnoten – ein ganz schöner Haufen. Noch mehr freute er sich über Euros. Er ließ sie durch die Finger gleiten und kostete den Kontakt mit dem dünnen, jedoch festen Papier aus. Einen Hundertdollarschein hielt er sich sogar an die Nase: In God We Trust. Als er alles zusammengezählt hatte, wurde ihm beinahe schwindlig. In drei Wochen hatte er mehr Geld verdient als mit vier Übersetzungen. Er konnte es nicht fassen. Zwischen diesen zwei Welten, seiner vorherigen Tätigkeit und der Tourismusindustrie klaffte ein riesiger Abgrund.

Es verwunderte ihn kaum, dass seine Kollegen nur übers Geld sprachen, bis zum Überdruss, immer, überall, sie hofften, dass ihnen das Geld alles ermöglichte, wonach sie sich sehnten und woran sie glaubten. In ihren Augen konnte er erkennen, dass sie von einem anderen Leben träumten, in dem sie nichts mehr abzählen mussten, weder Banknoten noch Kalenderblätter.

Martin wurde durch das penetrante Läuten seines Handys geweckt. Er hatte verschlafen! Es war ein tiefer Schlaf gewesen, und er fühlte sich wie ein Hundertjähriger. Er sprang auf und griff schnell zum Telefon, das neben dem Bett lag.

»Martin, wo bist du? Sie sind zurück!«

Mehr musste er nicht wissen. Zum Glück hatte ihm die Rezeptionsdame Mirela das Leben gerettet. Blitzschnell war er hellwach. Er zog ein sauberes Hemd an, wobei er gleich dreimal den Ärmel verfehlte. Danach lief er zur Rezeption. Die Pensionisten schlurften Martin entgegen. Er begrüßte jeden einzeln und versammelte sie im Salon.

»Welcome back, verehrte Gäste! Wie war Ihre exzellente Besichtigungstour? Bitte setzen Sie nochmals Ihre Headsets auf, ich brauche Ihre ganze Aufmerksamkeit«, sagte er. Er sprach in ein kleines Mikrophon, damit ihn auch alle in ihren Kopfhörern hörten.

»Wir danken dir, Martin, es war großartig! Regensburg ist eine wundervolle Stadt. Wir haben sie zuvor nicht gekannt, müssen jedoch gestehen, dass es eine Reise wert ist! Fast so schön wie Bismarck in North-Dakota!«, erklärte Ashley Rose.

»Ich danke Ihnen von ganzem Herzen. Diesen Vergleich würden die hiesigen Einwohner bestimmt schätzen!«

Die todmüden Amerikaner konnten es gar nicht mehr erwarten, sich zu setzen. Und das schon am ersten Reisetag!

Fünfzehn Minuten widmete er allerlei Sicherheitshinweisen. Er zeigte ihnen, wie man sich schnell die Rettungsweste anzog, wo sich die Signalpfeife befand und wie man am Schiff den Alarm aktivierte. Er erklärte die Lage der Rettungsboote, den Einstieg, und wie man sie ins Wasser ließ.

Am Monitor zeigte er die Fluchtwege für den Fall einer Evakuierung. Als er ihre kreidebleichen Gesichter sah, versicherte er umgehend, dass die *America* das sicherste Wasserfahrzeug seiner Klasse sei.

»Nach dem Mittagessen stehe ich Ihnen sofort zur Verfügung. Sie finden mich am kleinen Schalter gegenüber der Rezeption. Dort ist auch die Tafel mit dem Programm ausgehängt. Beim Mittagessen können Sie zwischen einem Rindsbraten, einer im eigenen Saft gekochten Leberwurst oder Faschiertem aus Fleisch und Gemüse an Ahornsirup sowie vielen anderen Köstlichkeiten wählen. Genießen Sie Bayern! Guten Appetit!«, brachte er seine Ansprache zu Ende.

Den Nachmittag verbrachte er hinter dem Tresen. Auf dem Tisch breitete er Stadtpläne von Regensburg aus, mit einer markierten Strecke zum Schiff, verschiedene Reiseführer und Kopien der bayerischen Rezepte. Ständig kamen Passagiere mit irgendwelchen Fragen zu ihm. Sie wollten wissen, wie man das mittelalterliche Goliathhaus mit dem Wandgemälde *David gegen Goliath*, das alte Rathaus oder die Don-Juan-Statue finden konnte. Foxy navigierte er zur Krypta des heiligen Wolfgang, der 973 die Gründung des ersten Prager Bistums ermöglichte.

»Martin, bitte, was ist Barock? Die Frau Reiseführerin hat es einige Male erwähnt«, fragte Jeffrey und beugte sich über den Schalter.

»Darüber brauchst du dir nicht den Kopf zu zerbrechen. Das habt ihr in Amerika nicht.«

»Wirklich nicht?«

»Barock war eine italienisch-politische Diktatur, die noch vor der Gotik in Europa herrschte. Sehr böse, obskur und gefährlich!«

»Gut, dass wir das in Amerika nicht haben!« So was brauchen wir auch nicht. Was wir jetzt brauchen, ist eine gute Wirtschaftslage und Ordnung.«

»Du sprichst mir aus der Seele, Jeffrey«, antwortete Martin. Einen Kunden zu korrigieren, reduzierte die Chance auf gutes Trinkgeld und vor allem auf ein positives Rating. Also stimmte er jedem Unsinn zu und verlautbarte, was immer sie hören wollten, so verging die Zeit auch schneller. Laut einem Viertel der Amerikaner seien Winston Churchill, Gándhí und Charles Dickens erfundene Figuren, im Gegensatz zu Sherlock Holmes, Robin Hood oder Eleanor Rigby.

Der Passagier William Webster, ein circa siebzigjähriger Pensionist aus Boston, näherte sich Martin. Er erweckte den Eindruck eines groß aufgeschossenen Mannes, dessen Größe von geheimnisvollen Kräften innerlich aufgezehrt wurde. Bisher war er ihm nur flüchtig aufgefallen. Er hatte nicht die geringste Ahnung, was der Mann von ihm wollte, allerdings reichte nach all den Jahren ein einziger Blick, um auszumachen, dass es nicht gut um ihn stand. Dennoch wahrte er die Fassung und stellte sich seinem Schicksal.

»Guten Tag, William!«, grüßte Martin mit vorgetäuschter Begeisterung. »Wie geht es Ihnen? Kann ich irgendwie helfen?«

Webster schnappte nach Luft, näherte sich Martin mit gestrecktem Hals und hoch aufgerichtetem Kopf, dann schrie er ihm ins Gesicht:

»Mir geht's scheiße, du Null, du mit deiner Scheißhöflichkeit und dieser widerlichen Firma! Diese Reise ist die größte Enttäuschung meines Lebens! Ein Skandal! Eine Frechheit!«

»Entschuldigen Sie, Bill, aber ...«

»Nenn mich nicht Bill!«

»Entschuldigen Sie, William, was ist passiert?«, wollte Martin wissen. Im ersten Moment war er perplex. Doch sofort flüsterte ihm eine

Stimme in seinem Kopf zu: »Ganz genau, mein Herr. Ich stimme mit Ihnen vollkommen überein. Ganz meine Meinung!«

Es kostete ihn sehr viel Anstrengung, diese teuflische Stimme zum Schweigen zu bringen.

»Du wagst es noch zu fragen?«, kreischte Webster. »Das gibt es doch gar nicht! Was erlaubst du dir? Wer bist du denn, dass du mich überhaupt ansprichst? Ich schreibe das alles deinem Chef, und du hast ausgespielt! Du wirst doch wohl nicht dafür bezahlt, dich hier auszuruhen!?«

Nach all den Erfahrungen mit unzufriedenen Kunden dachte Martin eigentlich zu wissen, wie es ablief, wenn ihm jemand die Leviten las. Doch das, was er gerade erlebte, war ungewöhnlich.

Websters Gesicht blieb voller Zorn. Martin wurde mit unvorstellbaren Beschimpfungen überhäuft. Er sah den Passagier mit geweiteten Augen an und wartete, dass dessen Ausbruch an ein Ende kam, doch jedes Wort schien die Kräfte des Greises zu multiplizieren. Es stellte sich heraus, dass ihm der Bus zu schmutzig gewesen war, die Sitze zu klein, die Klimaanlage falsch eingestellt, die Gehstrecke zu lang, die Reiseführerin unverständlich und das ganze Programm des ersten Tages ganz und gar schauderhaft. Noch mehr habe ihn dieses schreckliche Schiff enttäuscht, denn er hätte schon andere Reisen unternommen, einen anderen Luxus erlebt und für diesen Preis wünschte er erstklassige Qualität. Das war es. Wirklich unerhört!

Martin, der dem Passagier ausgeliefert war, hätte am liebsten geantwortet: Ich gratuliere, dass Sie das so schnell durchschaut haben, an einem einzigen Tag, Sie besitzen eine unglaubliche Beobachtungsgabe! Ich bin vollkommen Ihrer Meinung! Das hier ist legaler Diebstahl. Und obendrein in großem Stil. Jetzt wissen wir es also beide. Lassen Sie uns einen drauf trinken!

Stattdessen setzte er sein ängstliches Gesicht auf. Er wusste, dass dieses amerikanische Schreckgespenst erwartete, dass er sein Gesicht verlöre, um seine Würde und Anerkennung zu zerstören. Die

Freude an der öffentlichen Verunglimpfung würde er ihm allerdings nicht gönnen. Regelmäßig gab es Kunden, die Besatzung nannte sie »Complainers«, die den geringsten Vorwand dazu nutzten, um loszuschlagen und so ihre sadistischen Gelüste zu stillen.

»Ich danke Ihnen«, gab sich Martin kleinlaut, er sprach mit abgehackter und unterwürfiger Stimme. In regelmäßigen Intervallen zuckte er mit den Achseln und nickte eifrig. Er machte ein braves und verschämtes Gesicht – und biss sich auf die Zunge, um ernst zu bleiben. Es fiel ihm so schwer, dass er fast nichts mehr sagen konnte. Um sein Innenleben zu verbergen, neigte er den Kopf, so tief es ging, wodurch er den Anschein einer noch vollkommeneren Niederlage erweckte, das würde Webster sicher gefallen. Seine Verblüffung wich einer geradezu wissenschaftlichen Neugier. Er wollte dieses Ungeheuer kennen- und verstehen lernen.

»Vergessen Sie bitte nicht, Ihre Meinung auch in Ihrer Bewertung anzuführen«, fügte Martin noch hinzu.

Seine Reaktion brachte den Alten vollkommen aus der Fassung. Websters Gesicht blieb reglos. Er wusste augenscheinlich nicht mehr, ob es ihm unter diesen Umständen noch gelingen würde, seine Herrschaft auszukosten und Martin restlos zu demütigen. Martins Kollegen und so mancher Passagier gerieten in Verlegenheit. Webster taxierte die anderen Besatzungsmitglieder, und in seinem Blick war zu erkennen: »Du kommst auch noch dran!« Das Verhalten der Angestellten drückte eine distanzierte Höflichkeit aus, typisch für den Umgang mit widerwärtigen Kunden.

Webster erhob seine Stimme:

»Tatsächlich? Es freut mich, dass du deine Fehler zugibst! Du hast ja einige! Es waren schon so viele, dass ich sie gar nicht mehr zählen kann.«

»Teilen Sie bitte mein Versagen unbedingt der Firma mit. Wenn Sie, sehr geehrter Herr Webster, unzufrieden sind, dann bin ich es doch auch. Ich schäme mich und werde mich darum bemühen, in den nächsten Tagen alles in meiner Macht Stehende zu tun, um für

Ihre Zufriedenheit zu sorgen. Ich bitte Sie, beurteilen Sie mich weiterhin so streng wie heute. Notieren Sie sich bitte jede Beobachtung, und melden Sie diese der Zentrale in Chicago.«

Hier musste sich Martin erneut auf die Zunge beißen, doch Webster sah nicht so aus, als ob ihm etwas lächerlich vorkäme.

»Genau das werde ich tun, du musst dich ab jetzt richtig bemühen! Du und die ganze Mannschaft. Das Programm, das Essen, die Getränke, alles. Na ja, unterm Strich war es heute gar nicht so schlimm. Aber es hätte noch besser sein können ... Auf Wiedersehen!«

»Nochmals vielen Dank. Auf Wiedersehen und alles Gute!«, erwiderte Martin und winkte ihm zu, glücklich, dass er seine lächerlichen Bitten und Rechtfertigungen endlich sein lassen konnte.

Webster verließ die Rezeption. Bevor er über die Schwelle des Salons trat, warf er Martin einen letzten Blick zu, siegreich und voller Verachtung. Er versuchte, die Tür zuzuschlagen, doch der automatische Schließmechanismus verhinderte dies. Er verschwand und bestellte an der Bar lautstark den teuersten Whisky. An der Rezeption herrschte Totenstille.

»Guten Tag. Ich suche Martin Roy!«

Diese Stimme war schon so lange in seinem Kopf, dass er daran zweifelte, ob sie überhaupt existierte. Er drehte sich nicht um und blickte zum Fluss hinaus. Ein Frachtschiff schwamm gegen den Strom und hielt einen Augenblick lang inne, so wie er.

»Bitte? Wer sind Sie?«, fragte Mirela an der Rezeption, streng darüber wachend, wer an Bord kam.

»Kannst du ihn rufen?«, verlangte das Mädchen.

»Niemand von der Besatzung hat heute einen Besuch angemeldet. Ich darf keine Fremden hereinlassen.«

»Ich muss ihn aber sehen!«

»Entschuldigen Sie, doch ich verbitte mir diesen Ton. Dies ist ein Privatschiff. Sie haben hier nichts zu suchen«, antwortete Mirela barsch.

»Das ist schon in Ordnung, sie ist zu mir gekommen«, sagte Martin zu Mirela, um den Konflikt zu beenden, bevor die Passagiere noch irgendetwas mitbekamen.

Das Mädchen hielt einen kleinen Koffer in der Hand und zwang sich zu lächeln. Ihr starrer Blick schockierte ihn. Was machte sie hier? Wie hatte sie ihn gefunden?

5. DER BESUCH

Mona Mannová stand vor ihm. Martin starrte sie wie ein Trugbild an. Auf der Donau kann man allerlei beobachten: Lichter, die sich an Stellen bewegen, wo es absolut keine Lichtquellen geben kann, Gestalten der längst Verblichenen, wie sie am Wasserspiegel herumirren, Phantome, Verkörperungen der geheimsten Sehnsüchte. Wenn man mit dem Schiff unterwegs ist, wird jede Kleinigkeit zum Ereignis. Die Besatzungsmitglieder kennen sich gegenseitig bis in ihr tiefstes Inneres. Die kleinsten Episoden werden monatelang diskutiert.

»Sag nichts, und komm mit mir«, flüsterte er ihr ins Ohr. Sie trug ein weißes, tief ausgeschnittenes Kleid und hautfarbene Strümpfe. Er bat sie, nicht stehen zu bleiben, doch sie konnte sich an den Verzierungen am Oberdeck nicht sattsehen. Der Boden war mit einem zotteligen Teppich bedeckt, die Füße sanken bis fast zu den Knöcheln ein. Sie entdeckte einen Spalt in der Tür und schaute hindurch.

»Toll. Das muss teuer gewesen sein. Solche Bezüge wollte ich immer schon haben«, zwitscherte Mona. »Und diese sind noch schöner. Entschuldigung, ich wollte nicht stören, auf Wiedersehen!«, rief sie, als sie hinter der nächsten Tür auf eine Pensionistin aus Montana stieß.

»Die Kajüten hier sind größer als auf anderen Schiffen. Die Reisenden haben mehr Platz und Komfort. Und die Firma kann mehr Geld abkassieren ...«, stammelte er, obwohl er eigentlich von ganz anderen Dingen reden wollte.

Die Mitglieder der Schiffsbesatzung durften eigentlich keine Besuche von Freunden, Ehefrauen oder Bekannten am Schiff empfangen. Nur Routiniers verletzten diese Regel ab und an. In den Kajüten reisten mitunter ganze Familien mit, die den Passagieren vortäuschten, Angestellte des Reisebüros zu sein, so unternahmen sie Gratisurlaube. Martin hatte noch nie Gäste auf dem Schiff gehabt. Er ließ Mona vorgehen und strich sich kurz übers Haar.

»Welche von den Kajüten ist deine?«, fragte sie. Im leeren Gang hallte ihre Stimme.

»Keine von denen«, antwortete er. »Hier durch!«

Vorsichtig stieg er die schmale und steile Treppe hinunter. Der dunkle Gang rief in ihm noch immer ein Gefühl der Beklommenheit hervor. Als er vor einiger Zeit das erste Mal hinuntergestiegen war, hatte er es tatsächlich mit der Angst zu tun bekommen. Er gelangte mit Mona ins Unterdeck, wo es auch am Tag düster blieb. Die Neonlampen spendeten ein spärliches Licht. Jetzt liefen sie nicht mehr über einen Teppich, sondern auf fleckigem Linoleum. Die Augen gewöhnten sich langsam an die Dunkelheit. Der Unterschied in der Lebensqualität könnte nicht größer sein. Unten lag eine ganze Stadt ausgebreitet: Küche, Lager, Motoren, kleine Aufzüge, Schächte und Rohre mit einem ganzen Kosmos seltsamer Wesen mittendrin – mal Mensch, mal Maschine –, die für die Touristengötter arbeiten durften. Gegen die schmutzigen Bullaugen knapp unter der Decke schwappte die Donau. Eine Ente huschte vorbei. Überall war Getrampel zu hören, und Martin kam es vor, als ob in einer der Kajüten kopuliert würde. Streitende Nachbarn hörte er laut und deutlich, als ob sie ihn beschimpfen würden.

Die Tür zum Maschinenraum war massiv, wie der Tresor einer Staatsbank. Je tiefer sie vordrangen, desto stärker dröhnten die Motoren. Die Luft war angereichert von Dieselgeruch und Schmierölen. Die Stangen und Bolzen bewegten sich in mächtigen Hüben. An der Decke hingen Lärmisolierungsplatten, doch hier unten ohne jede dämpfende Wirkung.

Die Matrosen schliefen eingepfercht in den Ecken, für manche gab es nicht einmal ein richtiges Bett, nur eine schmale Pritsche, eine Hängevorrichtung oder gar eine dünne Matte auf dem Boden. Ihre Gesichter waren mager, von der Schufterei und dem Alkohol gezeichnet, mit Spuren zahlreicher Schlägereien. Zwei Entlausungsgeräte waren häufig im Einsatz. Oft vermehrten sich auch Wanzen, und es dauerte Wochen, bis das Unterdeck diese Plage und die Besatzung ihre juckenden Pickel los wurden. Auch Martins Körper war oft übersät mit roten Läusebissen.

Den Matrosen kochte das Blut in den Adern. Schnell wurden Messer gezogen und ein paar Faustschläge ausgeteilt. Auf Sex mussten die meisten an Bord verzichten. Es gab nur wenige Frauen, die auf der *America* arbeiteten, in dieser Saison nur sechs, es waren also nicht genug für alle da, am Besten war der dran, der als Erster kam. Die Rezeptionistin Mirela und die Putzfrauen Lariana, Venera, Madalina, Loredana und Ioana kamen aus Rumänien. Die Rumänen und Serben gehörten zu den stärksten Clans. Wer einmal einen Draht zur ADC hatte, versuchte, das Geschäft in den eigenen Reihen zu halten. Die Firma begrüßte das nicht, doch in Osteuropa musste sie sich anpassen. Die Abteilung für »Human Resources« wachte darüber, welche Leute aufgenommen wurden, doch Seilschaften funktionierten eben. Martin, der als Einziger aus Bratislava kam, hatte einen schweren Stand.

Obwohl die Rumäninnen noch nicht einmal dreißig waren, verloren sie schnell ihre Weiblichkeit bei der täglichen Knochenarbeit. Sie waren nicht hässlich, zwei sahen sogar ganz hübsch aus. Die schönste von ihnen, Putzfrau Venera, hatte ein edles Gesicht und einen attraktiven Körper, sie konnte sogar einen Bachelor in Sozialwissenschaften vorweisen. Zu Hause in Brasov war sie jedoch arbeitslos. Die Frauen an Bord mussten einige Energie aufwenden, um in Ruhe gelassen zu werden.

Schon nach zwei Monaten sahen die Rumäninnen alle gleich aus, Martin konnte sie kaum noch voneinander unterscheiden. Sie trugen kein Make-up, die Konturen der Gesichter verschwammen, in denen Leid, Müdigkeit und irgendwo auch eine scheue Zärtlichkeit vergraben lagen.

Manchmal kam eine neue Angestellte in die Wäscherei oder Küche, ein junges Mädchen für gewöhnlich, das sofort zum Objekt der Neugierde wurde. Sie zog das Kostüm mit dem Logo und die Pumps an und band sich die Haare (ADC-Vorschrift) zusammen. Trotz ihrer Uniform fiel sie auf, sie passte nicht hinein und begriff es auch schnell. Ihren erschrockenen Augen konnte man schon nach zwei, drei Diensten einen einzigen Wunsch ablesen: Flucht. Sie zählte nicht nur die Tage wie alle anderen, vielmehr auch Stunden, ja sogar Minuten. Sie blickte ihre Kollegen an, als ob diese bereits der Vergangenheit angehörten. Die Frau floh dann in der Regel schon in der ersten Woche, obwohl sie so auch ihren Verdienst verlor. Sie verschwand bei der ersten günstigen Gelegenheit, beim Landgang irgendwo in Wien oder Budapest und kam nie wieder zurück. Oft blieben ein paar Kleidungsstücke und Hygieneartikel in ihrer Kajüte zurück, auf welche sich die anderen stürzten.

Mona entdeckte eine Gruppe Matrosen, die in der Crew-Kantine mit einer an den Fernseher angeschlossenen Konsole spielte. Die Glühbirne spendete ein grelles Licht wie auf einem Operationstisch. In den Regalen standen unzählige leere Schnapsflaschen. Der Raum wurde mit einer knarrenden Klimaanlage gekühlt. Monas Ankunft erregte Aufsehen. Die Männer verschlangen sie mit den Augen. Der Meister schrie etwas, und alle gingen die Stahlzylinder abbauen. Sie lebten in einem höllischen Mix aus Rost, Ölen, Metallspänen, Muttern und Schrauben. Nicht selten fehlten einem ein oder zwei Finger oder Zehen. Es wurde gemunkelt, dass viele Unfälle absichtlich verursacht worden waren – wegen der amerikanischen Versicherung.

Endlich sperrte Martin die Tür seiner Kajüte hinter sich zu. Der Raum war nicht aufgeräumt, doch hielt er es nicht für notwendig, sich zu entschuldigen. Mona schaute sich um.

»Entschuldige bitte, dass ich dich so überfallen habe«, sagte sie und setzte ihr strahlendstes Lächeln auf.

»Was machst du hier?«

»Ich bin gekommen, weil ich dich um Hilfe bitten möchte.«

»Mich? Wie hast du herausgefunden, wo ich bin?«

»Martin, Bratislava ist eine Kleinstadt, jeder, der dich kennt, weiß, wo du arbeitest. Deine Eltern haben mir gesagt, dass es ein paar Wochen nach deinem Verschwinden verschiedenste Gerüchte gab. In der Stadt wurde darüber gesprochen, die Leute finden alles heraus.«

Den Job auf diesem Schiff hielt er geheim. Niemand sollte davon erfahren. Das war auch bequem: Er schrieb niemandem, er bekam weder E-Mails noch Briefe, lebte inkognito. Die Menschen aus seinem vormaligen Leben blieben auf der anderen Seite, hinter einer fiktiven Glasscheibe, durch welche, wie er dachte, er sie sporadisch sehen konnte, sie ihn jedoch nie.

»Eigentlich ist es egal. Es interessiert ohnehin niemanden, wo ich bin. Sprechen wir nicht darüber. Was willst du?«

»Ich brauche deine Hilfe. Hör mir zu. Du warst für mich immer etwas Besonderes. Ich will nur fünf Minuten.«

Er bildete sich nicht mehr ein, dass sie ihn anziehend fände. Ihre Unterwürfigkeit ärgerte ihn. Hinter ihren Komplimenten ahnte er klare Absichten. Ihre Bitte brachte sie höchst melodramatisch vor:

»Bitte, kannst du mich ein paar Tage hierbehalten?«

»Entschuldige, doch das ist völlig absurd.«

»Ich habe etwas Schlimmes gemacht und muss mich verstecken. Nur für eine kurze Zeit. Du bist der Einzige, an den ich mich wenden kann«, sprudelte es aus ihr hervor. »Urteile nicht über mich«, setzte sie fort, »ich muss mit jemandem sprechen, mit jemandem, der mich nicht kennt.«

»Aber ich kenne dich, Mona.«

Wieder fiel ihm ihr Koffer auf. Sie legte ihn aufs Regal und ließ ihn nicht aus den Augen. Er hatte keine Ahnung, was sich darin befand, musste es aber schnell herausfinden. Auf den Schiffen wurden Polizeirazzien durchgeführt, deswegen wollte er kein Risiko eingehen.

»Du kennst mich nicht. Es ist lange her ... Warte, ich erkläre dir alles.«

»Du hast keine Ahnung, wo du bist. Ich arbeite hier, bin für hundertzwanzig Leute zuständig und weiß nicht, wo mir der Kopf steht. Wo würdest du schlafen?«

Sie zuckte nur mit den Schultern, spielte an ihrem perfekten kleinen Finger herum und schaute flüchtig zum Bett.

»Es ist kaum Platz für einen hier«, sagte Martin.

Sie hätte sich ihr Lächeln, mit dem sie sagte:»uns wird schon was einfallen«, patentieren lassen sollen.

»Dieses Schiff fährt in drei Stunden nach Passau ab.«

»Mich hält hier nichts. Ich fahre gern mit dir«, sagte sie, und in einem ganz anderen Ton fügte sie hinzu:»Was übersetzt du gerade?«

Auf dem Tisch lag ein Buch, das er unlängst auf eigene Faust zu übersetzen begonnen hatte. Er würde sogar aufs Honorar verzichten, nur damit es irgendwann erscheinen könnte.

»Einen Italiener, Calvino.«

»Kenne ich nicht. Ich habe aber gesehen, dass einige deiner Übersetzungen veröffentlicht wurden. Toll. Ich gratuliere.«

»Ich kann gar nicht glauben, dass ich diese Übersetzungen wirklich gemacht habe. Wenn ich an die Bücher denke, habe ich das Gefühl, dass sie jemand anderer übersetzt hat ... Hör zu, Mona! Du musst weg. Sofort, sonst schmeißen sie mich raus.«

»Das würde dir nur guttun.«

»Wie bitte?«

»Schau dich doch an! Warum steigst du verdammt noch mal nicht aus und schaust dir die Welt an? Warum steckt ein Mann wie du in einem solchen Gefängnis? Wenn du dich sehen würdest ... Ich habe gehört, wie dich der Typ beschimpft hat. Eine Frechheit!«

»Das darfst du nicht ernst nehmen.«

»Er behandelt dich wie den letzten Verlierer.«

»Er ist mir scheißegal. Dieser Mensch weiß doch gar nichts über mich.«

»Aber er zerstört dein Leben. Er beleidigt dich. Du ähnelst schon deinen Passagieren. Du könntest irgendwo an der Uni unterrichten oder übersetzen ... Wo liegt das Problem? Du kannst doch – um Gottes willen – nicht dein ganzes Leben die Donau auf und ab fahren wie ein Matrose! Es reicht, die Stufen bis zum Ausgang hochzugehen, ein paar Schritte, nicht mehr. Wir könnten zusammen weggehen ...«

Sie sprach leise, doch ihre Worte hallten wie Schreie.

»Du bist also gekommen, um mich zu belehren?! Das ist ja unglaublich. Weißt du was? Lass mich in Ruhe. Ich gehe mich duschen.
Schau dich doch selbst im Spiegel an, und überlege mal, wem du ähnlich siehst. Und dann scher dich zum Teufel! Nie etwas ausprobiert,
aber alles am besten wissen. Du bist wie diese ADC-Typen. Wenn
ich aus dem Bad raus bin, bist du weg.«

Monas Unterlippe zitterte, sie hatte Tränen in den Augen. Ihr Entsetzen bereitete ihm diebische Freude. Er wollte, dass sie büßte. Er
drehte sich um, fest entschlossen, sie zu ignorieren.

»Warte!«, rief sie. »Ich kann nicht weggehen.«

Er wandte sich um. Mona drückte ihre Zigarette im Aschenbecher
aus. Mit ihren Fingerspitzen fasste sie an den Rand ihres Kleids und
zog es langsam nach oben. Ihre Knie zeigten sich und ein dunkles
Dreieck im Schritt. Für einen Augenblick erstarrte sie, den Mund
halb geöffnet. Sie ließ sich auf den Rücken fallen, streckte sich auf
dem Bett aus und zog die Beine langsam auseinander. Zwischen den
Schenkeln erschien eine schwarze Furche. Sie knöpfte ihren BH auf.

»Zieh dich an«, befahl er ihr. »Sofort!«

Mona hob beide Arme zum Kopf. Als ob sie all ihre Energie mo-
bilisieren müsste, um jetzt nicht zusammenzubrechen. Eine Sekunde
später zitterte sie und schaute sich verängstigt um. Er wusste, dass
sie ihn hassen würde, weil sie ihn das erste Mal brauchte, und er
hasste sie, weil ... weil er wollte, dass sie ihn um Verzeihung bat,
dass sie ihm ihre lange Abwesenheit erklärte, dass sie die Vergangenheit rückgängig machte – und gleichzeitig wusste er auch, dass
es nicht möglich war. Er setzte ein unbeteiligtes Gesicht auf.

»Mach keinen Blödsinn, Mona. Zieh dir etwas an, und reiß dich
zusammen. Wir treffen uns am Festland, wenn ich mal Urlaub habe,
in Bratislava oder woanders. Was denkst du dir überhaupt? Du
kommst hier vorbei und benimmst dich gleich wie zu Hause.«

Sie wollte ihn umarmen.

»Fass mich nicht an!«, sagte er und warf ihr ein Leintuch über die
Schulter. »Ich bitte dich darum.«

»Was ist mit dir?«

»Mona, warum tust du mir das an?«

»Weil ich dich liebe, du Dummkopf. Und keine Ahnung habe, was ich tun soll, weil ich weiß, dass du mich nicht mehr liebst. Ich weiß es, ich bin nicht blind, Martin.«

»Mein Gott, hör auf, hier irgendwelche Sachen zu erfinden. Das glaubst du doch selbst nicht.«

Ihre Pupillen weiteten sich wie bei einer Katze. Es schien, als hätte Lippenstift einen roten Streifen auf ihrer Wange hinterlassen. Sie legte sich quer übers Bett und tat so, als ob sie jeden Augenblick einschlafen würde. Er stand über ihr und wusste nicht, was er tun sollte. Mit einer verblüffend gelassenen Stimme erklärte sie:

»Martin, du hast eine Chance, dein Leben zu ändern. Ich werde dir dabei helfen. Aber jetzt muss ich erst mal etwas schlafen. Morgen wirst du alles erfahren. Es wird keine schöne Geschichte sein. Entschuldige. Jetzt kann ich aber echt nicht mehr. Wenn du wüsstest, was ich hinter mir habe!«

Es war so absurd, dass er nicht imstande war, etwas darauf zu erwidern. Er deckte sie mit einer Steppdecke zu, und ein paar Sekunden später schlief sie bereits wie ein Stein. Er war sich nicht sicher, ob sie nicht nur so tat. Er wartete kurz, aber sie rührte sich nicht. Sie atmete regelmäßig. Er hatte einmal geschworen, sie nie wieder anzusehen, konnte jetzt aber seine Augen nicht von ihr lassen.

Er sah den Koffer an. Der sah solide aus, sorgfältig angefertigt, aus Leder, dunkelrot, schon länger in Verwendung, doch gut erhalten. Nach einer Weile konnte er nicht widerstehen und hob ihn auf. Er war ziemlich leicht. Er fasste ihn an, roch an ihm, er machte das alles nur, um zu irgendeinem Entschluss zu gelangen. Doch konnte er nicht bestimmen, was und ob sich tatsächlich etwas drinnen befand. Das Gewicht konnte auch von den vielen Fächern, dem doppelten Boden oder dem Material herrühren. Er probierte das Patentschloss – es war zu. Er konnte nicht erklären, woher er diese Sicherheit nahm, doch plötzlich war er davon überzeugt, dass ihr einziges

Gepäckstück leer war. Lautlos stellte er den Koffer auf den Boden. Er musste zu den Passagieren. Es blieb ihm also gar nichts anderes übrig, als Mona in der Kajüte zurückzulassen.

6. VERRÄTERISCHER ABSCHNITT

Das Schiff zitterte ein wenig, als es vom Ufer ablegte. Die Schiffsmotoren dröhnten, die Matrosen wickelten die Seile auf, lockerten die Knoten. Die *America* glich einem Menschen, der, nachdem er übernachtet hatte, nunmehr seinem Unterstand den Rücken kehrte. Jedes Mal, wenn er Regensburg verließ, dachte Martin daran, dass von hier aus im Mittelalter die Juden auf ruderlosen Schiffen in den sicheren Tod geschickt wurden, bis man sie 1519 gänzlich vertrieb. Die Einwohner pflegten auf der Steinbrücke abzuwarten, bis sie das Schiff aus den Augen verloren, und brachen danach im Ghetto ein und plünderten und stahlen, was noch übrig war. Ähnlich hatten sich die Städte im Mittelalter auch ihrer Geisteskranken entledigt – sie luden sie auf die Fähren und schickten sie stromabwärts. Auf der Donau trieben oft Narrenschiffe, und wenn es der halbnackten, kreischenden Besatzung gelang, sich der nächsten Siedlung zu nähern, wurde sie meistens vertrieben und noch weiter den Fluss hinuntergeschickt.

Martin schaute sich um. Er stand neben Atanasiu, mit einem Mikrophon in der Hand, und kommentierte die Abreise.

Der Kapitän ließ ein langes, durchdringendes Hupen ertönen, welches kilometerweit bekanntgab, dass das Schiff nun ablegte. Vom Heck der *America* zog sich eine schäumende Linie, welche nach einiger Zeit spurlos verschwand. Nach etwa fünf Minuten hatte der Kapitän das Schiff mit stabiler Geschwindigkeit in die Flussmitte manövriert.

»Von hier aus bis nach Wien ist der Fluss weiblich, im Deutschen ist es eine Dame, also die Donau. In meiner Sprache, im Slowakischen, heißt derselbe Fluss Dunaj und ist männlich. Mehr davon werde ich Ihnen dann in meiner Geburtsstadt Bratislava erzählen, wo ich studiert habe. Und ein paar Kilometer weiter, in Ungarn, ist es Duna. Im Ungarischen haben Flüsse kein Geschlecht, weil die Grammatik keine Geschlechter kennt. Werden Sie sich die Namen merken?«

»Sicher!«, schrien die Amerikaner, er wusste allerdings, dass sie es jetzt schon vergessen hatten, eigentlich nahm er ihnen das gar nicht übel.

Der schnelle schmale, kurvenreiche Strom war auf beiden Seiten von niedrigen Hängen eingefasst, die an Bahnböschungen erinnerten. Nach und nach versank die Landschaft in der Stille.

»Unser Schiff misst einhundertdreißig Meter Länge, und für Ihren Komfort sorgen hier vierzig Menschen, unter der Leitung von Kapitän Atanasiu. Diejenigen von Ihnen, die mich gerade am Oberdeck hören, müssten uns eigentlich auch sehen. Können Sie uns zuwinken?«, fragte Martin. Einige folgten seiner Aufforderung. »Ich grüße auch unsere Gäste in den Kajüten, zum Beispiel Herrn Clark Collis, der uns über das Schiffsradio hören kann. Ich hoffe, dass Sie die Schifffahrt ebenfalls genießen.«

Das Oberdeck wurde von der Besatzung auch »Sundeck« genannt, und viele Amerikaner lagen dort auf Sonnenliegen ausgebreitet oder spazierten mit Gehstöcken entlang des Geländers. Nur drei Meter von der Brücke des Kapitäns entfernt, besetzte einer der Kellner eine Bar. Es machte sich immer bezahlt, den Passagieren Alkohol auszuschenken. Fast alle hier schluckten dazu noch Medikamente in rauhen Mengen. Martin führte eine kleine Armee von Drogensüchtigen an. Die Reisenden waren verpflichtet, während der ersten zwei Tage einen persönlichen Fragebogen auszufüllen, und die für die Medikamentenangabe ausgewiesene Spalte war nie breit genug – manche brauchten für die Auflistung ihrer Tabletten eine ganze A4-Seite. Wenn sie nicht tranken, dann beschwerten sie sich ständig.

Zehn Kilometer stromabwärts hinter Regensburg erreichten sie die Walhalla, die sich in einer Höhe von hundert Metern über dem Wasser befand:

»In ihr befinden sich Statuen bedeutender Deutscher, insgesamt gibt es dort rund hundertdreißig Büsten, Persönlichkeiten aus der zweitausendjährigen Geschichte dieser Nation. Goethe und Mozart sind dort verewigt, aber auch viele, deren Namen Ihnen nichts mehr sagen würden. Hitler hat sie 1937 besucht, um dem Komponisten Anton Bruckner die Ehre zu erweisen. Wenn Sie einmal mehr Zeit haben, besuchen Sie bitte auch dieses Stück Griechenland in Bayern, es lohnt sich wirklich.«

Es machte keinen Sinn, den Touristen erklären zu wollen, dass Ludwig I., König von Bayern, die Walhalla im dorischen Stil, inspiriert vom Parthenon in Athen, hatte erbauen lassen; doch noch bevor dieser die Fertigstellung erleben konnte, wurde er von der Geschichte (und vor allem von seiner Liebe zur schönen Lola Montez) hinweggefegt. Martin wies auf das Panorama hin und versprach noch mehr solcher Orte, in Österreich und in der Slowakei. »Lola bekommt, was immer sie will«, waren die Worte der legendären Geliebten König Ludwigs, und dasselbe galt auch für seine Passagiere.

»Die Donau ist nach der Wolga der zweitgrößte europäische Fluss, durch Deutschland fließt jedoch nur ein kleiner Teil von ihr«, fuhr Martin fort. »Sie mündet ins Schwarze Meer, das ist auch das Ziel unserer Reise, während die anderen deutschen Flüsse in die Nord- oder Ostsee münden. Die Länge der Donau beträgt in Deutschland 647 Kilometer, also ungefähr vierhundert Meilen. Im südlichen Schwarzwald, nicht weit von der Stadt Triberg, rund tausend Meter über dem Meeresspiegel, ist die Donau nicht mehr als ein kleiner Bach. Bei Passau ist sie schon zu einem breiten Strom angewachsen.«

Seine Gedanken schweiften immer wieder zu Mona ab. Schlief sie noch? Was führte sie im Schilde? Er durfte die Passagiere nicht mit zu vielen Fakten überschütten, daher konzentrierte er sich auf das, was die Firma für das Allerwichtigste hielt:

»Wenn es unter Ihnen einige gibt, die sich schon zurückziehen wollen, möchte ich Sie noch darüber informieren, dass unten an der

Bar gerade die ›Happy Hour‹ beginnt. Die Cocktails gibt es jetzt um ein Viertel billiger. Lassen Sie sich doch das nicht entgehen! Der Klavierspieler Gábor Kelemen, der gestern schon einige von Ihnen zum Tanzen brachte, freut sich schon auf Sie. Den anderen wünsche ich einen ruhigen und tiefen Schlaf.«

Atanasiu telefonierte mit der Schifffahrtszentrale, mit der rechten Hand umklammerte er das Steuer, die Augen konzentriert nach vorn gerichtet, obgleich er schon ein paar Gläschen gekippt hatte. Ein Flussschiff zu steuern ist durchaus anstrengend. Überall, sogar in den ruhigsten Abschnitten, kann etwas Unvorhersehbares passieren. Die meisten Tragödien ereigneten sich jedoch nicht in den bayerischen Engpässen, sondern bei Wien, in Bratislava oder im seichten Deltawasser.

Die Seeschiffe werden immer größer und die Besatzungen immer kleiner, weil ein Teil der Arbeit von der Technik erledigt wird. Bei den Angestellten sparen die Firmen am liebsten. Ein Flussschiff verhält sich ganz anders als ein Überseeschiff, welches so programmiert werden kann, dass es die Strecke vom Persischen Golf bis nach Liverpool eventuell auch selbst erledigt – es ist günstig für den Eigentümer, weil er so viel Geld sparen kann, und auch für die Restbesatzung, die kaum noch etwas zu tun hat. Oft passiert es, dass ein Supertanker überhaupt nicht registriert, dass er gerade an Schiffbrüchigen vorbeifährt, weil diese vom Radar gar nicht mehr erfasst werden.

Atanasiu wurde von der Firma hoch geschätzt, weil er über eine Qualifikation verfügte, für die man bei der europäischen Bürokratie Jahre brauchte und die zudem ein Vermögen kosten würde. Der Kapitän benötigte ungeheuer viele Zertifikate, sie nahmen einen ganzen Ordner in Anspruch. Er missbrauchte dennoch seine Stellung und trank nahezu überall. An jeder denkbaren Stelle der Kapitänsbrücke waren Schnapsflaschen versteckt.

»Magst du?«, Atanasiu bot ihm etwas an.

»Danke, ich bin im Dienst, so wie du, nur ganz nebenbei«, antwortete Martin.

»Am liebsten würde ich gar nichts trinken, doch mein Körper liebt eben den Alkohol«, antwortete der Kapitän.

Am linken Ufer erstreckte sich eine fruchtbare Ebene mit Bauernhöfen. In den nächsten Stunden würden sie kleine Städte passieren, die sicher in der Landschaft eingebettet lagen, genauso wie ihre Kirchen, deren Fundamente schon zu Beginn des Heiligen Römischen Reiches gelegt worden waren: Bach, Deggendorf, Niederalteich. Die Obere Donau zwängte sich zwischen die Hügel und fand allmählich ihre Form und Größe. Aus Regensburg floss sie südöstlich bis zur Mündung des Inn. Sie stieß auf den Bayerischen Wald, änderte die Richtung und geriet in eine steinige Schlucht, floss durch Straubing, verbreiterte sich dort, um sich bald schon wieder zu verengen und von rechts die Zuflüsse Isar und Vils aufzunehmen. Das Donnern der Motoren hallte von den Felsen zurück, und als Martin aus dem Fenster blickte, wehte ihm eine Sommerbrise entgegen.

Hier passte sich der Fluss der Landschaft an, an manchen Stellen bezwang er sie sogar. Die trügerischen Abschnitte passierte das Schiff vorsichtig, tückische Sandbänke verbargen sich dort. Die digitale Navigation senkte zwar die Risiken, doch erst vor zwei Jahren verunglückte dort ein großes russisches Schiff. Der Abschnitt mit dem felsigen Boden stellte schon in der Vergangenheit eine große Gefahr dar, bis 1927 schließlich der erste Stausee mit der Schleusenkammer Kachlet gebaut wurde.

Der Standort des Kapitäns, der höchst gelegene Punkt des Schiffes, gewährte ihm eine gute Sicht in alle Richtungen. Die hohen Fenster wurden von den Matrosen jeden Morgen gereinigt. Die phosphoreszierenden Ziffernblätter der Tiefenmesser und das Display mit dem Navigationssystem flimmerten. Am Vorschiff drehten sich die Antennen.

»Du solltest nicht so viel trinken«, warnte Martin den Kapitän.

»Ich sollte nicht, doch ich tue es«, antwortete Atanasiu und nahm einen ordentlichen Schluck aus der Kaffeetasse, in die er sich immer wieder nachschenkte.

»Willst du nicht auch etwas Wasser trinken?«, fragte Martin.

»Nein. Der Wodka reicht mir«, erwiderte er schroff.

Er gönnte sich drei weitere Schlucke. Gott sei Dank sah das außer Martin niemand. Möglicherweise wurde die Wirkung des Alkohols durch die höllische Hitze noch gesteigert.

Martin dachte an Mona. Er ging vom Sundeck aufs Hauptdeck und stieg dann die Stiege auf der linken Seite nach unten. Im Salon spielte Gábor Ragtime. In der Mitte führte Mona einen wilden Tanz auf, der Rock flatterte und hob sich bis zu den Schenkeln und noch höher. Die Pensionisten umkreisten sie mit geröteten Wangen. Die Besatzung fühlte sich durch sie augenscheinlich nicht gestört – einer schönen Frau vergibt man doch alles. Wäre ein Mann ohne offizielle Erlaubnis hier, er würde sofort hinausgeschmissen werden.

»Was machst du hier?«, rief er Mona zu.

»Ich tanze!«, schrie sie zurück.

»Komm weg von hier!«

»Du hast mich doch eingeladen!«

»Ich? Wann? Du hast hier nichts zu suchen!«

»Du hast es im Radio gesagt. Ich habe dich gehört. Dadurch bin ich erst aufgewacht.«

Martin wurde klar, dass er sie tatsächlich aus dem Schlaf gerissen hatte – das Audiosystem in der Kajüte durfte man nie ausschalten, um keine wichtige Nachricht zu verpassen.

»Entschuldige, dass ich dich aufgeweckt habe. Doch jetzt gehen wir wirklich. Ich muss dich dem Kapitän vorstellen. Im Moment bist du illegal da – zum Glück haben wir noch keine Grenze passiert. Sonst wäre das schon längst ein Skandal. Und eine durchwachte Nacht ist das Letzte, was ich im Moment brauche. Morgen habe ich einen schweren Tag.«

Mona sah ihn ergeben an. Sie waren schon fast draußen, als sich ihnen Foxy anschloss, in einer grauen Flanellhose, elfenbeinfarbener Bluse und mit flachen Schuhen.

»Wir kennen uns noch nicht, ich bin Foxy«, stellte sie sich vor.

»Mona. Es freut mich. Martin ist mein Freund«, erklärte sie mit einer lächerlichen Ernsthaftigkeit und schaute ihn von der Seite an. Er schüttelte den Kopf.

»Das bin ich nicht«, antwortete er.

»Das ist schade. Ihr würdet gut zueinander passen.«

»Mona ist meine ... Freundin aus Kindertagen«, erklärte Martin.

»Das stimmt. Das bin ich. Viel Spaß, Foxy!«, rief Mona, und als sie ein Stück weitergegangen waren, fragte sie:»Schläfst du mit ihr?«

»Sie ist eine Passagierin!«

»Also doch. Das hätte ich mir denken können. Du bist schrecklich.«

»Wenn du es wirklich wissen willst, hat sie es mir gestern tatsächlich vorgeschlagen. Ich habe abgelehnt.«

»Da kannst du nur froh sein. Eine grässliche Kreatur. Alleine auf dem Tanzparkett mit diesen Greisen ...«

Sie stiegen auf das Oberdeck und gingen weiter nach hinten, bis zum Kapitän.

»Ich hoffe, ihr seid nicht zusammen«, sagte Atanasiu, als sie hereinkamen und Mona sich ihm vorgestellt hatte.

»Nein, Gott sei Dank«, entgegnete Martin.

»Wie man es nimmt«, konterte Mona, »Herr Prunea, ich entschuldige mich sehr, ich schäme mich, dass ich hier ohne Ankündigung hereingeplatzt bin und – ich danke Ihnen«, fügte sie hinzu.

»Sag Atanasiu zu mir. Magst du einen Schluck?«

»Sehr gern«, antwortete sie und trank gleich aus der Flasche.

»Gutes Mädchen.«

»Um Gottes willen! Ist das Schwefelsäure?« Mona schüttelte sich.

»Hier bist du unter Matrosen, meine Liebe«, erwiderte Atanasiu und stieß mit ihr an.

»Entschuldige. Mona kam nur für einen Tag. Ich habe es nicht gemeldet, weil ich nicht damit gerechnet habe«, sagte Martin.

»Was soll ich mit euch schon tun? Gib deinen Pass an der Rezeption ab. Und willkommen an Bord«, sagte er.

Atanasiu nahm Monas schlanke weiße Hand in seine fleischige Pratze und drückte sie so stark, wie er das immer tat, um den Willen und Mut der Leute zu testen, mit denen er es zu tun hatte. Er lockerte den Druck so lange nicht, bis er in den Augen seines Gegenübers den Schmerz erkennen konnte. Mona jedoch machte keine Anstalten, das Gesicht zu verziehen, ganz im Gegenteil, sie drückte selbst kräftig die Hand des Kapitäns.

Sie gingen nach draußen. Merkwürdigerweise hatte sie den Koffer dabei. Martin holte eine Flasche Riesling aus der Bar, dazu zwei Gläser. Er bot Mona einen Drink an, sie lehnte nicht ab.

»Geht es dir gut auf dem Schiff?«, fragte sie.

»Ja. Wenn mich Wien nervt, bin ich in zwei Tagen in Budapest, und kurz darauf wache ich in Belgrad auf. Als ich angefangen habe, habe ich gar nichts gehabt. Sie haben mich aufgenommen, und niemanden hat es interessiert, woher ich komme und warum ich das überhaupt machen will. Viele sind hierhergekommen wie du – sie wollten sich verkriechen. Diese Leute haben andere Sorgen als Kritiken zu lesen und sich über Verleger zu ärgern. Ich bin in eine ganz andere Welt gekommen, habe geschuftet und es auch irgendwie genossen.«

»Aber deine Karriere hat so vielversprechend begonnen. Du hast alles aufgegeben.«

»Karriere ist ein etwas zu starkes Wort. Hier habe ich viel mehr gelernt. Ich habe es nie bedauert, keine einzige Minute. Manche Amerikaner haben mich verachtet – du hast ja Webster gesehen. Diese Leute sind imstande, dich wegen eines misslungenen Urlaubs bis vors Gericht zu bringen oder dich ein weiteres Jahr lang mit Drohungen zu verfolgen. Erst hier habe ich begriffen, warum Sklaverei und Kinderarbeit noch immer möglich sind, wie sich Leute erpressen und zerstören lassen.«

»Warum machst du dann nicht Schluss?«

»Ich werde Schluss machen. Vielleicht schon bald. In Rumänien habe ich mal gesehen, wie der Besitzer seinen Lasteseln immer mehr zugemutet und noch ein Kilo draufgelegt hat. Sie revoltierten, haben sich hingelegt und keinen Schritt mehr gemacht. Wenn man sie zu schlecht behandelt hat, haben sie sich lieber totschlagen lassen, gefolgt sind sie ihm nicht mehr. Oder sie hörten auf zu fressen und sind krepiert. Wenn die ADC mal das Budget kürzt und den Matrosen nicht nur ein, sondern gleich zehn Kilo mehr auflädt, senken diese den Kopf, halten den Mund und bedanken sich auch noch, sie folgen den Vorschriften, lachen sogar bei jedem noch so dummen Witz, den der Chef erzählt. Die Kollegen träumen alle vom Leben auf dem Land, freuen sich auf jeden Urlaubstag, sparen ihre freien Stunden auf, konsumieren diese gar nicht, nur um nach sieben Monaten des Wartens mal eine ganze Woche zusammenzubringen. Und wenn sie dann endlich Urlaub haben, gehen sie doch nirgendwohin.«

Der Bug wurde von einem Reflektor ausgeleuchtet, er blendete die Insekten. Über dem Wasser wälzte sich Nebel. Das Schiff bahnte sich seinen Weg, fast, als ob es das erste Mal diese Strecke befahren und nur durch weiße und rote Signallichter gesteuert werden würde.

»Hast du mich überhaupt erkannt? Hast du noch an mich gedacht? Gib es zu! Habe ich mich sehr verändert? Du überhaupt nicht! Wirklich.«

»Egal wo ich auch war, überall habe ich an dich gedacht. Manchmal habe ich dich mit anderen Frauen verwechselt, oft schien es mir, als hätte ich dich irgendwo gesehen, ich wusste aber, das kannst nicht du gewesen sein. Ich habe versucht, dich zu vergessen, und es ist mir auch gelungen – und das war schrecklich«, sagte Martin.

»Danke, dass du mich hier aufgenommen hast.«

»Nur für eine Nacht. In Passau steigst du aus.«

»Das wird man sehen.«

»Das wird man nicht sehen. Verzeih, aber geh bitte. Trennen wir uns doch für immer, das ist das Einzige, was man noch machen kann.«

»Aber wie werden wir leben?«

»Wie Menschen. Jeder für sich«, entgegnete er.

Die Touristen gingen schlafen, einer nach dem anderen. Das letzte Licht im letzten Fenster erlosch. Nur oben beim Kapitän brannte noch Licht. Die Sterne glitzerten, und die Ruhe wurde nur durch Wellen des Flusses unterbrochen.

»Warum erzählst du mir das alles, wenn du es trotzdem so beenden willst? Wie kannst du überhaupt – nach allem, was wir zusammen erlebt haben? Soll ich mir anhören, was du zu sagen hast, und dann packen und gehen?«

»Es wäre besser.«

Ihr Gesicht wurde blass. Sie schenkte sich ein Glas voll und trank es auf ex. Er spürte ihren Blick auf seiner Haut wie einen Peitschenschlag.

»Martin, ich will, dass du endlich verstehst, dass dieser kleine Koffer unser Leben verändern kann«, sagte sie.

»Unser Leben? Wir haben ein gemeinsames Leben? Du kannst höchstens dein Leben ändern. Das würde dir auch guttun.«

»Nein, ich meine wirklich unser Leben – von uns zweien, dir und mir. Du solltest dir das überlegen. Und mich nicht beschimpfen.«

»Ich habe deinen Koffer kurz in der Hand gehalten, als du geschlafen hast – ich geb's ja zu. Und weißt du was? Ich wette, dass er leer ist. So wie du.«

Sie beschwor alles Böse in ihm herauf, und in den vielen Jahren hatte sich einiges aufgestaut. Er riss ihr den Koffer aus der Hand.

»Stopp! Gib ihn mir!«, schrie sie. »Warte! Was machst du?«

Er holte aus und warf ihn mit voller Wucht von sich – der Koffer öffnete sich im Flug, für einen Bruchteil einer Sekunde blieb er in der schwarzen Luft stecken, um blitzartig unter die Wasseroberfläche zu schlüpfen. In diesem Moment flogen auch grüne Hunderteurobanknoten und orangene Fünfziger heraus, sie wirbelten durch die Luft und sanken, tauchten in die Donau ein und verloren sich in der Dunkelheit. Martins Knie begannen zu zittern.

Mona stieß einen fürchterlichen Schrei aus. Sie beugte sich übers Geländer und streckte ihre Hände aus, doch es war zu spät. Martin

73

folgte ihr und stellte sich neben Mona, damit sie sich nicht irgendwas antat.

Sie heulte laut und hob die Hände in die Höhe.

»Beruhige dich, bitte! Mona, hörst du mich?!«, wiederholte Martin unermüdlich. Er versuchte, sie zu halten.

»Hände weg! Sofort! Lass mich! Hör auf!«

Eine Weile sah er das Geld noch auf dem schäumenden Wasser schwimmen. Dann schloss sich die Kielwelle hinter ihm, und das Schiff zog unbeirrt weiter.

»Nein. Das ist nicht wahr. Das kann nicht ...!«

»Das reicht jetzt! Hör auf! Sonst schmeiße ich dich hinterher!«, schrie er.

»Sei still. In ein paar Sekunden hast du alles zerstört. Wie immer. Das hätte ich mir eigentlich denken können. Wozu bin ich überhaupt hergekommen? Scheiße!«

Er bedeckte ihren Mund mit seiner Hand, damit die Passagiere nicht aufwachten. Monas Kehle entfuhr dennoch ein fürchterlicher Schrei. Dann trat eine angespannte und zugleich seltsame Stille ein. Er hörte nur seinen eigenen Atem und den schnellen Herzschlag im Brustkorb. Der Mond sah aus wie ein mit Blut vollgesogener Schwamm. Beide fürchteten jedes weitere Wort. Mona ließ sich mit dem Rücken zur Donau niedersinken.

»Ich habe keine Ahnung, wie viel drin war. Einige Tausend«, sagte sie.

»Dann weiß ich wenigstens nicht, wie viel genau ich dir schulde«, antwortete Martin.

»Du hast etwas Furchtbares getan. Das werde ich dir nie verzeihen.«

Sie begann traurig zu lachen und wurde dann abrupt still. Ihre Wimperntusche war verschmiert und hatte schwarze Zickzacklinien auf ihren Wangen hinterlassen.

Die Donau floss ihrem Schicksal entgegen, verband den Westen mit dem Osten, den Tag mit der Nacht, den Traum mit dem Wachsein, wälzte sich durch verschiedene Kulturen und vereinte alle, ohne ihre Gegensätze aufzuheben.

»Gehen wir in meine Kajüte«, schlug Martin vor.

»Gerade noch hast du mich gebeten zu gehen!«

»Ich habe meine Meinung geändert. Bleib hier – wenn du noch willst.«

Sie folgte ihm; in der Kajüte setzte sie sich aufs Bett, zog an ihrer Zigarette und weinte. Martin montierte schweigend den Rauchmelder ab.

»Deine Gewissensbisse kannst du dir sonst wohin stecken. Gib mir lieber mein Geld zurück«, sagte sie heiser.

»Ich habe wirklich gedacht, dass er leer ist.«

»Ich habe dir gesagt, dass er es nicht ist. Alles könnte anders sein. Jetzt brauchst du dich nicht mehr zu verbiegen. Ich gehe wieder. Bis ans Ende meines Lebens will ich dich nicht mehr sehen.«

»Ich will nichts von dir und du bestimmt auch nicht von mir. Aber du kannst ein paar Tage hierbleiben, wenn du willst. Ich bin sowieso den ganzen Tag mit den Gästen unterwegs.«

»Noch gestern habe ich gedacht, dass mir die ganze Welt gehört. Heute habe ich nichts und bin todmüde.«

»Gehen wir schlafen. Jetzt können wir auch nichts mehr tun.«

Mona schaltete das Licht aus. Im Dunkeln beobachtete sie die Zigarette in ihrer Hand – der glühende Punkt zitterte und bebte. Sie rauchte fertig, schloss die Augen, und kurze Zeit später war sie eingeschlafen. Martin legte sich auf seine Seite des schmalen Bettes.

Zuerst bewegten sie sich beide nicht, als ob zwischen ihnen eine geladene Pistole liegen würde. Dann entspannte sich Mona. Als er sich hin und her wälzte, berührte er mit seinem Fuß ihren Unterschenkel, ihre Muskeln entspannten sich. Mit der Linken schob sie ihre Haare weg und entblößte ihren Nacken. Sie drehte sich hin und her, wahrscheinlich wegen irgendwelcher unruhigen Träume, einige Male berührte sie ihn dabei.

»Hier kann man absolut nicht schlafen«, sagte sie völlig unvermittelt.

Sie presste seinen Kopf an sich und wand ihren heißen Körper um ihn. Er umarmte sie und zog sie näher zu sich. Er legte seine Hände auf ihre Schenkel und fasste sie fest an den Hüften. Dann küsste er fordernd ihre Lippen.

7. DAS LESEN DES FLUSSES

Martin lernte Mona Mannová in Bratislava kennen, da war er gerade zwölf Jahre alt. An jenem Tag hatte er sich von seinem hart ersparten Taschengeld im Janko-Kráľ-Park seine erste Schiffsfahrkarte gekauft. Das Schiff hieß *Propeler*, es verkehrte zwischen den zwei Donauufern und hatte seine ruhmreichen Tage längst hinter sich. Im Jahre 1891 hatte Heinrich Hörnes eine private Schifffahrtsgesellschaft gegründet, die mit ihren drei Dampfschiffen *Friedrich*, *Izabela* und *Pozsony* für die Verbindung zwischen der Petržalka und der Altstadt sorgte. Martin ging zu dem Schiff, es hatte einen weißen Rumpf und schaukelte auf dem Wasser.

An Bord sah alles bei weitem nicht so schön aus wie in seinen Büchern, doch sobald sich das Schiff in Bewegung setzte, wurde ihm klar, dass er nie wieder eine Landratte sein würde. Es gab nichts anderes mehr als das Strömen des Wassers und die am Himmel galoppierenden Wolken. Er zitterte, denn auf der Donau war es stets gute zwei Grad kälter als am Ufer. Die glatte Oberfläche glitzerte, der Wind zerzauste ihm die Haare. Die Haut auf seinen Wangen und Händen rötete sich. Er hatte einen Fahrschein, brauchte niemanden und war auch niemandem Rechenschaft schuldig. Ein solches Leben käme ihm gelegen.

Er hatte das Abenteuer noch gar nicht verarbeitet, da musste er schon wieder aussteigen. Was er nicht bereuen sollte, denn auf der anderen Flussseite erblickte er zum ersten Mal Mona. Sie stützte ihre Ellbogen auf die Reling und winkte lächelnd den Schiffen nach. Sie hatte die schönste Nase der Welt, mit zarten Nasenlöchern, und vollmundige Lippen. Ihre Frisur war tadellos, die langen Haare wurden wie von unsichtbarer Hand zusammengehalten.

»Na, Kleiner, was machst du da? Wo sind deine Eltern? Wer hat dich hier draufgelassen? Du weißt, dass du auf dem *Propeler* nicht ohne einen Erwachsenen sein darfst! Hier ist erst ab fünfzehn Eintritt!«, brüllte ihn ein Weib in einer geblümten Schürze an, welches darauf achtete, dass alle ausstiegen und die nächsten Passagiere in die entgegengesetzte Richtung einsteigen konnten. Schon streckte sie sich vor, um ihn am Ohr zu packen.

»Guten Tag. Ich ... ich bin allein gefahren, weil sie schon auf mich wartet«, sagte Martin und zeigte auf das Mädchen am Steg.

Die Frau blickte sich nach Martins Fingerzeig um, baute sich aber so vor ihm auf, dass er nicht vorbeischlüpfen konnte.

»Ja, das ist er. Grüß dich!«, rief das Mädchen, und Martin vernahm zum ersten Mal ihre Stimme. »Zuhause warten sie schon längst auf uns.«

»Wie heißt er?«

»Martin. So heiße ich!«, stieß er hervor.

Die Frau zuckte resigniert mit den Schultern und ließ ihn aussteigen. Er nahm all seinen Mut zusammen und schaute Mona direkt in die Augen. Er wusste nicht, wie lange sie einander angesehen hatten. Sie hieß Mona Mannová, war so alt wie er, und auch sie konnte dem Donauwasser endlos zuschauen. Sie wirkte wie eine Wassernixe, die sich plötzlich an Land wiedergefunden hatte. Am Hals spielten Muskelstränge unter ihrer Haut, und dazwischen war eine kleine Vertiefung. Er sehnte sich danach, diese Stelle mit seinen Fingern berühren zu dürfen.

Kein anderes Mädchen hatte einen so westlich klingenden Namen, in Martins Klasse gab es nur Katerinas, Zuzanas und Hanas. Seine Mitschülerinnen waren allesamt groß und dürr, mit überlangen Armen und Beinen, trugen wunderliche, viel zu große Unterhosen und rochen nach Armut. Mona war ganz anders angezogen. Und sie wollte sogar mit ihm sprechen.

»Hast du einen Bruder oder eine Schwester?«, fragte er sie.

»Nein. Und du?«

»Auch nicht. Zum Glück«, entgegnete er. »Wo wohnst du?«

»Nicht weit von hier. Ich zeige es dir.«

Am linken Flussufer kannte er sich kaum aus. Dafür war Mona hier in ihrem Element. Die Altstadt war kaum bewohnt, nur wenige Besucher verirrten sich hierher. Martin betrachtete die Fassaden, Arkaden, die Satteldächer und das Menschengewimmel. Als er sich umdrehte, sah er in der Ferne zwischen den Baumkronen die Hochhäuser der Petržalka-Siedlung, die ihn daran erinnerten, woher er stammte.

Daheim stellte Mona ihn ihren Eltern vor. Als Freund. Die Vierzimmerwohnung in einer Seitengasse nahe der juristischen Fakultät beeindruckte Martin. Bis zu diesem Tag hatte ihn noch nie ein Freund oder Mitschüler mit nach Hause genommen, geschweige denn ein Mädchen. Während Mona und ihre Mutter in der Küche beschäftigt waren, bestaunte er die vielen Bücher. Selbst im Kinderzimmer hatte Mona Hunderte Bücher und Comichefte. Die Wände waren mit Urkunden für ausgezeichnete schulische Leistungen und Erfolgen in allen denkbaren Fächern bestückt. Verstohlen berührte er die Musikanlage, den Videorekorder und das Dampfbügeleisen – alles Dinge, die er ausschließlich von den Auslagen des Luxusgeschäftes Tuzex kannte, wo man mit harter Währung bezahlen musste. Als man ihm einen Platz auf dem Sofa anbot, aß er einen Pudding und trank seine Limonade und benahm sich so, wie sich wohl auch Erwachsene benehmen würden.

Von diesem Tag an traf er Mona oft nach der Schule, und als schließlich die Ferien kamen, verbrachten sie beinahe jeden Tag gemeinsam.

Martin holte Mona auf dem Rummelplatz ab, der sich in der Nähe des Starý most befand. Zwischen den dürren Bäumchen leuchteten die Attraktionen hervor, die Schießplätze knarrten, das Karussell quietschte. Kabel waren kreuz und quer gespannt, daran hingen Lampions. Die Wirtin einer der Kioske hatte einen Oberlippenbart und goldig funkelnde Zähne. Hinter dem Pult saß ein hübsches Mädchen mit einer weißen Haube auf dem Kopf, sie schnitt mit einer Schere Papierrosen aus, die waren fast so groß wie Kohlköpfe. Martin schoss Mona einen Lolli, und sie revanchierte sich mit einem Kuss auf die Wangen. Im Vorführwagen zog ein Magier eine lebende und nach Heizöl riechende Taube aus einem schwarzen Zylinder und schluckte ein Schwert. Mona war erbost, sie war sich sicher, dass er geschwindelt hatte, doch Martin glaubte tatsächlich, dass er sich das Schwert in den Rachen geschoben hatte.

Er nahm Mona gern in sein Versteck am Donauufer mit, das sich in der Nähe des Plattenbaues befand, in dem er wohnte. Sie hakte sich mit dem linken kleinen Finger in seinen Gürtel ein, und sie stapften los, einen schmalen Pfad durchs hohe Gras entlang. Sie gingen immer zu Fuß, obwohl man über eine ganze Stunde brauchte. Über alte Kastanienkronen ragte ein ziegelroter Wasserturm mit einem rostigen Kuppeldach. Verlassene Kanuvereinshäuser und leerstehende Pensionen waren von Schlingpflanzen überwuchert. An dieser Stelle hatte Kaiser Friedrich Barbarossa beim dritten Kreuzzug im Sommer 1189 seine Zelte aufgeschlagen. In einer von Grund auf renovierten Halle hat heute eine deutsche Großbank ihren Sitz.

Die Brücke der Roten Armee, auch die »Alte Brücke« genannt – ein ewiges Provisorium und Andenken an die Sowjetarmee –, ließen sie hinter sich. Blieb Mona im Gebüsch hängen oder im weichen Boden stecken, half er ihr sofort. Er nutzte ihre Schwäche aus und umfasste sie an den Hüften. Sie ließ sich bereitwillig führen und hielt ihr Kleidchen hoch. Kein einziges Mal fielen sie hin, sie verloren auch nie den Boden unter ihren Füßen.

Martin zählte zu den wenigen Bürgern von Bratislava, die sich von dieser Seite her der Donau näherten. Die Wälder am gegenüberliegenden Ufer wirkten erbärmlich, sie waren durch die Nähe zur Raffinerie geschwächt. Dafür standen die mächtigen Stämme auf der Seite von Petržalka dicht aneinandergedrängt. Dahinter strömte der Fluss als Sinnbild des Lebens. Ein sumpfiger Dunst hing in der Waldluft, und der Pflanzenduft war betörend. Über ihren Köpfen wuchsen die grünen Baldachine ineinander, das Gras ragte einem bis zur Taille. Ihre Füße versanken im dichten Trockengrasteppich, mit ihren Händen streiften sie zartes Blattwerk und biegsame Disteln.

Martin erzählte Mona von seinen Abenteuerbüchern, über die Meere und Flüsse darin. Sie sprachen tagelang über Handlungen und Personen, Huckleberry Finn, d'Artagnan, Falkenauge, Tecumseh, Winnetou, Vater Goriot und andere. Sie unterhielten sich über sie, als wären es gute Bekannte, sie bewunderten ihren Mut, bemängelten ihre schlechten Angewohnheiten und erfanden allerlei Fortsetzungen ihrer Abenteuer.

Ab und zu raschelte es im Gebüsch, mal näher, mal ferner, als liefen dort unbekannte Wesen umher, riesenhafte Gestalten oder sich auflösende Schemen. In der Nähe befand sich ein kleiner Steg mit einer Hütte, in der sie sich vor dem Regen verbargen. Über die Wasseroberfläche liefen Moskitos und Wasserflöhe, knapp darüber zogen Libellen ihre Bahnen. Wenn Martin ein Stück Brot hinter sich warf, war sofort ein Piepsen hungriger Vogeljungen zu hören.

Die Tage wurden zu Wochen und Monaten. Die Donau strömte von nirgendwo nach nirgendwo. Nächtens lag er mit wachen Augen im Bett und gab sich seinen Träumereien hin.

Sie trafen sich das ganze Jahr über, bis zum nächstfolgenden Sommer. Nach einem harten Winter wurde es wieder warm. Sie kamen sich näher. Er liebte es, Mona im Badeanzug zu sehen. Er selbst stieg verschämt in den Fluss, der endlich von unerträglich kalt auf kühl wechselte. Im Wasser hielt er es nie lange aus, und als er schließlich herauskam, legte er sich zu ihr in den Sand und mühte sich vorzutäuschen, nicht zu frieren, doch seine klappernden Zähne und blauen Lippen verrieten ihn.

Eines Abends nahm sie ihn in einen Gang unter der Burg mit, wo Stalins Statue gelagert wurde. Man munkelte, der Tunnel würde unter dem Fluss hindurch bis nach Wien führen. Sie wagten sich ein kurzes Stück vor und kehrten wieder um. Mona nahm ihn mit in die Philharmonie. Vor Aufregung konnte er sich keinen Millimeter rühren. Von der Musik hatte er nicht allzu viel, doch hier neben Mona zu sitzen, das war ein monumentales Ereignis. Sie nahm ihn in gähnend leere Museen und Kunstgalerien mit. Ins Palais Mirbach oder Pálffy wurden sie manchmal von ihren Eltern begleitet. Die alten Frauen hinter der hölzernen Kasse kämpften gegen die Schläfrigkeit an, sie steckten ihre Köpfe in Frauenzeitschriften und vertrieben sich die Zeit mit Stricken. Diese Einsamkeit übertrug sich auch auf die Statuen, die reglos auf etwas zu warten schienen, ohne genau zu wissen, worauf.

Martin nahm Mona dafür in den Hafen mit, wo sein Vater arbeitete. Sie bestaunten gemeinsam die endlos langen Containerkräne und die an Land gezogenen Schiffe. Die Schiffsrümpfe ragten in die Höhe, und ihre Kiele gruben sich wie Messerklingen ins Kieselbett. Die Verlademaschinen erinnerten an gigantische Spinnen. Gleise führten in dunkle Lagerhallen, wo an Werktagen die Arbeiter umherschwirrten.

Lange suchten sie gemeinsam nach einem Schaufelraddampfer, jedoch ohne Erfolg; die hatte man längst entsorgt oder für einen Spottpreis ins Ausland verkauft. Das traurige Ende eines der letzten alten slowakischen Dampfschiffe (der *Orava*) war nahezu symptomatisch. Ende der sechziger Jahre wurde es außer Dienst gestellt, die Aufbauten wurden entfernt und der Rumpf mit Beton ausgegossen, wo er als Hilfspfeiler bei der Errichtung der Neuen Brücke Verwendung fand. Die Reste wurden schließlich in einem der Seitenarme mit Sprengstoff versenkt.

Bei ihren Spaziergängen durch den Hafen ging Martin seinem Vater lieber aus dem Weg, er wollte nicht, dass er Mona traf. Lieber erzählte er von ihm. Am liebsten hatte er es, wenn der Vater beim Reinigen des Gleiskörpers für den Schiffsaufzug am Grund des Hafenbeckens tauchen musste. Dann half er ihm, den Tauchanzug aus gelbem Gummi, der noch vor dem Krieg in Großbritannien gekauft worden war, anzuziehen. Gemeinsam legten sie ihm eine schwere Messingplatte mit Bleigewichten auf die Brust, zogen ihm 25 Kilo schwere Schuhe an und schraubten den Messinghelm zu. Er schloss seinen Vater an den Beatmungsschlauch an (samt Seil und Telefonkabel) und kontrollierte die Verbindung. Der Taucher schritt die Stufen ins Wasser hinunter, während Martin ihm die Luft per Hand zupumpte. Wenn er nicht aufpasste und zu langsam oder zu schnell war, konnte der Vater nicht richtig atmen und rügte ihn durch die uralte Sprechverbindung. Eine Stunde später tauchte er wieder auf. Einmal wurde sein Vater, als gerade an der tiefsten Stelle gearbeitet wurde, zur Donau abkommandiert. Man beförderte ihn im Tauchanzug auf der Ladefläche eines Lastwagens. Martin saß neben ihm. Ein Kollege stand auf dem rostigen Deck eines rumänischen Güterschiffes und zeigte auf einen großen runden Gegenstand, eingeklemmt zwischen Ponton und Schiffsrumpf. Er hämmerte mit dem Bootshaken darauf ein, um ihn endlich los zu werden. Der Vater erschrak und schrie den Mann an, es sofort sein zu lassen. Er ließ sich ein Fernrohr reichen und erblickte eine große zinkfarbene Seemine mit Messingfühlern und französischen Produktionsschildern. Sie war etwa anderthalb Meter groß.

Der Vater rief in der Dienststelle der Grenzwache an. Ein Militärboot kam, und der Kommandant bestätigte seinen Verdacht. Die Besatzung wurde an Land geschickt. Ein sowjetisches Minensuchboot mit Schnellfeuerkanonen kam schließlich zum Einsatz. Die Soldaten banden die Mine an einem dünnen Kunststoffseil fest und zogen sie langsam ins ruhige Wasser. Irgendwo auf einem Seitenarm der Donau kam das kleine Schiff schließlich zum Stillstand. Der Artillerist zielte. Ein ohrenbetäubender Knall erfolgte. Die Mine explodierte. Die Wassersäule schoss angeblich über neunzig Meter hoch. Martin hielt sich die ganze Zeit über krampfhaft an Vaters Metallhand fest.

Je mehr Geschichten er Mona erzählte, desto besser verstanden sie einander. Sie lud ihn öfter zu sich nach Hause ein. Sie zogen alle Vorhänge im Zimmer zu und tuschelten den ganzen Nachmittag lang. Die stickige Luft wurde immer wärmer. Mona sah darin wie eine verschwitzte Puppe aus. Ihre Augen begannen zu leuchten, und sie lachte immerzu. Martin saß neben ihr auf dem Teppich und berührte sie beiläufig. Wilde Fangspiele endeten unter dem Bett, weiche aufgetürmte Burgen erlagen hitzigen Attacken. In diesem Zimmer machte er die schönsten Entdeckungen und erlebte die unglaublichsten Abenteuer. Bei Mona zählte er schon bald zur Familie. Die Mutter tat ihm unauffällig kleine Gefallen: Sie machte seine Lieblingslimonade oder legte ein Buch, von dem er gesagt hatte, dass er es gerne lesen würde, auf den Tisch. Er verstand nicht, wieso ihre Eltern alles tolerierten und sie sogar alleine ließen, ohne viel nachzufragen. Er selbst lebte mit der Befürchtung, zu weit zu gehen, und er redete sich unentwegt ein, er müsse eine Gelegenheit zum Rückzug finden. Zugleich hoffte er, es würde ewig so weitergehen. Am Ende dieses Sommers hatte ihre Haut die Farbe von Milchkaffee angenommen.

Martin trug am letzten warmen Tag seine roten Boxershorts, deren Gummi sich deutlich in die Haut unter dem Nabel eingrub. Mona stellte sich im Badeanzug neben ihn. Sie blickte ihm in die Augen, und er bemerkte, wie sie tief Luft holte und dann zur Seite schaute. Irgendwie hoffte er, sie sich vom Leib halten zu können, doch sie schmiegte sich an ihn. Die Erfüllung all seiner Träume war zum Greifen nahe. Er fuhr mit seiner Handfläche die Wölbung ihres Rückens nach. Ihre hervorstehenden Schulterblätter sahen wie eingezogene Flügel aus. In seiner Brust pulsierte eine noch unbekannte Lebenskraft. Er fühlte, dass seine Liebe und sein Verlangen kein unschuldiges Spiel mehr waren und sie langsam zu etwas Verbotenem wurden. Er wollte ihr ewig so nah sein und ihre Mädchenhaut berühren. Er selbst wusste nicht, ob er schön oder hässlich war, ob er sie anzog oder eher abstieß. Er versuchte sich allerlei mit ihr vorzustellen, von dem er gehört hatte, doch es funktionierte nicht.

»Mein Vater ist Kulturattaché der Botschaft in London geworden«, sagte sie wie eine Erwachsene.

Er wusste nicht, was das bedeutete, ahnte jedoch, dass er sie bald nicht mehr sehen würde. Dieses schemenhafte Bild, das er nun von

Mona hatte, würde wohl auch das einzige bleiben, das ihn in den nächsten Jahren begleiten würde.

»Wie lange bleibst du weg?«, fragte er, doch in Wirklichkeit wollte er es gar nicht hören. Er konnte nicht begreifen, wie jemand an einen Ort fernab der Donau ziehen konnte.

»Sehr lange. Zwei, drei Jahre. Vielleicht auch länger. Aber keine Angst, ich komme zurück. Ich werde dich nicht vergessen. Und ich werde dir jeden Tag schreiben.«

Sie verbrachten noch sechs gemeinsame Tage, Augen und Münder pausenlos einander zugewandt. Als Mona schließlich weg war, glaubte er, das Wasser müsste nunmehr stehen bleiben, in eine andere Richtung fließen oder über die Ufer treten. Doch nichts davon geschah. In seiner kindlichen Wut trat er gegen das Wasser und beschimpfte den Strom. Zum ersten Mal ließ ihn die Donau im Stich.

In den folgenden drei Jahren hatte er über siebenhundert Bücher gelesen. Trotz ihrer Versprechungen, schrieb ihm Mona aus England keine einzige Zeile. Er ahnte nicht, wo sie war, mit wem sie sich traf, ob sie zur Themse ging oder zu einem anderen Fluss. Sie war wie vom Erdboden verschluckt. Er hatte Anrufe mitten in der Nacht, Expressbriefe oder verzweifelte Bitten erwartet, er hatte sich diese Trennung wie in einem Roman vorgestellt und träumte von Liebeserklärungen, Vergebung, Eifersucht und Verführung. In die Schule ging er mechanisch wie ein Automat.

Er stürzte sich mit großem Eifer auf Fremdsprachen, und es ging ihm alles leicht von der Hand: Italienisch, Französisch, Deutsch und später auch Englisch. Endlich hatte er neben dem Lesen eine weitere Aufgabe, die ihm Spaß bereitete. Während seine Mitschüler gern schwänzten, ging Martin sogar noch mit Fieber in die Schule, nur um nicht allein sein zu müssen. Er war Dauergast in den Büchereien und lernte, wie man Klassikkonzerte besuchen konnte, ohne Eintritt zu zahlen, weil nämlich – in der zweiten Hälfte des Konzerts – am Eingang nicht mehr kontrolliert wurde.

Mona sah er wieder, als sie fünfzehn war; ihr Gesicht spiegelte Erlebnisse wider, deren Teil er nicht war. Das kürzere Haar betonte ihr schönes Gesicht. Ihre Brüste wurden voller und passten nicht mehr in ihre T-Shirts. In sicherem Abstand ging er ihr nach. Sie hielt einen Augenblick inne, als sie ihn sah, und umarmte ihn zögerlich.

»Hallo! Was machst du hier? Wieso hast du dich gar nicht gemeldet?«, fragte sie.

Martin lachte nicht.

»Ich wollte dir jeden Tag schreiben, doch du weißt ja ... in Bratislava war viel los ... Die neuen Leute und Dinge ...«, entgegnete er.

»Na gut, weil du es bist. Ich verzeih dir«, sagte sie.

Auf dem Weg zur Donau schminkte sie sich mit einem Lippenstift und zwei präzisen Strichen am Lid. Auf dem Pflaster hörte man das Klappern ihrer ersten hochhackigen Schuhe, in denen sie noch viel größer wirkte, sie überragte Martin bei weitem. Sie hatte ein Leinenkleid angezogen, dessen Spitzenverzierung schon etwas vergilbt war, dafür trug sie eine nagelneue Handtasche. Sie war sich ihrer Schönheit und Wirkung sehr wohl bewusst.

Kaum am Fluss angelangt, zog sie sich das Kleid über den Kopf und stand im Bikini vor dem verblüfften Martin. Die Sonne brannte herunter. Im Gebüsch knisterte und prasselte es, die Käfer summten. Mona lag auf dem Rücken und blickte gedankenverloren in den Himmel. Die Sonnenstrahlen fielen senkrecht auf sie herab.

»Ist dir nicht heiß?«, fragte sie und streckte ihren Rücken durch, dann knöpfte sie das Oberteil auf.

Ihre Brüste warfen sichelförmige Schatten. Er blieb stehen und blickte sie unverhohlen an. Sie zog ihre rechte Hand unter dem Kopf hervor, legte sie auf ihren Bauch und ließ sie über ihren Körper gleiten, bis sie im Schoß lag. Dann zog sie auch ihr Höschen aus. Ihm wurde heiß, auf seiner Brust sammelte sich der Schweiß, der in einem dünnen Faden seinen Bauch hinunterfloss, um im Bund zu versickern. Unter dem dünnen Stoff wurde sein Glied steif.

Ohne jede Vorwarnung setzte sie sich auf und fasste ihm in den Schritt. Eine Fülle an Wörtern drängte sich auf seiner Zunge, im

Angesicht dieser Berührung verloren sie aber alle Bedeutung. Auf der Höhe seines Schoßes machte sie ihren Mund auf. Er gab seinem Verlangen nach, beugte sich vor und berührte ihre Brustwarzen. Er fasste beide Brüste, als ob er Obst abwiegen würde. Die Öffnung, in die sie seine Finger schob, wirkte geheimnisvoller als jede Mündung eines Flusses. Wort für Wort, Bewegung für Bewegung brachte ihm Monas Körper eine eigene Sprache bei.

Dann lag er auf dem Rücken, fühlte, wie ihn der Sand kitzelte. Benebelt stapfte er los, um sich abzukühlen. Die kalte Hand des Wassers umklammerte seine Knie. Es überschwemmten ihn so viele Gefühle, dass er erschrak. Er vertraute Mona schließlich an, dass er die ganzen Jahre mit Gedanken an sie verbracht hatte.

»Vergessen wir alles und sind wieder zusammen?«, fragte Martin.

»Wie bitte?«

»Wir zwei? Wie vorher? Am Fluss und sonst auch?«

»Wie zusammen? Sei nicht kindisch. Ich habe einen Freund. Heute Nacht fliege ich mit meiner Familie wieder nach London zurück. Ich bin schon eine ganze Woche da und langweile mich ziemlich. Bratislava geht mir so auf die Nerven. Gott sei Dank bist du da. Komm her, damit ich dir einen ordentlichen Kuss geben kann.«

Sein Magen zog sich zusammen, und er schüttelte sich vor Kälte. Er hörte das immer schwächer werdende Klappern ihrer Absätze und ein übles englisches Schimpfwort, als sie stolperte.

8. ORIENTIERUNGSPUNKTE

Am Kai in Passau herrschte Chaos. Eine Obst- und Gemüseladung wurde zu spät angeliefert, und die Besatzung kam ordentlich ins Schwitzen, wenn sie diese rechtzeitig löschen wollte. Martin lotste einhundertzwanzig Amerikaner zu den Reiseführerinnen, die ihnen die Stadt näherbringen sollten. Seit zwei Nächten hatte er nicht mehr durchgeschlafen. Dieses Mal musste er den Ausflug allerdings mitmachen; Mona ließ sich überreden und kam auch mit. Die meisten Gesichter hatte er sich bereits eingeprägt und kannte auch die zugehörigen Namen.

»Unser Tag in Passau wird kurz, allerdings intensiv sein. Liebe Reisende, heute um fünf Uhr legen wir Richtung Österreich ab. Ich ersuche Sie, unter allen Umständen pünktlich zu sein, denn wir werden den ganzen Abend, die Nacht und noch den nächsten Morgen durchfahren. Ich wünsche Ihnen viel Spaß in dieser exzellenten Stadt am Zusammenfluss dreier Ströme.«

Er bemerkte einige verwirrte Gesichter und fügte hinzu:. »Ich möchte Ihnen unsere – möglicherweise – neue Kollegin vorstellen. Mona Mannová stammt aus Bratislava, so wie ich. Sie macht auf diesem Schiff eine Trainingsfahrt und ist vielleicht schon bei der nächsten ADC-Reisegruppe in einem Monat mit dabei. Wir wollen ihr alle gemeinsam die Daumen drücken!«

»Hi Mona. Good luck! Toi toi toi! Alles Gute!«, riefen die Amerikaner.

Mona lächelte beglückt.

Die Gruppe enterte die engen Gassen. Die Altstadt lag zwischen den Flüssen, die neuen Stadtteile erstreckten sich über die anliegenden Hügel. Der Spaziergang war für Martin ermüdend. Direkt vor seinen Augen flossen drei Farben zusammen: die blaue Donau, der braune Inn und die schwarze Ilz.

Der Inn, das mächtigste Gewässer von allen, bildete in Passau die deutsch-österreichische Grenze. Warum benannte Johann Strauss seinen weltberühmten Walzer nicht »Am schönen blauen Inn«? Warum spricht man nicht von einer Innmonarchie? Die Donau ist länger, deshalb gilt wohl der größere Inn als ein Nebenfluss. Für Martin stellte Passau (wie jede andere Donaustadt) einen vertrauten Orientierungspunkt dar, einen Halt an einer schier endlosen Straße, an der nur die Hausnummern wechselten.

»Muss ich also noch nicht von Bord?«, fragte Mona nach einer Weile.

»Hängt von dir ab. Bleib, wenn du willst. Gleich sind wir beim Stephansdom. Wenn du dort in der Menge verschwindest, werde ich es den Amis schon erklären können. Falls es überhaupt jemandem auffällt. Sie vergessen recht schnell. Manchmal fragen sie mich nach zwei Wochen in Bulgarien, wer ich bin und was ich an Bord mache. Ich gebe dir Geld für eine Fahrkarte nach Bratislava.«

»Ich werde mir was zum Anziehen kaufen.«

»Ich schulde dir ja noch ein paar Euro.«

»Erinnere mich lieber nicht daran.«

Martin drängte sich vor und sagte laut: »Werte Passagiere, nun besuchen wir gemeinsam mit den Reiseführerinnen den Dom St. Stephan, in dem sich die zweitgrößte Orgel der Welt befindet. Sie zählt 17.774 Pfeifen. Um die größte Orgel zu sehen, müssten wir eine andere altehrwürdige europäische Stadt besuchen – nämlich Los Angeles. Wir bleiben jetzt eine Stunde hier und fahren anschließend weiter. Wer zu müde für einen Spaziergang ist, kann auf einer Bank oder im Kaffeehaus auf uns warten.«

Mona war nicht mehr zu sehen. Martin wusste nicht, ob sie für 30 Minuten, ein paar Jahre oder gar für immer verschwunden war. Er hatte nicht die geringste Lust, sich etwas über den Heiligen Geist, St. Paulus oder Michael, Severin, Nikolaus, die Jungfrau Maria oder

Mariahilf anzuhören. Spielzeugmuseum, Glasmuseum, Museum moderner Kunst, die Residenz. Alles geriet durcheinander, und die Zeit zog sich ziemlich. Mit der Gruppe unterwegs zu sein, das hieß, sich nach dem Letzten zu richten – es war also mehr ein Stehen, denn ein Gehen. Den Gruppenschluss bildete der gebrechliche Arthur Breisky mit seiner fahrbaren Sauerstoffflasche, deren kleine Rädchen über das Kopfsteinpflaster holperten. Martin hoffte inständig, dass dieser Mensch in den nächsten Tagen nicht das Zeitliche segnete – der sympathische Mann hätte es verdient, zumindest bis zum Ende der Schiffsreise durchzuhalten. Sein Anblick gab allerdings wenig Anlass zur Hoffnung.

Wenn es nach ihm ginge, hätte Martin die Stadtbesichtigungen längst abgeschafft; so etwas kam allerdings nicht in Frage, weil dies ja verbindlich zugesichert worden war. Die Firma würde sich sonst Beschwerden und Klagen einhandeln. Der Reisekatalog war eine Heilige Schrift, und alles, was darin vermerkt stand, wurde auch durchgezogen, denn es gab tatsächlich Reisende, die den Plan jeden Morgen mit einem Stift in der Hand studierten und bei der geringsten Abweichung an die Zentrale mailten.

Die Passagiere kamen mit Hamburgern und Cola in ihren Händen zurück. Kurz nach dem Frühstück, stopften sich die Amerikaner nun schon wieder voll. Mona hatte unterdessen eingekauft. Sie hatte einen neuen Rock an, hielt einige Taschen in den Händen und lächelte sorglos.

Sie gingen nebeneinander, am Ende der Gruppe, in den engen Gassen pressten sie sich aneinander. Martin wollte von der Reisegruppe nicht beobachtet werden. Dort griff sie nach seiner Hand und schob sie unter ihren Rock, bis zum Schenkelansatz, damit er mitbekam, dass sie kein Höschen trug. Er sollte etwas tun, dachte er. Etwas Vernünftiges. Dann tat er genau das Gegenteil.

Er hetzte der Gruppe hinterher. Seit mehr als tausend Jahren besuchten die Menschen Passau, gingen den Goldenen Steg und den Salzweg entlang, über die Brücke und zur Porzellanmanufaktur. Auf dem heutigen Stadthügel hatten schon die Kelten ihre prähistorische Siedlung angelegt, im ersten Jahrhundert kamen die Römer, um die strategische Lage für ihre Festung zu nutzen; seit jeher war die Donau ein Limes, eine Grenze, und wer sie überschreiten wollte, musste mit Gefahren rechnen; sie trennte die Zivilisation von der Barbarei, den klaren Verstand von dunklen Instinkten. Auch die Römer konnten nur die westliche Seite, Pannonien, erobern. Diokletian gelang es, das Reich bis an das westliche Ufer auszuweiten. Später wurde Passau jahrhundertelang von katholischen Bischöfen regiert.

»Ich empfehle Ihnen, bayerische Lederhosen und Bierkrüge zu kaufen oder Hüte und Kappen«, erklärte Martin. »Freuen Sie sich auch so über das exzellente Wetter?«

»Ja! Nein, es ist zu warm! Es ist phantastisch! Wann wird es wieder kälter? Warum fahren wir nicht mit dem Bus?«, riefen die Amerikaner durcheinander.

Die Antworten machten Martin keine Mühe. Er sehnte sich zurück aufs Schiff, er wollte keine Sehenswürdigkeiten, er wollte Mona betrachten. Als er sie in der Kajüte endlich umarmen konnte, küsste er sie innig und euphorisch, jedenfalls bemühte er sich darum. Er empfand eine gewisse Genugtuung, dass sich sein alter Wunschtraum endlich erfüllte.

Er vernachlässigte seine Pflichten, und es war ihm vollkommen egal. Nach dem Essen ließ er sich an der Rezeption nicht mehr blicken. Nicht einmal O'Connor höchstpersönlich hätte ihn jetzt auf Trab gebracht.

»Du wolltest mir alles erklären, hast du gesagt. Was hast du eigentlich die ganzen Jahre über gemacht? Was hast du studiert?«, fragte Martin.

Mona räkelte sich auf dem Bett, mit einer Zigarette in der Hand – selbstbewusst und entspannt in ihrer Nacktheit.

»Das Leben«, antwortete sie. »Die Uni habe ich ausprobiert, zwei Semester Wirtschaft. Ich habe mich sogar ans Studieren gewöhnt, doch das Studieren sich nicht an mich.«

»Warum bist du verschwunden?«

»Ich hätte nie gedacht, dass ich dir fehlen könnte. Du hast mich nie deinen Eltern vorgestellt. Hast mich nie zu dir eingeladen. Wo wohnst du eigentlich?«

»Ich wohne nicht mehr in Bratislava. Ich spreche das ganze Jahr über nur Englisch und verdiene Dollar. Ich lese amerikanische Zeitungen, schaue amerikanisches Fernsehen. Das hier ist mein Amerika auf der Donau. Meine Donau in Amerika.«

»Und deine Übersetzungen?«

»Die Arbeit hat mir Spaß gemacht und mich zugleich zerstört. Der Übersetzer ist in den Autor verliebt, er wird eins mit ihm, muss ihm treu sein, ohne sich aufzuzwingen, er muss sich unterordnen. Nur wer liebt, kann das wirklich verstehen. Vielleicht sind Frauen deshalb auch so gute Übersetzerinnen. Es ist jedoch ein undankbarer Beruf, einsam, anstrengend. Bei den feierlichsten Premieren der anspruchsvollsten Theaterstücke, wo sich auf der Bühne neben Regisseur und Schauspielern alle bis zum Souffleur verneigen, wirst du den Übersetzer niemals sehen.«

»Warum bist du hier? Du bist an Bord bestimmt der Einzige mit Hochschulabschluss.«

»Du vergisst den Kapitän.«

»Den Alkoholiker? Na ja, die Schifffahrtshochschule in Děčín. Entschuldige, doch das kannst du nicht vergleichen.«

»Dieses Studium ist lehrreicher als die Literatur. Ein Uni-Abschluss ist mir hier beinahe im Weg.«

»Wieso arbeitest du auf der Donau?«

»Wegen des Geldes.«

»Nur? Das glaube ich nicht, dafür kenne ich dich viel zu gut.«

»Willst du es wirklich wissen?«

»Mehr als alles andere.«

»Dann muss ich dir allerdings die ganze Geschichte erzählen.«

Er ließ seinen Worten freien Lauf, vor dem Bullauge strömte die Donau. Bei Jochenstein (ein Ort mit einem österreichischen und einem deutschen Ufer) thronte unter der Talsperre die Statue des heiligen Johannes auf einem Felsen; dort hat man früher die Matrosen getauft. Bald schon würde die atemberaubende Schlögener Donauschlinge zum Vorschein kommen.

9. HIMMEL, HÖLLE UND FEGEFEUER

Nach dem Gymnasium entschloss sich Martin, Übersetzer zu werden und Französisch und Italienisch zu studieren. Der Vater war dagegen, und die Mutter mahnte: Er werde wenig verdienen, nie eine hohe Stellung erreichen, selbst wenn er Tag und Nacht arbeite, er werde nie mit dem Geld auskommen ... In seiner Familie hatte noch nie einer studiert. Bei den Aufnahmegesprächen lief es ganz gut (er wurde Dritter), und somit nahm er mit zwanzig Jahren sein Studium auf, an der philosophischen Fakultät der Universität Bratislava. Die Eltern waren schockiert, doch die Zeit brachte ständig irgendetwas Schockierendes auf.

Sobald das Semester begonnen hatte, zog er von zu Hause aus: ein riskantes Unterfangen, doch hatte er keine andere Wahl. Er fand eine billige Einzimmerwohnung, und um diese zu finanzieren, jobbte er. Doch seit er an der Uni war, erfüllte ihn ein Triumphgefühl. Im ersten Jahrgang waren sie noch 17 Studenten, im zweiten neun und im fünften – dem letzten – nur noch vier. Die Vorlesungen besuchte eine bunte Schar – Sprachfanatiker, abtrünnige Kinder hochgebildeter Eltern und ambitionierte junge Frauen, die sich bereits als Dolmetscherinnen im Europäischen Parlament sahen.

In den ersten zwei Studienjahren verschlang er unzählige Bücher. Er las überall, sogar beim Essen in der Mensa. Er war überzeugt davon, sein Wissen später in die Übersetzungen einfließen lassen zu können. Er fühlte sich wie der Autodidakt aus Sartres *Ekel*, der die Bücher der öffentlichen Bücherei von A bis Z durchexerziert hatte; und er empfand auch Ähnlichkeiten mit dem Sinologen Peter Kien aus Canettis *Blendung*, der 25.000 Bände besaß und auf seine Bibliothek genauso stolz war wie ein Soldat auf sein Bataillon.

Das studentische Gemeinschaftsleben lockte ihn nur wenig, doch natürlich war ihm klar, dass ein Mensch nicht für die Einsamkeit geschaffen war. Am Samstagabend gab es stets einen gemeinsamen Umtrunk. Martin trank gerne, betrank sich aber niemals, selbst die Gesellschaft von Betrunkenen war ihm ein Graus. Die fruchtlosen Debatten und das Schubladendenken in politischen Belangen gingen ihm ordentlich auf die Nerven. Vor seinen Augen schritten Paare (Hand in Hand) zu Vorlesungen und Seminaren, in die Bibliothek und ins Kino und später dann auf ihre Zimmer. Martin hatte keine große Lust auf Bekanntschaften. Eine Kommilitonin verliebte sich in ihn. Etwa einen Monat nachdem sie sich in einer Gruppe kennengelernt hatten, sprach sie ihn an und gab ihm zu verstehen, dass sie Lust auf tiefergehende Gespräche hätte und auch sonst noch an anderen Themen interessiert wäre; Martin, der seit Jahren keinen weiblichen Körper mehr berührt hatte, ließ sich darauf ein. Ab und zu küssten sie einander. Sie konnte sogar eine Andeutung von Erregung in ihm wecken, also schliefen sie einige Male miteinander. Sie schrieb ihm einen achtseitigen Brief (per Hand!), was ihn in den Zeiten von E-Mail zutiefst beeindruckte. Doch er wies sie zurück – entschieden, aber einfühlsam. Er dachte sich, sie könnten Freunde bleiben, irrte sich allerdings gehörig.

Im sechsten Semester kam er zum legendären Professor Miroslav Rovan, der eine Neuübersetzung von Dantes *Göttlicher Komödie* veröffentlicht hatte. Hätte Martin ihn nicht getroffen, wäre er wohl ein zweitklassiger Student geblieben. Rovan hatte ein völlig anderes Format als die anderen an seiner Fakultät, er kam stets eine Viertelstunde früher in die Vorlesung und sprach aus dem Stegreif, ohne Manuskript.

Nur Rovan verdankte der Lehrstuhl sein Ansehen, denn die niedrigen Gehälter und miserablen Aussichten hatten den Lehrkörper ziemlich dezimiert. Die Seminare fanden zuweilen in seiner Wohnung statt, deren Einrichtung vorwiegend aus Büchern bestand. Im Wohnzimmer befanden sich über 5000 Bände. Der schon recht alte, allerdings geistig immer noch frische Rovan konnte alle 14.233 Verse aus Dantes Hölle, Fegefeuer und Paradies auswendig. Oft zitierte er Dantes skeptische Äußerung zu den Möglichkeiten einer Übersetzung:»Was die Fesseln der Musen harmonieren ließ, kann nicht von einer in die andere Sprache übertragen werden, ohne alle Schönheit und Harmonie zu verlieren.«

Im Türrahmen stand unterdessen lächelnd seine wunderschöne Frau Eva, eine fast durchscheinende, mystische Figur mit lichtumflutetem Haar, eine großartige Übersetzerin aus dem Russischen. Die Treffen mit Rovan waren keine blutleeren Vorträge mit langweiligen Seminararbeiten, vielmehr wurde endlos und hitzig diskutiert. Der Meister betrachtete sein Werk überraschend sachlich, beurteilte seine Übersetzungen objektiv, als hätte sie jemand anderer angefertigt. Als er einmal in der neuen Ausgabe seines *Glöckner von Notre-Dame* von Victor Hugo blätterte, entfuhr ihm sogar ein:»Das ist schlecht, grottenschlecht. Mir ist damals leider nichts Besseres eingefallen. Mein Gott, könnte ich es doch nur wieder streichen!«

Rovan setzte sich jeden Tag um sechs an seinen Schreibtisch und übersetzte bis tief in die Nacht. Seit seiner Jugend hielt er den alten lateinischen Wahlspruch in Ehren: *festina lente*, eile mit Weile.

Als Rovans Generation in den vierziger Jahren des 20. Jahrhunderts zu übersetzen begann, gab es noch nicht einmal Wörterbücher. Um eine gute Übersetzung anzufertigen, musste man schon außerordentlich begabt sein.

Martin wählte den Professor auch als Betreuer für seine Diplomarbeit aus, die er über die Novellen von Cesare Pavese und die Schwierigkeiten bei deren Übersetzung verfasste. Seine Studienkollegen suchten sich Berufsfelder aus, wo sie ihre akademische Bildung anzubringen oder zu entfalten gedachten. Martin war sich allerdings nicht so sicher, was er weiterhin machen wollte. Er schloss sein Studium mit Erfolg ab, seine Diplomarbeit wurde sogar mit dem »Preis des Rektors« ausgezeichnet. Professor Rovan gratulierte ihm und bot ihm tatsächlich das Du an. Martin bereitete diese Anerkennung große Freude, obwohl er sich – angesichts der Zustände im Hochschulwesen – keine Illusionen über die Fähigkeiten seiner Mitstreiter machte. Er jedenfalls konnte sich keinen besseren Beruf vorstellen als Literaturübersetzer zu werden.

Drei Wochen nach seinem Abschluss verunglückte Miroslav Rovan bei einem schweren Autounfall in der Nähe Bratislavas. Sein Tod traf Martin schwer. Er konnte es nicht fassen, dass eine so außerordentliche Laufbahn so absurd hatte enden müssen. Den Professor konnte niemand ersetzen, doch blieb immerhin sein Werk erhalten; deshalb suchte er auch einige Wochen lang Rovans Namen in allen Büchern und Lehrwerken, die es nur irgendwie gab, er blätterte sie durch und las einfach alles.

Noch kurz vor seinem Tod hatte ihm Rovan das Buch *Donau* gezeigt: Die Biographie eines Flusses des italienischen Schriftstellers Claudio Magris. Er hatte ihn aufgefordert, eine erste Übersetzung des Buches ins Slowakische zu wagen. Vielleicht lag es an der Trauer über den Tod des Professors, vielleicht war er auch nur von jugendlichem Leichtsinn getrieben, jedenfalls nahm er die Arbeit an dieser Übersetzung auf, nur einen Monat nach dem Staatsexamen. Rovan hatte mit drei Verlegern gesprochen, und einer zeigte tatsächlich Interesse. Drei Tage später rief er Martin an, die Rechte seien erworben und die Zustimmung des Autors eingeholt.

Er saß sieben Tage die Woche am Schreibtisch, mindestens zwölf Stunden lang; mit Ausnahme von ein paar Einkäufen verließ er die Wohnung praktisch gar nicht mehr. Er hatte weder Fernseher noch ein Radio, sie fehlten ihm auch nicht. Er bemächtigte sich des Textes, wurde eins mit der beharrlichen Abfolge von Tastaturanschlägen. An Vormittagen kam er gut voran, doch die Angst, sein Pensum nicht zu schaffen, ließ den Nachmittag im Nu schmelzen. Er übersetzte stets bis tief in die Nacht, bis er kaum noch einen Satz erkennen konnte und seine Augen zufielen.

Die Monate vergingen, er lebte von bescheidenen Ersparnissen, vollkommen gegenwärtig und konzentriert. Er blickte starr auf den

Monitor, und die Buchstaben, die zwischen den Buchdeckeln mumifiziert worden waren, erwachten vor seinen Augen wie Insekten nach einem langen Winter. Ein paarmal fuhr er mit dem Bus in die Universitätsbibliothek, um andere Arbeiten von Magris im Original nachzulesen, ansonsten verließ er Petržalka so gut wie nie. Er konnte es kaum abwarten, die erste Version endlich fertigzustellen. Seine Arbeitstage wurden immer länger, seine Müdigkeit stetig größer.

»Das Deckenfresko im Eingangsbereich der alten Apotheke ›Zum roten Krebs‹ zeigt den Gott der Zeit … Dieses Museum der Erlösung von allen Wunden, die die Zeit geschlagen hat, ist zugleich ein Museum der Geschichte: die Geschichte als ein irdischer Eingriff der Zeit, als Instrument der Entstehung und Zerstörung und zugleich Arznei, eine Erinnerung und Errettung all dessen, was gewesen war, vor der Abnutzung und dem Vergessen.«

In der Mitte des Buches kam er zu Magris' Passage über Bratislava, und von da an wusste er, dass er dieses Buch abschließen würde, wenn er nur nicht nachließe.

»Die Slowakei befindet sich derzeit in einer Phase der politischen Unterdrückung, doch zugleich auch in einem historischen Aufschwung – des Findens und Entwickelns ihrer historischen Aufgabe. Im schönen Prag dominiert schon seit 1968 der Zauber der Einsamkeit und des Todes; Bratislava feiert, allen Widrigkeiten zum Trotz, die Welt lebt auf und erweitert sich, sie gibt sich nicht der Melancholie der Vergangenheit, sondern ihrem Fortschritt und der Zukunft hin.«

Bei Magris' Zeilen aus der Mitte der achtziger Jahre, die genauso gut heute hätten verfasst worden sein können, überkam Martin die Angst, ob er Rovans Erwartungen gerecht werden könnte. Wie hätte wohl der Professor die Passage übersetzt? Er ließ keinen Beistrich, keine einzige Konjunktion unbeachtet. Er nutzte auch das legitime Recht eines Übersetzers, offensichtliche Fehler zu korrigieren. Magris etwa hatte die Straße »Gondova« in »Gondolova« und das Schloss »Oravský« in »Oravaský« umgetauft.

Am Rand des Ausdrucks häuften sich Notizen, Martin analysierte daraufhin die einzelnen Kapitel aufs neue. Von einer vollkommenen Zufriedenheit war er weit entfernt, und er ahnte schon, dass er wohl nie richtig zufrieden sein würde. Die letzten sechs Arbeitswochen im Winter saß er in Decken gehüllt am Schreibtisch, es grenzte mittlerweile an Besessenheit. Nach elf Monaten setzte er eines Nachts den allerletzten Punkt, und die Übersetzung war beendet. Zwei Monate lang korrigierte er sie gemeinsam mit einer Redakteurin. Das fertige Manuskript umfasste 510 Seiten.

Das Buch erschien ein halbes Jahr später in einem großen und anerkannten Verlag. Mit seltsamen Gefühlen betrachtete Martin den Namen von Magris, darunter stand sein eigener. Er konnte sich mit dieser neuen Aufgabe anfreunden. Etwas von ihm, der normalerweise unerkannt durch die Straßen trollte, lag nun ausgebreitet und öffentlich auf dem Verkaufspult, sogar in den Auslagen.

Das Honorar war ein Almosen, doch er beschwerte sich nicht. Er freute sich, dass sein Debüt überhaupt verlegt worden war. Viele seiner ehemaligen Studienkollegen hatten von einer ähnlichen Chance geträumt, doch da diese nie kam, beschäftigten sie sich inzwischen längst mit etwas ganz anderem. Das Geld interessierte Martin kaum, er war vielmehr auf die Reaktionen von Fachkollegen und Lesern gespannt. Es kamen jedoch keine. Im ersten Halbjahr wurden 51 Exemplare verkauft, es erschienen zwei kurze Rezensionen – lächerliche Inhaltsangaben der Klappentexte. Er konnte es nicht fassen, dass ein derart außergewöhnliches Buch niemanden interessierte.

Er ließ sich davon nicht entmutigen und nahm die nächste Buchübersetzung in Angriff, diesmal eine Arbeit des italienischen Schriftstellers Curzio Malaparte. Seit Jahren bewunderte er dessen Gabe, mitreißend zu erzählen, er vergötterte seinen realistischen Stil und seinen Sinn für schwarzen Humor. Als er im ersten Studienjahr seinen Roman *Die Haut* gelesen hatte, war ihm vor Empörung in der Nacht sogar schlecht geworden, er verfluchte die Nazis. Es war ein ungewöhnliches Buch – weniger im Stil, vielmehr durch die Gefühle, die es hervorrief.

Er wollte seine Zeit nicht mit Büchern verlieren, bei denen er den Eindruck hatte, dass es dem Autor doch nicht so unter den Nägeln gebrannt hatte, dass er ein Buch auch genauso gut hätte lassen können. Er arbeitete erneut zwölf Stunden täglich, doch diesmal mit mehr Gelassenheit als bei seinem Debüt und auch mit viel mehr Genuss, neugierig, wie er und die slowakische Sprache diese neue Prüfung wohl bestehen würden. Die Sprache erwies sich abermals als formbar, reich, jung und reif für Feinheiten, doch auch zu Grobheiten fähig ... schlichtweg für ziselierte Sprachnuancen ebenso wie fürs Fluchen geeignet.

Er hatte schon hundert Seiten vom Malaparte fertig, als man ihn am Telefon mit der Nachricht überraschte, dass er für *Donau* den Preis für die beste literarische Übersetzung des Jahres bekommen sollte. Vorgeschlagen hatte ihn eine Expertenjury. Was konnte sich ein Übersetzer am Beginn seiner Laufbahn noch wünschen? Er bekam viel Lob von außergewöhnlichen Menschen zugesprochen, die seine schöpferische Arbeit gewürdigt hatten, ohne ihn jemals gesehen zu haben. Die Auszeichnung bedeutete einen ersten Triumph und zugleich eine Genugtuung; er dachte an Professor Rovan, ohne den er diese Arbeit nicht einmal in Erwägung gezogen und der sich sicherlich mit ihm gefreut hätte. Er hatte große Lust, Mona zu sehen, doch er wusste nicht, wo sie steckte. Er erntete zwar den Erfolg, den er so sehr angestrebt hatte, doch nun fühlte er sich merkwürdig entrückt – es kam doch alles zu früh, es war noch unverdient. Jetzt würde er beweisen müssen, dass es keine Eintagsfliege war. In einem kurzen Bericht über die Verleihung des Übersetzerpreises wurde zwar sein Name nicht erwähnt, nur der Titel des prämierten Buches war zu sehen, doch schließlich war dies auch viel wichtiger – es ging ja um Magris. Martin hatte keinen Verkaufsansturm erwartet, doch die Stille, die auch danach über dem Buchmarkt lag, war bedrückend.

Die Preisverleihung fand in den Prunkräumen des Kulturministeriums statt. Martin war mit dem Gefühl gekommen, der Abend werde seine bisherigen Bemühungen krönen. Der Vizeminister bezeichnete in seiner kurzen Ansprache Magris' Buch als einen Roman und ahnte nicht einmal, dass es sich eigentlich um einen kulturhistorischen Essay handelte. Er verkündete, der junge Herr Roy habe das Buch mit Bravour aus dem Französischen übertragen. Martin rang nach Luft, er starrte den Redner entsetzt an. Dann bekam er von dem Beamten eine welke rote Nelke und eine Urkunde, auf der man seinen Namen falsch notiert hatte: Roj. Der Mann reichte ihm seine verschwitzte Hand und blickte irgendwo in die Ferne. Martin bedankte sich und ließ sich von Bürokraten und alten Jungfern umarmen, manche tätschelten seine Schultern.

Es kamen auch einige Kritiker, Verleger und deren Handlanger. Martin fand sich zum erste Mal in der familiären Sippschaft dieser Branche wieder, überall Geschwätz und eine Stimmung voller Missgunst und Vorhaltungen.

Mit seinem schwarzen Anzug, weißem Hemd und der engen Krawatte stach er etwas hervor, er hatte irrtümlich angenommen, dass man zu einem solchen Anlass möglichst gut gekleidet zu erscheinen hatte. Beim Empfang wurde er mit steinhartem Kuchen und Wein aus dem Tetrapack, den eine flinke Pensionistin geschickt in Plastikbecher leerte, verwöhnt. Der Vizeminister machte sich samt seinem unangenehmen Anhang aus dem Staub, und Martin blieb mit einer Gruppe Kollegen zurück. Einige schätzte er durchaus, er kannte ihre Arbeiten, doch da er um beinahe zwei Generationen jünger war, als die meisten Anwesenden, hielt er sich etwas abseits. Die Männer tranken aus einer durchsichtigen Flasche ohne Etikett, die jemand aus der Sakkotasche hervorgeholt hatte. Er hatte gehofft, bei diesem Treffen etwas mehr zu erfahren, doch das Übersetzen war kein Thema. So stand er allein da und träumte von einer langen Reise.

Eine Frau mit Mikrophon kam auf ihn zu und stellte sich als Redakteurin eines Informationssenders vor:»Das Buch, das Sie übersetzt haben, Herr Roy, habe ich leider noch nicht gelesen. Doch ich wollte Sie ganz etwas anderes fragen. Ich war zwei Monate in Amerika und habe dort ausschließlich Englisch gesprochen. Ich war selbst überrascht, wie gut das ging. Glauben Sie, dass ich auch übersetzen könnte?«

»Sicher doch – von einem Ufer ans andere«, antwortete Martin. Er sah zu, dass er wegkam. Die Zeremonie hatte ihn tief erschüttert. Seine Unsicherheit wuchs. Er war sechsundzwanzig und hatte kein geregeltes Einkommen. Bratislava wurde immer teurer, und er musste seine Ausgaben weiter kürzen, um übersetzen zu können. Seine Generation wurde allmählich von einer neuen abgelöst – von Menschen, die nach 1989 auf die Welt gekommen waren und die nur zu gut wussten, was immer sie auch erreichen würden, es würde nicht genügen, denn der Ruhm dauerte für gewöhnlich zwei Minuten auf YouTube, und ein Ereignis war so langlebig wie eine Statusmeldung auf Facebook. Die Europäische Union, Schengen, den Euro hielten sie für selbstverständlich, Politik konnte ihnen gestohlen bleiben, und zum Lesen reichte ihnen ein Satz auf Twitter.

Auch die Buchhandlungen hatten sich verändert. Überall waren hohle Promibücher zu haben, von denen Martin noch nie ein Wort gehört hatte. Jede Fernsehmoderatorin hatte plötzlich die Ambition, einen Roman zu veröffentlichen. Die Buchverkäuferinnen hatten keinen blassen Schimmer, wer dieser Camus sein sollte. Von Beckett hatten sie nichts auf Lager, von Moravia ein einziges Buch, von Dürrenmatt nur die Krimis. Dafür lagen stapelweise Grisham, Coelho, Forsyth, Smith, Clancy, Rowling und Meyer herum. Und Dante? Sie hatten zwei Historienthriller, die dessen Leben nachstellten.

Selbst anerkannte Schriftsteller wandten sich lieber dem Schreiben von Kochbüchern zu und kehrten der Belletristik den Rücken. Einer der bekanntesten Literaturübersetzer nahm an einer Gesangsshow teil und schaffte es bis ins Halbfinale. Schauspieler aus dem Nationaltheater weinten wie kleine Kinder, wenn sie in einem Tanzwettbewerb abgewählt wurden. Musikpreise wurden Jahr für Jahr von alten sozialistischen Schlagersängerinnen abgeräumt....

Auch die Qualität der Übersetzungen ging schlagartig zurück. Als Qualitätsmaßstab für die Arbeit der Übersetzer und Lektoren galten von nun an Geschwindigkeit und Quantität. Vielversprechende Kommerztitel wurden nicht selten schon ab dem ersten Tag ihrer Herausgabe in den USA von sechs Menschen gleichzeitig übersetzt, meist von schlecht bezahlten Studenten oder von Agenturen, die dafür Amateure anheuerten, zwei Kapitel pro Mann und Nase, und keiner vereinte alles zu einem sinnvollen Ganzen. Die handelnden Personen waren am Anfang manchen Buches per Du und am Ende plötzlich per Sie, und bei Namen wie »Pascal«, handelte es sich zunächst um eine Frau, die in späteren Kapiteln plötzlich ein Mann war.

In diesen Zeiten der Degeneration schien es Martin überlebenswichtig zu sein, das Übersetzen hochwertiger Literatur weiter auszuüben. Doch seine Kräfte ließen nach. Er biss die Zähne zusammen und arbeitete weiter.

Nach einem Dreivierteljahr hatte er den Malaparte fertig übersetzt. Das Buch erschien nach zähen Verhandlungen, und der Verleger, ein unglaublicher Betrüger, führte in dem Band kein einziges Mal Martins Namen an. Er weigerte sich zudem, Martin überhaupt etwas zu bezahlen. Dieser protestierte, doch er blockte jede Kommunikation ab, ignorierte ihn und verwies ihn an seinen Anwalt, um sich doch dort zu beschweren. Martin traf auf einen jungen Mann in seinem Alter (in einem Zweitausendeuro-Anzug und auf einem sündhaft teuren Stuhl sitzend), der ihn kühl empfing, seinen Vertrag durchblätterte und diesen zwei Minuten später zum wertlosen Wisch erklärte. Er wurde von einem Gefühl der eigenen Nichtigkeit überwältigt, er fühlte sich dermaßen erschöpft, dass er sich an die Wand lehnen musste, um nicht umzukippen.

Schließlich schlich er davon. Ein Exemplar vom Malaparte erstand er auf dem Nachhauseweg in einer Buchhandlung, zum vollen Preis. Die Verkäuferin sah ihn erstaunt an, denn er stürzte verschwitzt und atemlos in den Raum Er bemerkte, wie misstrauisch ihn die anderen Kunden musterten, doch er hielt mit dem Buch in seiner Hand durch, er brach nicht zusammen. Man bot ihm ein Glas Wasser an, er kippte es dankbar hinunter und ging wieder.

Er zog einen Prozess in Betracht, doch Kollegen rieten ihm ab, er solle sich den Weg zu weiteren Verdienstmöglichkeiten nicht für immer verbauen. Es würde einen Haufen Geld und viel Zeit kosten, und das Ergebnis wäre mehr als fraglich. Urheberrechte wurden schließlich in diesem Land von Radiosendern, dem Fernsehen, von Tageszeitungen und sogar den Universitäten ignoriert; etliche Professoren und Dozenten stahlen ganze Teile studentischer Arbeiten oder publizierten ausländische Studien ohne Quellenangabe unter ihrem Namen – und nichts geschah. Niemand räumte Martin auch nur die geringste Chance ein.

Das miserable Honorar bekam er nie.

Er schrieb über jenes Unrecht einen Artikel für eine Zeitung, beschrieb die Situation und nannte den Schuldigen beim Namen. Die Redaktion sah von der Veröffentlichung dieses Beitrags ab – es sei schließlich ein Randthema und er sei in einer Fachzeitschrift viel besser aufgehoben. Sie vermittelten ihn weiter, doch die besagte Fachzeitschrift gab es seit einem Jahr nicht mehr, man hatte ihr die Subventionen gekürzt.

Martins Traum war wahr geworden – er war Übersetzer, ein Vermittler zwischen noch unbekannten Geschichten und deren neuen Lesern. Doch er hatte reichlich wenig davon. Der Zorn breitete sich wie ein Geschwür in ihm aus. Er ließ sich überreden und übersetzte in den folgenden drei Jahren die Essays von Roberto Mussapi, *Suite Française* von Irène Némirovsky und verfasste auch eine neue Übersetzung des *Donaupiloten* von Jules Verne, natürlich für ausschließlich symbolische Honorare.

Für einen 200 Seiten umfassenden Roman bekam er etwa zwei Monatsmieten bezahlt. Hätte er sich einen Stundenlohn errechnet, würde er deutlich schlechter dastehen, als die Arbeiter, die vor seinem Fenster Kabel verlegten. Ihm war klar, dass es in seinem Land so bleiben würde, dass sich nichts ändern würde, so wie Flüsse nun mal ins Meer fließen. Er wollte das Ganze schon mehrmals aufgeben, doch blieb er immer wieder zu Hause am Schreibtisch sitzen. Immer öfter litt er unter Konzentrationsschwächen. Sobald er etwas fertig übersetzt hatte, war es ihm selbst nicht gut genug. Obwohl er alles präzise überprüfte, konnte er nicht verhindern, dass ihm ganze Sätze und Absätze abhandenkamen. Er kauerte auf seinem Stuhl und starrte auf den Monitor. Nach einigen vergeblichen Versuchen, sein Tagespensum dennoch einzuhalten, gab er schließlich auf. Er konnte keinen einzigen Buchstaben mehr sehen. Professor Rovan pflegte einst ironisch zu behaupten, der Schutzpatron der Übersetzer hieße Sacher-Masoch.

Martins Leben fühlte sich wie ein großes Provisorium an. Wegen der Krise wurden die Verlagsbudgets zusammengestrichen, keine Löhne mehr an Mitarbeiter ausbezahlt, Zahlungen an Externe eingestellt. Drei Literaturverlage gingen in Konkurs, andere verlangten von ihren Übersetzern, auf Honorare ganz zu verzichten, um ein Werk überhaupt noch herausgeben zu können. Anstatt Literatur übersetzte Martin einige Monate lang Fernsehserien: *Big Love*, *Dexter*, *Mad Men*. Bei dieser anstrengenden und langwierigen Arbeit sah er alles auf einem kleinen Fernsehmonitor, er war teilnahmslos, alles schien ihm wie eine bewegliche Tapete. Für eine Staffel bekam er fast so viel wie für einen Roman, dennoch wollte er damit nicht weitermachen.

Von einer Änderung dieser Umstände konnte er nur träumen wie von einem Klimaumschwung. Zum ersten Mal in seinem Leben kam ihm Wodka nahrhafter als normales Essen vor. Er verlor fast jeglichen Willen, etwas dagegen zu unternehmen. Wenn er ein Buch fertiggelesen hatte, wusste er schon am nächsten Tag nicht mehr, wovon es eigentlich handelte. Er verfiel in Apathie, wie ein Schriftsteller, der nicht mehr schreibt.

Seine Altersgenossen hatten inzwischen geheiratet, bekamen Kinder und normale Jobs. Aus studierten Übersetzern wurden Marketingleute, Programmierer, Businessdolmetscher oder Reiseführer. Ein befreundeter Studienkollege, mit dem er noch in Kontakt stand, schlug ihm mehrmals vor, das literarische Übersetzen an den Nagel zu hängen und sich beim amerikanischen Reiseveranstalter ADC zu bewerben. Die Firma sei in Mitteleuropa auf der Suche nach sprachlich versierten Managern für ihre Luxusschiffe. Er erwog das Für und Wider. Er brauchte dringend Geld.

Er würde sich bewerben, um sich endlich seinen Traum von der Donau zu erfüllen. Er würde Geld verdienen, um später weiter übersetzen zu können. Ohne sich von jemandem zu verabschieden, ohne einen Brief zurückzulassen, ohne jemanden von seiner Absicht zu unterrichten, trat er bereits sechs Wochen später seine neue Anstellung an.

10. BLEICH WIE MARMOR

Als Martin drei Stunden später erwachte, hatte die *America* die oberösterreichischen Ortschaften und die Schleusen Aschach und Ottensheim schon passiert. In Linz begann gerade (am Flusskilometer 2135) das Anlegemanöver. Als er verschlafen aus dem Fenster schaute, sah er gerade den Bootsmann, wie er ein Seil über seinem Kopf schwang. Das Boot näherte sich dem Steg, touchierte ihn leicht und wurde vertäut. Die Hauptmotoren wurden abgeschaltet, und es liefen nur noch die Hilfsaggregate für Klimaanlage, Strom und die Wasserversorgung.

Der diffuse Himmel erinnerte an rußgeschwärztes Papier. Im Wasser spiegelten sich die farbenfrohen Lichter des Lentos. Das eckige Kunstmuseum schillerte bunt. Unweit trieben schwarze Enten auf der Wasseroberfläche, die Schnäbel in ihr Gefieder gesteckt.

Um keine Aufmerksamkeit zu erregen, setzte sich Martin beim Frühstück nicht zu Mona. Im Restaurant herrschte rege Betriebsamkeit, eine Kakophonie aus klapperndem Geschirr, Espressomaschinen und lauten Gesprächen. Der Wasserkocher gab ein leises Pfeifen und melodisches Ächzen von sich. Ashley erzählte ihm ausführlich von ihren sechs Enkelkindern, die an sechs verschiedenen Orten lebten. Er nickte, so oft es ging, und aß, so schnell er konnte, Cornflakes mit Milch.

»Was Sie nicht sagen. Tatsächlich? Exzellent!«, plapperte er.

Er hoffte, sie würde nicht weiter nachfragen. Um neun Uhr stand er schon draußen und begrüßte die Passagiere. Im Linz brauchten sie keine Autobusse.

»Willkommen in Österreich, liebe Freunde. Wie Sie sehen, läuft unsere Reise wie am Schnürchen. Verpassen Sie nicht die Gelegenheit, eine echte Linzer Torte zu kosten, die einzige auf der ganzen Welt, der zu Ehren eine Operette komponiert wurde. Heute erwartet uns erneut ein längerer Fußmarsch, Sie werden diesen aber nicht bereuen, glauben Sie mir. Sie werden sogar die öffentlichen Verkehrsmittel kennenlernen. Die Reiseführerinnen freuen sich schon auf Sie.«

»Herzlich willkommen! Welcome to Linz!«, riefen die drei Österreicherinnen einstimmig. Sie trugen Dirndl mit Spitzenbesatz, grüne Röcke und weiße Blusen mit dem Abzeichen des Touristenverbandes. In den Händen hielten sie bunte Fähnchen. Die 800 Meter zur barocken Dreieinigkeitssäule mussten die Amerikaner zu Fuß zurücklegen, schon waren die ersten Beschwerden zu hören.

Mona kannte schon bald mehr Reisende beim Namen als Martin. Sie lernte schnell, wie man unbemerkt die Namen von den Namensschildchen abliest, und wickelte damit die alten Herren um den Finger, kaum dass sie ihre Namen aussprach.

»Hi, Arthur! Hello Jeff. Good morning, Sir!«, rief sie. »Ich wünsche Ihnen einen schönen Tag! Also ich muss schon sagen, Sie sehen heute großartig aus.«

»Ihre Freundin ist wunderbar, Martin. Sie sollten sie einstellen! Sie ist ein ausgesprochenes Naturtalent«, sagte Jeffrey Rose, »und kann phantastisch tanzen!«

»Es wäre etwas voreilig, ihr jetzt schon ein Zeugnis auszustellen, doch sie scheint begabt zu sein. Es ist ja nicht meine Entscheidung, ich werde mich allerdings bemühen, ihr ein gutes Beispiel zu sein und ihr zu helfen, wo es nur geht. Sie muss noch viel lernen. Die Firma hat Experten, und die endgültige Auswahl treffen erfahrene Profis«, wich Martin aus.

»Mona, falls Sie eine Empfehlung brauchen, lassen Sie es uns wissen, wir schreiben nach Chicago!«, rief Jeffrey.

»Ich danke Ihnen, Sie sind so reizend!«

Martin hätte es gefreut, wenn die Touristen auch ihn gelobt hätten, obwohl er natürlich zugeben musste, dass er ihnen kaum einen Anlass geboten hatte.

Die Gruppe zog sich in die Länge, bewegte sich auf die Brücke zu und bog dann links ab. Um die Amerikaner schwirrten Verkäuferinnen mit Stadtplänen und überteuerten Bildheftchen samt Panoramafotos. Gegenüber befand sich das Adalbert-Stifter-Literaturhaus. Das ausgehängte Monatsprogramm erinnerte Martin an seine Übersetzerlaufbahn. Wie viele Bücher hätte er in der Zeit, die er nun auf Schiffen verbrachte, übersetzen können? In den letzten Monaten hatte er manchmal heimlich in der Nacht gearbeitet. Doch seit Mona da war, kam er nicht mehr zu Calvinos Buch.

Aus den Kopfhörern schallte die Stimme der Reiseführerin. Er sollte sie kontrollieren, ob sie auch nichts Wichtiges ausließ. Die Frau schimpfte gerade über moderne Architektur und die Gegenwartskunst. Die meisten Amerikaner nickten zustimmend. Martin biss die Zähne zusammen und sagte lieber nichts, er durfte ja nicht. Die österreichischen Reiseführer waren offensichtlich in Hass geschult. Thomas Bernhard, Erwin Wurm oder Franz West – jeder bekam hier sein Fett ab.

Linz wurde seinerzeit von den Kelten »Lentia« genannt – das bedeutet »Flussbiegung« oder auch »Linde«. Die Gruppe bewegte sich die Landstraße entlang. Den Blicken der Anwohner konnte man entnehmen, dass sie Amerikaner nicht sonderlich mochten. Nach einem einstündigen Spaziergang stellte sich Martin vor die Gruppe und verteilte zusammen mit den Reiseführerinnen kopierte Rezepte für eine Linzer Torte, die er vorher aus dem Internet gezogen hatte. Mit solchen Kleinigkeiten sammelte er wichtige Punkte, obwohl er wusste, dass die meisten das Papier sofort verlieren oder vergessen würden. Er hätte nicht einmal garantieren können, ob man aus dem Mehl, Mandeln, Marmelade, Zimt, Nelken, Muskatnuss, Butter, Ei und Salz wirklich einen Kuchen backen konnte.

»In der Linzer Torte finden Sie alles, was die barocke Küche als schmackhaft und wertvoll ansah. Nur das richtige Mischverhältnis macht aus den Zutaten eine gelungene Komposition. Liebe Damen, zögern Sie nicht, dieses Linzer Souvenir mit nach Amerika zu nehmen. Die Experten meinen, dass die Torte umso besser wird, je länger man sie lagert!« Die Gruppe ging in den Ursulinenhof, um sich eine Ausstellung über Donaufotografien anzusehen. Man zeigte ihnen sogar einen kurzen Dokumentarfilm über die Geschichte der Stadt. Martin war draußen geblieben und erledigte einige Telefongespräche. Während der Schiffsreise war er dem Geschehen jeweils einen Tag voraus. Lag das Schiff noch in Regensburg vor Anker, klärte er die Details für Passau, in Linz war er mit Wien beschäftigt und so weiter. Er legte auf und blickte über die Nibelungenbrücke zum Pöstlingsberg. Die Aussichtsterrasse in 500 Metern Höhe war mit der steilsten Reibungsbahn Europas zu erreichen. Er kaufte eine Gruppenkarte und dachte, als er zur Donau blickte, an Karl May, der 1902 in Linz abgestiegen war. Der Schriftsteller wohnte im Hotel »Zum roten Krebs« und hatte dort einen Streit mit dem Fotografen Adolf Nunwarz. Der Porträtfotograf schmiss 101 Negative von Karl May in die Donau, fast so wie Martin Monas Geld.

Beim Einstieg in die Straßenbahn schaute er nach seinen Passagieren. Alles Weiße. Die Firma wehrte sich verbissen gegen Afroamerikaner. In seiner gesamten Karriere hatte Martin lediglich zwei Farbige an Bord erlebt, doch denjenigen, der dies zugelassen hatte, kostete es später seinen Posten. Die Untersuchungen ergaben unmissverständlich, dass sie von den weißen Passagieren nicht erwünscht waren, und Präsident Barack Obama konnte an dieser Einstellung auch nichts ändern. Man erzählte sich unter der Hand, dass die Mitarbeiterinnen im Callcenter spezielle Schulungen bekämen, um den Akzent (und somit eine Zugehörigkeit zu einer Rasse) herauszuhören. Die Reisen wurden vor allem über Telemarketing bestellt, und wenn der Verdacht auftauchte, dass ein Afroamerikaner in der Leitung sein könnte, wurde diesem mitgeteilt, dass keine Plätze mehr an Bord zu haben seien. Ihre Haushalte bekamen selbstverständlich auch keine Werbekataloge, die tonnenweise gedruckt und allen Weißen in den Vereinigten Staaten förmlich aufgezwungen wurden.

Er überlegte, ob die neue Situation die rassistische Firmenstrategie wohl auf Dauer ändern würde. Wie der Buchmarkt erlebte auch die Reisebranche und mit ihr die American Danube Cruises in den letzten zwei Jahren einen Einbruch. Aufgrund der Wirtschaftskrise hatte die ADC viele Routen gestrichen, einige Schiffe lagen auf unbestimmte Zeit in holländischen Docks, weil sie nicht ausgelastet waren, das Schiffspersonal wurde reduziert, die Barmusik, der Masseur und der Zauberer wurden eingespart. Auch für das Programm hatte Martin immer weniger Geld zur Verfügung.

Nach einer Stunde kehrte die Gruppe von ihrem Ausflug zurück. »Die heutige Tour war sicherlich anstrengend, auch für die Tüchtigsten unter Ihnen. Ich bin jedoch überzeugt, dass Ihnen das exzellente Mittagessen wieder neue Kräfte verleiht. Sie genießen heute die österreichische Spezialität Tafelspitz mit Kartoffeln und Gemüse, und unser Chefkoch Suang serviert Ihnen auf Wunsch Apfelkren dazu. Wer Lust hat, kann auch ein paar Käsespätzle probieren. Guten Appetit, nach dem Essen finden Sie mich natürlich am ADC-Pult. Unsere lieben Reiseführerinnen haben Ihnen hoffentlich auch ein bisschen Deutsch beigebracht, verabschieden wir uns also von ihnen!«

»Auf Wiedersehen!«, riefen die Touristen im Chor.

Sie kamen an Bord und strahlten.

»Willkommen home! Good Nachmittag überall! Hallo, hallo, have a schöne Day!«, begrüßte sie der Kapitän.

»Danke, ja, hier sind wir zu Hause!«, gaben die Amerikaner zurück.

Sie berichteten Martin begeistert von der oberösterreichischen Metropole. Alles war für sie »awesome«, großartig, und Martins Aufgabe bestand nun darin, diese Bekundung binnen der nächsten Wochen in ein »excellent« zu transformieren.

Den ganzen Nachmittag über stand er am Firmenpult.

»Was kann man in Mauthausen besichtigen – ist es dort schön?«, fragte Jonathan.

»Es ist ein ehemaliges Konzentrationslager in der Nähe von Linz. Etwa 300.000 Menschen sind dort umgekommen.«

»Tatsächlich? Unter den Kommunisten?«

«Nein, unter den Nationalsozialisten.«

»Stalin war so ein Schweinehund, das habe ich immer schon gesagt.«

Martin nickte zustimmend und widmete sich schon dem nächsten Interessenten. Um vier Uhr ging er in seine Kabine. Mona lag in seinem Bett. Er fasste sie an der Hand und bat sie, ihm etwas von sich zu erzählen. Sie gab sich erneut ausweichend. Er wollte sie küssen, wurde allerdings von einem Klopfen an der Tür unterbrochen. Das geschah selten. Die Kollegen ließen ihn sonst in Ruhe. Wenn er dringend gebraucht wurde, riefen sie in der Kajüte oder am Handy an.

»Martin, mach auf!«

Er vernahm die Stimme des Ersten Offiziers. Der vierzigjährige schlanke Ungar stammte aus dem slowakischen Dorf Salka, am rechten Ufer der Ipel' gelegen. Er beherrschte vier Sprachen. Er strotzte nur so vor Energie und war absolut verlässlich. Als Junggeselle hatte er keine Familiensorgen. Mit dem Offiziersgehalt kam er bequem aus, kleidete sich allerdings etwas nachlässig. Sein Dienst begann täglich um halb sieben in der Früh, er besuchte Lieferanten und kontrollierte die Waren- und Diesellieferungen, war allerdings auch für das Management an Bord verantwortlich.

Martin sprang aus dem Bett und machte die Tür einen Spaltbreit auf.

»Was ist los? Komm doch später. Ich habe Besuch!«

»Ich hab alles gesehen«, stieß der Ungar Tamás hervor, bleich wie eine Wand. »Alles!«

»Was ist passiert?«

»Lass mich hinein, bitte!«

Tamás' forsche Stimme klang plötzlich flehentlich. Er hatte Mühe, seinen groß gewachsenen Körper aufrecht zu halten. Er arbeitete schon seit 20 Jahren auf Schiffen und trug oft genug eine große Verantwortung. Jetzt war sein Gesicht vor Schrecken verzerrt.

»Was ist los?«, fragte Martin.

Tamás wandte seinen Blick ab und strich sich das verschwitzte Haar aus der Stirn. Er machte einen Schritt in die Kajüte.

»Es ist sehr schlimm ... Tot ...«

»Wer? Arthur Breisky? Ich habe es doch geahnt ... Ich wusste es gleich, als ich ihn zum ersten Mal am Flughafen in München sah!« Innerlich ging er schon mal durch, was man bei einem Todesfall alles tun musste. Zeitraubender Papierkram erwartete ihn. Wenn ein Reisender noch oder schon am Flughafen starb, in München oder Bukarest, musste ihn die Fluggesellschaft übernehmen, das war natürlich die exzellentere Lösung. Doch ansonsten war in Europa die ADC für den Körper verantwortlich, also Martin Roy.

»Nein. Herrn Breisky geht es gut. Den habe ich gerade an der Bar gesehen, samt seiner Sauerstoffmaske.«

»Aber wer dann? Ich verstehe nicht ...«

»Es war offenbar ein Verbrechen.«

»Ein Diebstahl?«

Einmal tauchte ein Hotelmanager mit dem Trinkgeld der gesamten Besatzung unter. Sechstausend Dollar. Ein anderes Mal räumten zwei Köche in Passau den Bordtresor aus. Sie wurden nie gefasst und setzten sich angeblich nach Südamerika ab.

»Schlimmer. Es ist eine Frau aus der Besatzung – Venera! Besser, du siehst es dir mit eigenen Augen an.«

»Was? Venera? Die hübsche Rumänin? Das ist nicht möglich! Noch gestern ...«, schaltete sich Mona ein.

»Ihr zwei kennt euch noch nicht«, sagte Martin beiläufig. »Mona, das ist Tamás Király. Tamás, meine Freundin Mona.«

»Was ist passiert!«, fragte Mona.

»Man hat sie, glaube ich, ermordet ...«

»Wie bitte?«

»Ich komme mit!«, erklärte Mona.

Martin hetzte durch das Unterdeck. Am Ende des Ganges herrschte Gedränge. Die Crew machte ihm den Weg frei, was ihn erstaunte.

»Sie haben den Körper da drinnen gefunden, in der Ecke hinter den Waschmaschinen«, berichtete der Maschinist Dragan.

Den furchtbaren Anblick hätte sich Martin nicht einmal in seinen schrecklichsten Phantasien ausmalen können. Die nackte, verstümmelte Frau sah wie ein Opfer und zugleich auch wie eine stumme Zeugin der Bluttat aus. Jemand hatte sie fürchterlich zugerichtet. Er hatte sich vor allem am Bauch und im Gesicht ausgetobt. Martin musste ein Würgen unterdrücken.

»Verstehst du das? Wer kann sie umgebracht haben?«, fragte Tamás.

»Was weiß ich? Ich bin kein Polizist«, gab Martin zurück.

»Aber du hast studiert ...«

»Ja, Italienisch und Literatur ...«

Venera hatte auf jeden Fall viel Blut verloren. Tote haben keine Privatsphäre, man kann nur auf etwas Ehrfurcht hoffen. Es kam ihm ungehörig vor, ein nacktes Mädchen so anzustarren.

»Ich habe so etwas noch nie erlebt«, brachte Martin schließlich hervor und berührte Veneras Hand, die noch etwas Wärme ausstrahlte. »Wie viele Einstiche mögen das sein?«

Tamás beugte sich vor und leuchtete den Körper mit der Taschenlampe aus.

»Anscheinend mindestens sieben, doch schon der erste Stich dürfte tödlich gewesen sein.«

»Wir müssen die Polizei rufen!«, rief Martin.

»Nein!«, sagte Atanasiu barsch. Plötzlich stand er unversehens hinter Martin. »Wir müssen niemanden anrufen. Ihr würde das auch nicht mehr helfen. Und uns würde es ruinieren.«

»Wer von euch hat das getan?«, brüllte Martin und schaute in die Runde.

»Es kann auch jemand von den Passagieren gewesen sein«, gab Loredana zurück.

Es kam keine Reaktion. Martin blickte forschend in ihre Gesichter. Die Männer und Frauen waren im Speisesaal immer gut gelaunt, doch jetzt schwiegen sie. Einer von ihnen wusste über den Mord mehr als alle anderen. Oder eine.

»Beruhige dich«, herrschte ihn Atanasiu an. »Wer bist du, um hier Fragen zu stellen? Du hättest es genauso gut wie jeder andere tun können. Dieses Schiff steht unter meinem Kommando.«

»Entschuldige, doch das geht über deine Befugnisse hinaus. Nur die Polizei kann hier ...«

»Das willst gerade du mir erklären, wo du doch einen schwarzen Passagier bei dir hast? Ich brauche nur das Telefon in die Hand zu nehmen, und drei Minuten später bist du auf dem Heimweg. Willst du das?«

Atanasiu Prunea stellte sich vor die Gruppe.

»Die Firma wünscht keine Ermittlungen. Das wissen wir alle ganz genau. Das Schiff müsste ein paar Tage hierbleiben, die Reise wäre unterbrochen, eventuell würden wir mit Bussen weiterreisen, doch das wäre immens teuer, die Hotels, das Essen in den Restaurants und so weiter. Und ich rede jetzt gar nicht mal von den zweifellos katastrophalen Bewertungen. Stell dir vor, du hast für ein Luxusschiff bezahlt und wirst mit ungarischen Bussen herumgekarrt. Venera war ein liebes und gutes Mädchen. Doch die Polizei wird sie nicht mehr zum Leben erwecken. Wir erledigen das selbst. Wir sind keine Frischlinge. Die *America* muss weiterfahren.«

Martin war fassungslos: »Ich bin nicht einverstanden, aber du bist der Kapitän.«

»Und du bist ein kleiner beschissener Tourmanager, einer von Hunderten, halt die Klappe und unterbrich mich nicht, ich war noch nicht fertig. Wenn ich herausfinde, wer es war, kann der was erleben. Aber der Körper muss jetzt weg. Venera hatte keinen Vertrag, sie konnte heute Nacht weiß Gott wo gewesen sein. Die Familie bekommt sowieso keine Entschädigung, und die Passagiere dürfen auf gar keinen Fall etwas erfahren. Chicago hat schon genug Sorgen. Wir wurden in dieser Saison angewiesen, Hoch- und Tiefwasser zu ignorieren – auch das ist am Rande des Gesetzes, wir müssen einfach weiterfahren und unsere Arbeit tun. Die Reise geht weiter, als wäre nichts geschehen. Wer damit nicht einverstanden ist, kann sofort aussteigen. Habt ihr das kapiert?«

Seine Stimme klang bedrohlich. Vor einigen Tagen wäre es ihm niemals in den Sinn gekommen, in einem solchen Ton mit Martin zu reden. Er genoss augenscheinlich die Angst, die er verbreitete.

»Ja, gut gesagt! Genau so ist es!«, riefen alle durcheinander.

Martin konnte es nicht fassen. Allerdings durfte er keine Hierarchiestufe überspringen, geschweige denn mehrere. Er ging einige Schritte zurück, um seine Gedanken zu ordnen. Die Rumäninnen beteten. Er hätte nie gedacht, dass sie religiös erzogen worden waren, so wie sie sich sonst verhielten.

»Vielleicht hat sie jemand von hinten angegriffen und niedergeschlagen. Und dann mit dem Messer zugestochen. Wahrscheinlich mit einem großen Küchenmesser, die Wunden sind breit und tief. Wenn wir die Waffe ...«

»Wir haben hier alles durchsucht, aber nichts gefunden«, antwortete Dragan.

»Hat jemand etwas gehört? Wer hat sie zuletzt gesehen?«

Keiner antwortete. Martin schob Venera ein Stück weg, um sie von der anderen Seite untersuchen zu können. Die Schultern der Leiche sackten zusammen, diese Bewegung wirkte irgendwie lebendig. Hinter ihm schrie jemand auf. Auch der Kapitän bekreuzigte sich. Veneras Schönheit war noch nicht verschwunden, sie hatte sich nur verändert. Am schrecklichsten war die marmorne Blässe ihrer Haut. Im Mundwinkel hatte sie einen eingetrockneten weißen Klumpen, vielleicht etwas Essen oder Erbrochenes. Er wischte ihr die Lippen ab.

»Hatte die Arme Familie?«, fragte er.

»Nein. Gott soll ihr gnädig sein«, bat Loredana.

Er untersuchte den Körper, und sein Herz schlug endlich wieder normal. Aus welchem Blickwinkel er die Situation auch betrachtete, er kam immer zum selben Schluss – verlassen konnte er sich nur darauf, was er sah.

»Noch zwei wichtige Sachen. Erstens, um den Körper kümmert sich Martin heute Nacht. Zweitens, eine Stelle in der Wäscherei ist frei geworden. Wenn Mona Interesse daran hat, dann kann sie dort anfangen. Andernfalls verlässt sie das Schiff. Ab jetzt herrscht hier der Notstand. Keine Besuche, keine Landgänge, verschärfter Dienst.«

»Ich akzeptiere«, erklärte Mona.

Martin starrte sie ungläubig an.

»Meinst du das ernst?«, fragte er.

»Ich war sowieso auf Jobsuche ...«

Sie versuchte, sicher zu wirken, doch Martin merkte, wie nervös sie war.

»Lasst uns in den Speisesaal gehen«, rief der Kapitän. »Ich brauche einen Drink.«

Martin ging hinter den anderen her. In den dunklen Gängen begleitete ihn eine rätselhafte Kraft, trügerisch und schwer, wie eine Decke aus grauem Nebel, der langsam aus dem Fluss steigt und Gestalt annimmt. Das Böse kam aus dem Nichts, machte sich auf dem Schiff breit und hielt es gefangen.

In der Kantine stellte er Mona den restlichen Besatzungsmitgliedern vor.

»Ich hatte auf eine bessere Gelegenheit gehofft«, sagte er, »doch die Dinge haben sich anders entwickelt. Das ist unsere neue Kollegin.«

Einer nach dem anderen begrüßte Mona. Die Männer konnten die Augen nicht von ihr lassen. Den Neid der Männer registrierte Martin mit Genugtuung. Weder die gierigen Blicke, noch die zweideutigen Anmerkungen und Gesten schienen Mona zu stören.

»Ist uns allen eine Ehre!«, sagte Tamás.

Kurz darauf stimmte Martin mit den anderen ein: »Auf Venera! Friede ihrer Seele! Ruhe in Frieden.«

»Auf unsere Frau Direktor, Chairwoman of Housekeeping! ADC sagt danke«, ergänzte Atanasiu.

»Sie war eine meiner besten Kundinnen!«, setzte Dragan nach, prustete los und zerstörte definitiv den letzten Funken an Pietät in diesem Augenblick.

Die Männer setzten sich, dort wo Platz war, drehten Zigaretten und rauchten sie bis zum Stummel.

»Hat jemand bemerkt, dass sich Venera anders verhalten hätte? Hatte sie Angst? Sorgen?«, fragte Martin.

»Nein, würde ich nicht sagen«, antwortete Loredana. »Sie hatte wahnsinnig viel zu tun ... wie wir alle.«

»Wer hat Venera als Letzter gesehen?«, fing Martin wieder an, doch keiner wollte noch darüber reden. »Es ist ja am helllichten Tag passiert! Jemand muss doch in der Nähe gewesen sein. Wieso sind nicht alle da?«

»Morgen. Morgen reden wir darüber. Jetzt braucht jeder von uns ein bisschen Ruhe«, erklärte der Kapitän.

Martin konzentrierte sich auf die Gesichter. Gut 30 Crewmitglieder. Die Frauen verdächtigte er nicht, der Kapitän und Tamás kamen ebenfalls nicht in Frage.

In der Crewkantine wurde laufend irgendwas gefeiert. Doch jetzt war die Party zu Ende. Der Maschinist Dragan drängte sich zu Mona, begrüßte sie mit einem Kopfnicken und gab ihr ein Küsschen auf die Wangen. Die Drogen aus seinen heimlichen Vorräten steigerten oft genug die Ausdauer der Crew. Er hatte schon immer an Bord damit gehandelt. Er hatte seine Lieferanten für Haschisch und Koks, von Serbien aus nach Deutschland, doch auch von Rumänien nach Bratislava und Wien. Wenn er betrunken war, redete er wirres Zeug und brüllte herum, um Aufmerksamkeit auf sich zu lenken. Ans Tageslicht kam er kaum.

Suang erklärte, bis zum Abendessen bliebe nur noch eine Stunde, er zog sein Team ab.

»Könnt ihr euch erinnern, wie Atanasiu in Russe so besoffen war, dass er nicht mehr zurück aufs Schiff gefunden hat? Da sind wir vor Mitternacht in den Hafen gegangen und ...«, legte Tamás los.

»Gehen wir weg von hier!«, flüsterte Martin in Monas Ohr.

»Warte noch!«, rief ihm der Kapitän zu.

Martin zuckte zusammen. Atanasiu beugte sich zu ihm und flüsterte ihm zu: »Um vier Uhr in der Früh, sobald sich das Schiff in Bewegung setzt ...«

Er nickte und kehrte in die Kajüte zurück. Er hatte genug von allem.

»Was hast du nach dem Mittagessen gemacht? Wo warst du?«

»Ich war hier.«

Er legte sich auf seine Bettseite und konnte kein Auge zumachen. Sein Hirn arbeitete auf Hochtouren.

Um vier Uhr tat er das, was ihm Atanasiu aufgetragen hatte. Venera kam ihm schwer vor, sehr schwer, es war nicht nur das Gewicht ihres Körpers, es war das, was er mit ihr anstellte. Ein paarmal rutschte er auf dem Deck aus. Als er den Körper über Bord warf, umspülte ihn die Finsternis. Einige Wassertropfen trafen seine Brust. Venera wurde vom Strom erfasst, wirbelte zweimal um die eigene Achse und verschwand.

II. NIBELUNGENGAU

Fünfundfünfzig Kilometer nach Linz, bei der Stadt Grein, folgte ein österreichischer Flussabschnitt mit dem Namen »Strudel & Wirbel«, auf dem sich schon seit Jahrhunderten Tragödien zu ereignen pflegten. Im Jahre 926 ertrank dort Bischof Drakulf. Bereits Ende des 18. Jahrhunderts wurden auf Geheiß von Maria-Theresia die gefährlichsten Stellen gesprengt.

Martin legte das Programm des Tages so fest, dass das Schiff gegen halb zehn in die Nähe des barocken Klosters Melk kam. Er rief die Passagiere zusammen und machte sie auf eine der schönsten Ausblicke der gesamten Strecke aufmerksam.

Das Schloss Artstetten lag bereits hinter ihnen, wo der Nachfolger des Habsburgerthrons, Erzherzog Franz Ferdinand, begraben liegt, welcher 1914 dem Attentat in Sarajevo zum Opfer fiel. Auf beiden Seiten zogen sich Wälder hin. Die Fische sprangen über die Wasseroberfläche. Die Sonne erhitzte den Fluss, und heiße Luft stieg auf, sie zeichnete Wolkenkreise um die Hügel. In der Nähe schwamm ein Schiff voller fröhlicher Touristen. Man hörte den Klang eines Waldhorns und ein lautes Jodeln. Der Kapitän bremste die Maschine und steuerte jene Stelle an, von der aus man die beste Sicht hatte. Ein Teil der Passagiere drückte sich an die Schiffsfenster, die anderen kamen an Deck und fotografierten oder filmten wie wild.

»976 wurde Leopold I. aus Bayern Markgraf, und er kürte Melk zu seiner Burg. Seine Nachkommen schenkten das Stift dann den Benediktinern. Diese wirken dort schon seit mehr als neunhundert Jahren. Zweiundzwanzig Mönche arbeiten auch heute noch dort. Die lange Fassade verbirgt viele Schätze: den Marmorsaal, die Barockkirche, eine der größten historischen Bibliotheken, fünfhundert Zimmer und einen wunderschönen Park. Zu den wertvollsten Schätzen gehören zwei Kruzifixe, verziert mit Diamanten und einem Splitter aus Jesus Christus' Kreuz. Bete und arbeite. Das ist der Grundsatz der Benediktiner, und mir scheint es fast, als hätte sich diesen auch die ADC zu eigen gemacht«, erklärte Martin.

»Warum halten wir da nicht an, um uns das anzuschauen? Wofür habe ich gezahlt? Hä?«, schrie Peggy.

Die Frage war vorprogrammiert. Ein jedes Mal. Die Firma legte ihm eine Antwort in den Mund, an der ganz bestimmt einige Testgruppen wochenlang gearbeitet hatten. Es zahlte sich allerdings aus.

»Wie Sie sehen, liegt das Stift Melk auf einem steilen Hügel. Man kann nur zu Fuß hinaufgehen. Mit dem Bus kommt man höchstens zu einem weit entfernt liegenden Parkplatz. Im Salon werde ich Ihnen einen exzellenten Film zeigen, in dem Sie das Stift noch viel besser werden kennenlernen können, als wenn Sie tatsächlich vor Ort wären. Zudem wissen alle Barockkenner, dass der Bau vor allem von der Donau aus seine Schönheit entfaltet, er wurde extra so entworfen, genau für die Ansicht, wie wir sie jetzt sehen. Und außerdem stören wir so die Mönche nicht bei ihren wichtigen Arbeiten ...«

Er verkündete hier zum Himmel schreiende Lügen, doch das war ihm längst egal. Erfahrungen hatten gezeigt, dass nur das letzte Argument tatsächlich Wirkung zeigte. Er wusste, dass die meisten Amerikaner religiös waren.

»Das stimmt!«, beruhigte sich Peggy.

»In den Kajüten können Sie sich auch den Film Der Name der Rose mit Sean Connery in der Hauptrolle ansehen. Jetzt lese ich Ihnen mal die erste Seite aus dem gleichnamigen Buch vor. Der Mönch schreibt seine Lebensgeschichte in diesem Kloster nieder.«

Er las einen Abschnitt aus einer englischen Ausgabe des Romans von Umberto Eco vor.

Der Kapitän erhöhte die Geschwindigkeit wieder. In den folgenden zwei Stunden setzte Martin, lediglich von ein paar Pausen unterbrochen, seinen Kommentar fort.

Es gefiel ihm, dass er viel zu tun hatte. Seine Gedanken drehten sich so zumindest nicht um die Tote. Niemand vermisste Venera. Die Putzfrauen schrubbten unterdessen mit einem Desinfektionsmittel den Boden in der Waschküche.

Die Wachau gehörte zu seinen Lieblingsrouten. Obwohl er viele Orte in diesem 40 Kilometer großen Nibelungengau bis ins Detail kannte, entdeckte er immer wieder Neues. Er erzählte von den Städtchen Schwallenbach und Spitz, von Weinheurigen und Bürgerhäusern mit Fresken und natürlich vom Tausendeimerberg. Auch über das kleine Dorf Maria Laach hinter dem Berg Jauerling, wo die Madonna in der dortigen Wallfahrtskirche an der rechten Hand tatsächlich sechs Finger besitzt, sprach er. Über die elf Zentimeter große und gesichtslose Venus von Willendorf, die 30.000 Jahre im fruchtbaren Boden ruhte, bis sie am 7. August 1908 der österreichische Archäologe Josef Szombathy bei Bahnarbeiten auffand. Über die gruselige Geschichte der Burgruine Aggstein, über die Kirche im Dorf St. Michael, mit den seltsamen Hasenstatuetten am Dach. Über die mittelalterliche Stadt Dürnstein, wo der englische König Richard Löwenherz gefangen gehalten worden war, bis ihn der Troubadour Jean Blondel fand, weil er unter der Burg ein Liedchen anstimmte, das nur sie beide kannten. Über die Piraten auf der Donau und allerlei Raubritter. Nach der Nibelungensage zog im 5. Jahrhundert Kriemhild die Donau abwärts, um Attila zu heiraten, der den Tod von Siegfried, dem Drachentöter, rächen sollte. Auch Mona hörte aufmerksam zu, als sie am Oberdeck die Tische für Kostproben von Speisen und Wein aus der Wachau aufdeckte.

Suang öffnete feierlich die erste Flasche mit schmalem Hals, und die Verkostung des Grünen Veltliners aus Rohrendorf und der lokalen Rebsorten Grau- und Weißburgunder konnte beginnen. Die Gäste stürzten in den vorderen Teil des Schiffes. Man servierte kleine Knödel, gewälzt in gerösteten Semmelbröseln, Zucker und Butter, und dickflüssige Marillensäfte. Das größte Interesse riefen der lokale Weißwein und der Marillenschnaps hervor. Mona schnitt Wachauer

Laberln zu den Getränken auf, gebacken nach einem alten Rezept der Familie Schmidl aus Dürnstein. Im Salon improvisierte Gábor Kelemen österreichische Volkslieder, immer wieder variierte er das Lied »Mariandl« und dazu noch ein paar uralte Schinken aus verschiedenen Heimatfilmen. Seine Musik war auch auf dem Sonnendeck aus den Lautsprechern zu hören.

Das Tal weitete sich gen Osten, gegen den Strom der Zeit. Das Schiff zog an kleinen Bauernhöfen und Weingärten zwischen bewaldeten Hügeln vorbei. In den Weingärten arbeiteten Familien. Auf der Kapitänsbrücke glühte die Sonne, doch drinnen war alles klimatisiert. Martin sah zwei Hilfsköche an, die flüsternd miteinander sprachen. Er meinte, in ihren Blicken irgendetwas Seltsames erkannt zu haben, als ob sie geheime Zeichen gewechselt hätten. Sie wirkten wie zwei Verschwörer. Oder legte er zufällige Bewegungen einfach nur falsch aus?

Das Wachauer Tal endete. In der Ferne erkannte man noch die Umrisse des weißen Benediktinerstifts Göttweig, mit seinen dunkeln Zwiebeltürmen, einem Kennzeichen des österreichischen Barock.

Bei Krems und Stein wehte ein heißer Wind. Bei Flusskilometer 2002 öffnete sich nach einer Kurve die Sicht auf eine weite blasse Ebene. Die Donau floss wieder in Richtung Osten, durch das Tullner Feld, das bis nach Korneuburg reicht. Das Schiff überwand die Schleusenkammer Altenwörth, und der Fluss nahm weitere Nebenarme auf – von rechts die Traisen und von links den Kamp.

Martin fiel ein, dass er Clark Collis aufsuchen musste. Er stieg die Treppe hinunter, in der Gästeliste fand er seine Kajütennummer, und danach klopfte er schon an die Tür.

»Herein!«

»Guten Tag, Herr Collis! Entschuldigen Sie bitte die Störung, ich wollte nur fragen, ob bei Ihnen alles in Ordnung ist?«

Obwohl Martin ihn offensichtlich störte, war dieser überaus freundlich.

»Ja, danke«, antwortete Clark. »Deine Stimme kenne ich mittlerweile schon ganz gut. Ich höre mir die Kommentare in der Kajüte an und schaue dabei aus dem Fenster. Schade, dass ich nur eine Seite sehen kann, den Rest muss ich mir eben vorstellen. Bisher hatte ich Glück, ich habe durchaus den Eindruck, dass man am linken Ufer mehr sehen kann als am rechten.«

»Das ist mir noch nie aufgefallen. Wahrscheinlich stimmt das sogar.«

Clark Collis kreuzte die Hände über seinem Riesenbauch und brach kleine Stücke von irgendeiner Süßspeise ab, die vor ihm lag. Auf der Stirn perlte der Schweiß, und seine Augen waren kaum noch erkennbar. Er stank aus dem Mund, wie auch aus allen Poren seiner ungesund wirkenden, gelblichen Haut.

»Schmeckt Ihnen das Essen?«, fragte Martin.

»Das Essen ist ganz gut, doch ich esse nicht viel«, antwortete Clark.

»Sind Sie bisher mit Ihrer exzellenten Reise zufrieden?«

»Ja. Die Donau hat mich wirklich überrascht. Ich bin schon auf dem Mississippi, Amazonas und im Vorjahr auch auf dem Mekong gefahren, doch diese Schiffsreise ist bisher die schönste«, antwortete er und lachte breit und schwammig.

»Ich bin froh, dass es Ihnen hier gefällt.«

»Könnten Sie mir bitte helfen aufzustehen? Es ist mir sehr peinlich, doch ich muss auf die Toilette und will nicht schon wieder den Zweiten Offizier rufen. Ich habe das Gefühl, dass ich ihm auf die Nerven gehe.«

»Sie gehen ihm ganz bestimmt nicht auf die Nerven, es ist schließlich seine Arbeit. Er hilft Ihnen sehr gern, genauso wie ich. Kommen Sie!«

Er kippte Clark im Bett nach vorn, wobei er selbst heftig schnaufen musste. Der Versuch aufzustehen, wurde von einem Ächzen und Seufzen begleitet. Er fasste Clark an den Schultern und half ihm, die paar Schritte zur Toilette zurückzulegen.

»Sie schaffen das, keine Angst, ich lasse Sie schon nicht los.«

»Warten Sie … Ich kann nicht mehr!«, stammelte Clark.

Er hatte tatsächlich Angst, den Mann nicht mehr halten zu können. Clark musste einige Male stehen bleiben, um sich auszuruhen, wobei er sich mit den Fäusten an der Wand abstützte. Die Wegstrecke war eine Tortur für ihn.

Wieder zurück im Bett krächzte der Greis vor Erschöpfung. Kurze Zeit später hob er den Kopf aus den Kissen. Er stützte sich ab, streckte die Hand aus und berührte Martins Ellbogen.

»Ich weiß nicht, wie ich beginnen soll … Es ist mir ein wenig unangenehm.«

»Ich werde mich bemühen, all Ihre Wünsche zu erfüllen.«

»Könntest du mir bitte eine Frau bestellen? Hierher? Wäre es möglich? Ich habe Geld, ich bezahle alles, du kriegst auch ordentlich Trinkgeld. Finde ein Mädchen für mich, jung und geschickt.«

Martin hörte diesen Wunsch nicht zum ersten Mal. Viele Passagiere besuchten in Mittel- und Osteuropa Prostituierte.

»Ich … natürlich … ich kann es schon probieren … ich werde anrufen und … gebe Ihnen Bescheid«, stotterte er.

»Ich wäre dir sehr dankbar!«

Collis räkelte sich. Danach lag er wieder regungslos, die Augen geschlossen, möglicherweise schlief er gerade ein. Martin wusste plötzlich nicht, was er tun sollte, er schaute auf seine Uhr, die Zeit verging, der Sekundenzeiger bewegte sich, die Maschine vibrierte leise. Beim Anblick des alten Mannes überkam ihn eine böse Vorahnung. Aus Clark sprudelte es erneut hervor:

»Treibst du mir eine Frau auf? Versprichst du mir das?«

Gierig wartete Collis auf Antwort.

»Ja«, sagte Martin und verabschiedete sich.

Er ging auf den Gang und brauchte eine Weile, um sich wieder zu fassen. Später erzählte er Mona davon.

»Was denken sich diese Leute überhaupt? Dass ich für sie Zuhälter spiele? Das gibt es doch gar nicht!«

12. DER AUSSERIRDISCHE AUS DEM WESTEN

Die Donau begrenzte auf der rechten Seite den Wienerwald (in Richtung Klosterneuburg). Die *America* trieb am Kahlenberg vorbei. In Nussdorf teilte sich beim Flusskilometer 1934 der Donaukanal vom Hauptfluss ab, der das Stadtzentrum quert. Martin Roy wachte schweißgebadet auf. Die *America* passierte gerade die ersten Wahrzeichen Wiens, den »Millennium Tower« am rechten Ufer, die UNO-City am linken. Der Verkehr am Ufer wurde intensiver. Das Schiff hielt im Wiener Personenhafen an, nahe der Reichsbrücke. Gigantische Eisensäulen verbanden sich mit riesigen Kabeln. Immer wenn Martin diese Brücke sah, konnte er es nicht fassen, dass deren Vorläufer 1976 in die Donau gestürzt war, einen Autofahrer mit sich gerissen und einige Schiffe beschädigt hatte.

Er war allein im Bett. Mona hatte wahrscheinlich Morgendienst. Er wusch sich schnell und zog sich an. Der Wiener Hafen war voller Schiffe, aufgrund von Platzmangel mussten sie sogar aneinandergekettet in einer Reihe ankern, manchmal drei in einer Reihe. Die Passagiere verglichen, welches Schiff wohl am luxuriösesten sei. Die *America* lag vorn.

Martin begrüßte die österreichischen Reiseführerinnen. Sie benahmen sich so, als ob sie in ihrem echten Leben Baronessen oder Eigentümerinnen großer Konzerne wären und die Touristen nur aus Passion oder Langeweile begleiteten. Sie machten ihm natürlich Probleme, lehnten die Headsets ab und versuchten stur eigene Besichtigungsrouten und Zeitpläne durchzusetzen, so lange, bis er sie schroff zurechtwies. Er würde sich darum bemühen, die Dinge auf dem Schiff wieder in einen Normalzustand zu bringen, er musste damit aufhören, seine Pflichten zu vernachlässigen! Er hatte absolut keine Lust, mit den Touristen mitzugehen, doch es war unumgänglich. Nach dem Frühstück brachen drei Luxusbusse in den verlässlich zum Höhepunkt der Reisesaison auftretenden Stau auf. Das Interieur der Busse war mit imperialen Mustern tapeziert worden.

Ungefähr dreißig Kirchen, halbnackte Statuen an der Hofburg, verwinkelte Gässchen, die Habsburger, Torten auf Papiertellern, Spitze, geschnitztes Holz, Stuck, der an eine Tortenglasur erinnerte, Maria-Theresia, Beethoven, Mozart ... Die Sonne strahlte auf die Sehenswürdigkeiten und Martin herab. Halb ohnmächtig vor Hitze überlegte er, welche Eindrücke die Touristen wohl von der Stadt mitnehmen würden. Jahrhunderte der Verkaufskunst verwandelten die Schaufenster in unwiderstehliche Attraktionen. Die Amerikaner stellten ein dankbares Klientel dar und kauften massenhaft Souvenirs.

»Liebe Gäste, wir machen jetzt eine Pause im exzellenten »Café Central«. In Wien zählen nicht nur Mehlspeisen zum Stadtbild, sondern auch Zigaretten. Haben Sie keine Angst, wir werden im Nichtraucherbereich sitzen. Der hiesige Kaffee ist kleiner als der amerikanische, seien Sie also nicht überrascht, wenn er etwas stärker ist. Ruhen Sie sich aus, denn wir werden heute noch viel marschieren.«

Den letzten Satz sagte er nur deshalb, damit die Amerikaner protestierten und nach verkürzten Besichtigungen verlangten, was auch sogleich passierte. Obwohl er damit mehr als einverstanden war, täuschte er vor, dies zu bedauern. Es war immer leichter, wenn ein solcher Vorschlag von den Passagieren kam. Andernfalls hätten sie der Firma diese »Streichung« gemeldet.

Kaum hatte er sich an den Kaffeetisch gesetzt, dachte er an all die Schriftsteller, die hier bereits verkehrt hatten: Peter Altenburg, Hugo von Hofmannsthal, Egon Friedell und andere.

Martin zählte zu einer Generation, die in Bratislava mit österreichischem Rundfunk aufgewachsen war. Die Hauptstadt des Nachbarlandes besuchte er regelmäßig, seit gut zwanzig Jahren. Nach 1989 hatte er für seine Tagesausflüge nach Wien immer ein Wiener Schnitzel in Alufolie aus Bratislava mitgebracht, das er gierig auf einer

Parkbank vor dem Kunsthistorischen Museum verschlang, dazu gab es etwas Wiener Kaffee aus der Thermoskanne. Er wusste, wo es im Zentrum Toiletten gab, die nichts kosteten. Die Mariahilfer Straße war damals für Martin der Inbegriff des Kapitalismus.

Zu jener Zeit, in der viele eine starke Sehnsucht nach Leben verspürten, wurde Martin immer verschlossener und versuchte sich an ein Leben ohne Mona zu gewöhnen. Die Erinnerung an sie fraß ihn innerlich auf. Jeden Tag ging er hinaus, aber das Donauufer wirkte auf ihn hoffnungslos leer. Auch bei den Wien-Aufenthalten steuerte er immer zuerst den Fluss an.

Sein Leben veränderte sich, als er die Schulbibliothek für sich entdeckte. Er kannte sich weder mit Buchtiteln noch mit Autorennamen aus; demnach las er wahllos alles, was ihm unter die Finger kam. Er liebte vor allem Geschichten über Seefahrer, Matrosenabenteuer und begeisterte sich für die Schicksale schiffbrüchiger Kapitäne. Am besten gefiel es ihm, wenn ein Schiff in Gefangenschaft von Piraten geriet oder wenn es langsam versank. Es ärgerte ihn immer schon, dass es so viele Geschichte über die Meere gab, doch nur wenige über Flüsse.

Das Geschäft mit Ausflugsschiffen wuchs von Jahr zu Jahr. Die Donau wurde nicht mehr durch einen Eisernen Vorhang geteilt, vielmehr von Journalisten, Fotografen und Filmleuten für sich entdeckt. Martin beobachtete die luxuriösen Dampfer: Am Heck flatterten die Fahnen Maltas, Österreichs und manchmal auch der Slowakei.

Martin faszinierte all der Komfort, der die Wasseroberfläche mit seinen Lichtern überflutete. Die Außerirdischen aus dem Westen waren im Osten gelandet. Die rätselhaften Wesen tranken Martini, Cinzano oder Whisky, er konnte sich den Geschmack nicht einmal vorstellen. Er versuchte, sich die Frau auszumalen, die diese oder jene Kajüte bewohnte, und rekonstruierte im Kopf ihre Reiseroute. In seinen Gedanken begleitete er die Menschen auf ihren Reisen quer durch Europa, ohne zu wissen, ob sich neben diese Frauen nicht gerade ihre Ehemänner ins Bett legten.

Es war höchste Zeit, das Kaffeehaus zu verlassen. Er erfuhr, dass keine einzige der drei Reiseführerinnen je Bratislava besucht hatte. Selbst nach zwanzig Jahren war Österreich mit der Slowakei lediglich durch zwei Brücken verbunden, eine davon diente der Eisenbahn. Vor dem Krieg gab es mehr als zwanzig davon. Martin übernahm die Rechnung für die gesamte Gruppe, ließ sich vom Besitzer des Cafés *Central* einen Beleg ausstellen, und kurze Zeit später saß er wieder im Bus.

»Diese Stadt ist fast so schön wie Frankfort!«, rief Jonathan.

»Meinen Sie Frankfurt?«

»Nein, Frankfort in Kentucky!«

»Aha, ja, das ist durchaus bekannt«, stimmte Martin zu.

Um eins kehrten alle drei Gruppen zum Schiff zurück. An Bord wurden soeben die letzten Vorbereitungen für die Weiterfahrt getroffen. Kapitän Atanasiu betrat kein einziges Mal das Land, von der Brücke aus überwachte er die anstehenden Arbeiten.

Dieser Hafen gehörte zu den am besten ausgestatteten auf dieser Route. Die Dampfschifffahrt begann in Wien schon zu Anfang des 19. Jahrhunderts. Im Jahr 1830 gelang es dem Schiff *Franz I.* über Prešporok bis nach Budapest und retour zu fahren. Ein reger Verkehr an Ausflugsschiffen von Wien bis Sulina und Konstantinopel folgte. Aus Werbegründen für den Personenschiffsverkehr ließen die Habsburger sogar eigene Briefmarken drucken.

Martin betrat das Schiff. Er wollte seine Gedanken ordnen, doch in all der Hektik fand er keine freie Minute.

»Hör mal, Guide, wo ist noch mal die Sauna?«, fragte Peggy.

Viele Gäste wussten noch immer nicht seinen Namen oder erwarteten, dass er sie bediente, und Martin tat so, als ob ihn das nicht weiter stören würde. Nach dem Mittagessen lasen die Passagiere die Schiffszeitung, die alle zwei Tage Geburtstagswünsche und Nachrichten über die Ereignisse auf dem nordamerikanischen Kontinent brachte; sie wurde von Martin gestaltet. Die meisten Nachrichten des zweiseitigen Blattes lud er aus dem Internet herunter. Er veröffentlichte nichts über den Absturz der amerikanischen Wirtschaft, den Bankrott einer weiteren amerikanischen Bank oder die stetigen Unruhen an der Börse.

Zu Abend aß man heute früher, schon um fünf, damit sich die Gäste noch auf das Konzert vorbereiten konnten. Er beobachtete die Gesichter seiner Kollegen zu Tisch. Der Tod Veneras ging ihm nicht aus dem Kopf. Der Mörder musste schließlich noch an Bord sein. Er nahm sich vor, in seinem Notizbuch alles zu vermerken, was er über den Vorfall wusste.

Die reichsten Passagiere wechselten sich am Ehrentisch des Kapitäns ab. Martin brauchte einige Zeit, bis er sich an die übertrieben affektierten Rituale gewöhnt hatte. Atanasiu genoss seine Stellung in vollen Zügen. Tamás wiederum vertrug absolut keinen Staub auf seinem Tisch. Jede Beschwerde hielt er für eine Beleidigung seiner Professionalität und Ehre. Die Kellner deckten mit größter Sorgfalt zuerst Servietten und das silberne Besteck, erst dann durfte der Koch mit weißer Haube die Vorspeisen servieren. Jeder an der Tafel wartete höflich, bis er bedient wurde, wobei die Damen als Erste zum Zug kamen. Die Tischgesellschaft heftete ihren Blick auf den Kapitän, als dieser den Wein verkostete oder wenn er mit dem Messer den Fisch tranchierte, und erst danach machten sich die Passagiere an ihr Essen. Diesen Augenblick wagte niemand zu stören, nicht einmal mit einer unbedeutenden Bemerkung über das Wetter. Manchmal störte ein eingeladener Amerikaner die Stille, sprach oder lachte laut, doch nach einigen Augenblicken begriff sogar er, welches Missverhalten er gerade an den Tag legte.

Einmal passierte es Martin, dass er sich bei einem Toast verschluckte. Er wurde mit giftigen Blicken bedacht. Seitdem sorgte er sich sogar um das Geräusch seiner Kiefer. Gewöhnlich beeilte er sich, so gut es ging, er musste schnell essen. Auch die Schiffsoffiziere blieben zumeist hungrig. Sie hatten einfach nicht genug Zeit. Atanasiu hingegen dinierte nach Lust und Laune.

Das Konzert für die Reisegesellschaft fand im Palais Liechtenstein in der Fürstengasse statt, 1700 von Domenico Martinello erbaut. Die Touristen warfen sich dafür in Gala-Garderobe, doch das Ergebnis ihrer Bemühungen war mehr grotesk, denn elegant. Den meisten stand die erste Begegnung mit klassischer Musik in ihrem ganzen Leben bevor.

Martin ermutigte seine Zöglinge.

»Es wird kein typisches Konzert sein, das nur von ausländischen Touristen besucht wird. Diese exzellente Veranstaltung habe ich für Sie in Kooperation mit der ADC organisiert. Sie ist für erfahrene und anspruchsvolle Menschen wie Sie bestimmt. Die meisten Gäste im Publikum werden Wiener sein«, log Martin. »Bestimmt werden Sie bemerken, dass hier Nationen aus der ganzen Welt vertreten sein werden«, sicherte er sich ab, für den Fall, dass kritische Fragen kämen, warum sich im Publikum nur Chinesen und Japaner befunden hätten.

Auf dem Parkplatz standen ausschließlich slowakische und ungarische Fahrzeuge, die den Musikern gehörten. Die Gäste betraten das Palais und schritten über die Stiege in den Herkulessaal. Bis ganz nach oben verlief ein Marmorgeländer. Das Parkett aus Eichenholz bildete ein diagonal-geometrisches Muster. Die Barockbilder wurden dezent von Scheinwerfern beleuchtet. Stillleben, religiöse Darstellungen und Landschaften sowie Porträts von Adeligen und Politikern. An so vielen Meisterwerken vorbeizugehen, ohne ihnen einen einzigen Blick zu widmen, kam Martin beinahe skandalös vor, doch es blieb keine Zeit. Die Möbel dufteten nach Wachs. Die Büsten verfolgten die Besucher mit gespenstischen Blicken.

Bei einer forschen Platzanweiserin erkundigte er sich nach den Reservierungen in den ersten Reihen. Für den Kulturgenuss seiner Gäste musste er sich ins Zeug legen. Das Ensemble, »Österreichisches Symphonieorchester« genannt, bestand aus drittklassigen Musikern aus Györ und Bratislava. Sie spielten falsch und an jenem Tag schon zum dritten Mal dasselbe. Offensichtlich hatten sie getrunken, um die stumpfe Langeweile irgendwie zu ertragen. Der Dirigent winkte ein wenig im Rhythmus, ganz bestimmt dirigierte er hier kein Orchester. Die Walzer von Strauß wechselten sich mit Stücken von Mozart und Haydn ab, es gab auch kurze Balletteinlagen eines in die Jahre gekommenen serbischen Duos.

Obwohl Martin den Amerikanern signalisierte, wann Applaus angebracht war, gab es peinliche Ausrutscher. Dennoch berührte das Konzert die Passagiere. Bereits in der Pause bedankten sie sich bei ihm, reichten ihm die Hand und umarmten ihn.

»Ein exzellentes Konzert, nicht wahr? Und welch exzellente Auswahl an Kompositionen!«, sagte er.

Er musste noch irgendwie eine dreiviertel Stunde überleben, und dann war die Vorstellung nach zwei stürmischen Zugaben – Radetzky-Marsch und der *Kleinen Nachtmusik* – zu Ende.

»Wo lebt dieser Mozart?«, fragte ihn nach dem Konzert Ashley Rose.

Zwischen ihren Augenbrauen bildete sich eine nachdenkliche Furche.

»Er lebt leider nicht mehr. Er ist vor drei Wochen gestorben.«

»Das tut mir leid.«

Die Rückfahrt zum Schiff gehörte zu den Programmhöhepunkten und sicherte sein Trinkgeld. Er kündigte sie nicht an, vielmehr pflegte er sie als eine spontane Überraschung für seine VIP-Gäste zu präsentieren.

Er nahm das Mikrophon und übertraf sich selbst beim Erzählen all der Geschichten über die berühmten Häuser auf beiden Seiten des Rings. Jeder bedeutenden Sehenswürdigkeit widmete er entsprechend viel Aufmerksamkeit: Parlament, Rathaus, Burgtheater, Alte Börse, Ruprechtskirche, Schwedenplatz ...

Er ließ eine CD mit Walzern laufen, die er an einer Tankstelle erstanden hatte. Das Gemurmel in seinem Rücken verstummte. Die Passagiere verdauten offensichtlich diesen überwältigenden Kulturansturm. Das Schiff erwartete sie schon.

»Wenn ich das Mikrophon an meine Brust lege, hören Sie, dass mein Herz nun schneller schlägt. Morgen werden wir in meiner Heimatstadt aufwachen, in Bratislava, und ich freue mich schon sehr darauf«, rief er, und die Passagiere jubelten.

An der Rezeption besuchte ihn alsdann auch William Webster. Martin musterte ihn.

»Was glotzt du mich so an, verdammt?«, fauchte der Greis.

Nicht gerade die freundlichste Begrüßung, doch auch nicht die schlimmste.

»Weil ich mich freue, dass ich Sie wiedersehe«, antwortete er.

Am liebsten hätte er den Greis an der Kehle gepackt und erwürgt. Wieder standen sie sich gegenüber und durchbohrten einander mit Blicken. Webster strafte Martin seit Tagen mit kühler Verachtung, nie hörte er seinen Vorträgen zu.

»Ein fürchterliches Konzert, wie alles mit dir. Arbeite an dir, Junge, streng dich an. So faul wie du bist, wird nie was aus dir werden.«

»Guter Rat ist teuer«, antwortete Martin.

13. HEIMFAHRT

Man konnte hören, wie der Anker hochgezogen wurde. Die Kette rasselte beim Aufrollen auf die Winde, die Motorengeräusche waren ohrenbetäubend. Beim Ablegen hatte die Mannschaft alle Hände voll zu tun. Jene Passagiere, die noch nicht schlafen gegangen waren, beobachteten gebannt, mit welcher Selbstverständlichkeit sich die Matrosen bei diesem Manöver bewegten. Der erfahrene Bootsmann konnte sich selbst bei unvorhersehbaren Rucken und Stößen aufrecht halten. Jeder Bootsmann beherrschte seine Manöver. Auf den ersten Blick hätte Martin nicht geglaubt, dass die Seile so unglaublich fest waren. Doch die elektronischen Prüfungen hatten ergeben, dass ein aus Kunstfasern geflochtenes Seil einen Zug von bis zu vier Tonnen halten konnte. Sie wurden in spiralförmigen Schichten in offenen Trommeln abgelegt. Jede Schlinge könnte jemanden ins Wasser reißen. Das Verstauen der Seile wurde mit allergrößter Sorgfalt durchgeführt, es wurde penibel darauf geschaut, dass sich das Seil nicht verhedderte oder hängen blieb; nicht selten konnte Martin beobachten, wie es beim schnellen Abrollen zu rauchen begann.

Das Schiff glitt aus dem Hafen heraus und fuhr Richtung Osten. Atanasiu schaute konzentriert von seiner Brücke. Mit der Besatzung wechselte er nicht allzu viele Worte und die Besatzung nicht mit ihm. Der lange Tag versank in der Nacht. Die Sterne hüllten die *America* in eine glitzernde Rüstung, und die Reling glänzte im Mondlicht. Auf dem Dach der Kapitänsbrücke krächzte eine Möwe. Vom Oberdeck aus hörte Martin die Maschinen, das atmende Herz des Leviathans, das den Schiffsrumpf immer weiter schob. Er rief Mona herbei.

»Das musst du gesehen haben. Vor der Revolution war das hier eine tote Ecke, ein Niemandsland, die billigsten Grundstücke in ganz Österreich gab es hier. Jetzt gilt: Je näher zur Grenze, desto attraktiver der Standort. Im Burgenland bauen reiche Slowaken ihre Häuser. Claudio Magris hat sich damals entschieden, ein Buch über die Donau zu schreiben, als er mit dem Schiff hier entlangfuhr.«

Er zeigte Mona das Heidentor bei Carnuntum, wo das römische Heer einst sein Winterlager aufgeschlagen hatte und wo während der Markomanenkriege Marcus Aurelius sein Hauptquartier errichtet und ein Buch verfasst hatte. Sie ließen am rechten Ufer Fischamend, Bad Deutsch Altenburg und Hainburg zurück. Auf dem linken Ufer zogen sich bei Orth an der Donau die Auwälder hin. Er stand ganz dicht an Mona, sie berührten sich fast, als sich plötzlich eine starre Hand in Martins Schulter grub, er hätte vor Schmerz und Schreck beinahe aufgeschrien.

»Ich kenne das alles hier«, sagte eine alte, müde Männerstimme, und Mona zuckte ebenfalls zusammen.

Es dauerte eine Weile, bis Martin in der Dunkelheit das Gesicht ausmachen konnte. Neben ihm stand Erwin Goldstucker, ein unauffälliger, kleiner alter Mann aus Brooklyn. Er war allein unterwegs und hatte bisher nichts Auffälliges von sich gegeben, weder Kritisches, noch Lobendes, er pflegte still mit seinem weißen Stock umherzugehen.

»Guten Abend, mein Herr. Wirklich? Wann war das?«, fragte Martin.

»Ich habe hier so einiges erlebt, nach dem Anschluss 1938, in der Nacht von Karfreitag auf Karsamstag.«

»Das ist schon sehr lange her ...«, bemerkte Mona.

»Ich war damals erst sieben.«

»Da waren noch nicht einmal meine Eltern auf der Welt«, sagte Mona.

»Es war die schrecklichste Zeit meines Lebens. Vor lauter Angst, die Nazis könnten sie angreifen, haben die Hainburger eiserne Jalousien vor ihren Fenstern befestigt. Die Nazis haben in der Nacht alle Juden aus Hainburg und den umliegenden Ortschaften verjagt – Alte, Mütter mit Babys, Väter. Sie durften nichts mitnehmen, sind in ihren Pyjamas und Nachthemden hinausgelaufen, im März – es war bitterkalt. Sie haben sie zur Donau getrieben und auf diese kleine Insel vor Devín verschifft.«

Er hielt inne und begann zu zittern. Das Mondlicht schien jetzt heller und überdeckte alles mit einem zarten Schimmer.

»Damals herrschte Hochwasser, das Wasser stieg über den Damm, und es war so laut, dass man die Motorboote gar nicht gehört hat. Die kleine Insel hatte es überschwemmt. Die Hitler-Schergen hatten alle von den Booten aus ins eisige Wasser geworfen, am Zusammenfluss der Donau mit der March. Das Weinen und Rufen konnte dort niemand hören. Wir standen da, etwa siebzig Leute, nur in Unterwäsche gekleidet, bis zum Hals im Wasser. Mich hat die Mutter auf den Schultern gehalten, also habe ich nicht ganz so schlimm gefroren, doch die anderen waren völlig verzweifelt.«

Erwin blickte ins Leere.

»Und es hat Sie niemand gehört?«, fragte Martin.

»Nein. Erst gegen Morgengrauen hat man unsere Rufe vernommen, als die Leute auf der anderen Seite, bei Hainburg, am Ufer entlanggingen waren, die sind dann mit einem Boot zur Insel. Sie haben uns nach und nach ins Wirtshaus gebracht und die jüdische Gemeinde in Bratislava verständigt. Wir haben gefroren und waren nass, und sie haben uns bis nach Bratislava gebracht und uns etwas zu Essen und Kleidung gegeben. Doch schon in der Nacht hat uns die Tschechoslowakei zurück nach Österreich abgeschoben. Drei Wochen lang wurden wir auf der Grenze hin- und hergeschoben, wie ein herrenloses Gut, das niemand verzollen wollte. Die Nazis haben einige bei den Transfers erschossen, drei sind ertrunken, als sie die Donau durchschwimmen wollten. Eine Familie ist auf ein französisches Schiff gestiegen, um damit bis nach Palästina zu fahren, doch angeblich sind sie dort nie angekommen. Ich bin schließlich in Budapest gelandet, habe den Krieg bei einer ungarischen Familie verbracht, doch meine Mama haben sie nach Auschwitz verschleppt. Hier habe ich sie zum letzten Mal gesehen.«

Erwins Gesicht kam näher an Martin heran. Sein Blick ging unter die Haut.

»Ich wollte Hainburg noch einmal sehen, doch das habe ich nicht mehr geschafft. Ich sehe kaum noch die eigene Hand. Alles zerfließt vor meinen Augen und gerät durcheinander.«

»In einem gewissen Sinne haben Sie es gesehen«, sagte Martin.

»Ja. Für mich ist das hier der schönste Abschnitt an der Donau. Ich vergöttere New York. Ich bin Amerikaner, lebe in Brooklyn, doch bin ich weder orthodox noch gläubig. Hier in der Nähe jedoch bin ich geboren, es mag wie ein Klischee klingen, doch ich habe das Gefühl, dass ich tatsächlich hierhergehöre.«

Der zierliche Mann hielt sich mit beiden Händen an der Reling fest und blickte ins Wasser. Martin fasste Herrn Goldstucker an seiner kalten Hand, die der Mann verlegen zurückzuziehen suchte, und drückte sie. Erwin sagte nichts. Martin lehnte sich an, er war nicht imstande, etwas anderes zu tun, als in die Dunkelheit zu starren. Die Finger des alten Mannes irrten umher, bis sie schließlich die Wand fanden. Er wandte sich ab, um zu gehen und brummte etwas, seine Augen blieben auf Martin geheftet:

»Entschuldigen Sie, dass ich Sie gestört habe.«

»Nein. Ich danke Ihnen, dass Sie gekommen sind. Und ich sage dies nicht aus Höflichkeit, ich meine das aufrichtig.«

Beim Flusskilometer 1880, am Zusammenfluss mit der March, begann slowakisches Staatsgebiet. Martin war zu Hause.

14. GRAF DRACULA

Ohne die Donau wäre Bratislava gar nicht entstanden, zunächst war es nicht mehr als eine Furt, weit und breit die einzige Stelle, an der man den mächtigen Fluss queren konnte. Hier kreuzte sich auch die Bernsteinstraße (vom Norden) mit der Seidenstraße (vom Osten). Vom Norden war die Stadt durch die undurchdringlichen Wälder der Kleinen Karpaten geschützt, im Süden floss die Donau, und im Osten zogen sich Auwälder hin. Žitný ostrov, die größte Flussinsel Europas, bildete einst in der Urzeit ein riesiges Delta, von dem heute nur noch ein paar kümmerliche Reste erhalten sind. Die Donau und die Stadt gehen ineinander über, der Fluss griff fast in ein jedes Leben ein, beinahe jeder hatte mit ihm zu tun. Er teilte die Stadt in zwei ungleiche Hälften, viele Gassen der Altstadt führten zum Wasser.

Bratislava wurde im Laufe vieler Jahrhunderte errichtet. Es erhob sich aus der Donauebene, krallte sich am Burghügel fest und versuchte, die ersten Karpatenhänge hinaufzuklettern. Die Mauern wurden mit vier Türmen gesichert.

Wegen des Flusses geriet die Gegend häufig in Bedrängnis. 1052 kam der deutsche Kaiser Heinrich III. mit seinen Schiffen an, belagerte die Burg und das Dorf, doch die Stadt wurde wieder einmal vom Fluss gerettet – eine Gruppe Bratislaver (unter der Führung eines gewissen Zotmund) konnte mit Schilfrohren im Mund unter den feindlichen Schiffen hindurchtauchen und sie schließlich versenken. Der Fluss bereitete sogar Hitler schlechte Laune; als dieser 1938 bis zum Petržalka-Ufer kam, hatte ihn der Blick auf einen großen Löwen, das Symbol der freien Tschechoslowakei, dermaßen angewidert, dass er ihn abschleifen ließ.

Bratislava hat in seiner Geschichte Prešporok, Pressburg und Poszony geheißen, und es lebten hier Deutsche, Juden, Ungarn und eine slowakische Minderheit, die zunächst zur Habsburger Monarchie und später zu Österreich-Ungarn gehörte. Binnen weniger Kriegsjahre wurden alle Juden abtransportiert, danach wiederum alle Deutschen, und auch die vielen Ungarn wurden der Stadt verwiesen. Die Metropole wurde slowakisch.

Der Donaukai war in der Vergangenheit viel betriebsamer gewesen, auch auf der Petržalka-Seite. Er war damals von Terrassen alter Häuser und zahlreichen Cafés gesäumt, wo die Menschen ihre Freizeit verbrachten. Fische aus Bratislava wurden auf Schiffen oder in Bottichen auf Pferdefuhrwerken bis nach Frankfurt und Paris geliefert. Das ursprüngliche Flussbett verlief nicht gerade, es mäanderte und breitete sich links und rechts aus, bei Hochwasser wurden riesige Flächen überflutet. Erreichte ein Hochwasser die Stadt, begrub es die Häuser unter einer Schlammschicht, und die Mücken nahmen überhand.

Die ersten Versuche, den Fluss zu begradigen, begannen im 13. Jahrhundert. Dazu wurden am Nordufer steinerne Befestigungsmauern errichtet. Wegen der angeschwemmten Schichten, Müll, Lehm und Steine, wurde das Gelände immer höher. Die Menschen drängten die Donau aus ihrem ursprünglichen Flussbett bis hinter die heutigen Kais, wo schon bald Betonmauern errichtet wurden. Auf einer Terrasse, die an einen Steg erinnerte, in erster Linie jedoch als Aussichtspunkt diente, stand eine hohe steinerne Säule, ein Leuchtfeuer mit einem verzierten Eisenkorb. Auf der stadtzugewandten Seite prangte ein Wappen des Grafen Esterházy, der einst das Bauwerk der Stadt gespendet hatte.

Die Donau wurde demnach vor knapp hundert Jahren aus der Stadt vertrieben. Die Stadt hat ihren Fluss verlassen, und das Wasser kehrte lediglich in Kanistern und Flaschen dorthin zurück. Bratislava wurde zu einer Stadt bei, nicht an der Donau. Der Fluss verbindet nicht mehr, er trennt.

Nach dem Krieg waren nur noch etwa 4000 Juden in der Stadt,

und mit dem kommunistischen Putsch wanderten zwei weitere Drittel aus. Einige Hundert Deutsche nahmen lieber slawische Namen an, sie sprachen nur noch in ihrer Muttersprache, wenn sie niemand hörte.

Die Stadt wurde in Windeseile »slowakisiert«, denn die ursprünglichen Bewohner träumten von einem Anschluss an Österreich; man deckte also lieber schnell die verdächtig kapitalistischen und internationalistischen Neigungen auf, wie man es damals nannte. Hunderte, ja Tausende Zugewanderte wurden auf Wohnungen verteilt, die nur widerwillig und mit Polizeigewalt geräumt wurden. Selbst Martins Eltern hofften, dass die Bestohlenen niemals zurückkehren würden, um ihren Besitz zurückzufordern. Doch zum Glück schien die neue Grenze zwischen Ost und West undurchdringlich zu sein.

In der Stadt herrschte ein schläfriger Geist und ein ebensolcher Verkehr. Die neue Architektur zeigte sich nur spärlich, in Bauwerken wie der SNP-Brücke mit dem Ufo-Caféhaus oder dem Radiogebäude in einer auf den Kopf gestellten Pyramide. Die Auslagen gähnten vor Leere, alles schien wie ausgeraubt. Von den Häusern blätterte der Putz ab.

Martin stand im Bratislaver Hafen auf dem Oberdeck, nur gut zweihundert Meter von seiner ehemaligen Universität entfernt. Er sah die Fenster des Hörsaales, wo er an den Vorlesungen von Professor Rovan teilnehmen durfte. Damals wäre ihm nicht im Traum eingefallen, dass er irgendwann von hier aus das Gebäude überblicken würde. Manchmal kam er sich wie ein Verräter vor und wollte sich gar nicht ausmalen, wie er heute vor seinen Mentor treten würde. Mit der Hand wies er abwechselnd auf das linke und das rechte Donauufer.

»Willkommen in meiner Geburtsstadt. Kommen Sie, liebe Passagiere, wir müssen los, damit Sie sich alles ansehen können! Am Nachmittag geht es in ein nahe gelegenes, authentisches Dorf, zum Gänseessen, oder, falls Sie das vorziehen, wartet ein freier Nachmittag auf Sie, zum Shoppen.«

»Hat in dieser Burg Graf Dracula gewohnt?«, fragte Jeff.

»Genau so ist es. Und man munkelt, er lebe immer noch dort. Der furchterregende, legendäre Herr von Bratislava! Doch zunächst zur Tour.

Sie werden das Opernhaus und die Philharmonie sehen, die Rolandsfontäne, das Michaelertor, die Apotheke ›Zum roten Krebs‹, das Mozarthaus, den Sankt Martinsdom, teure Geschäfte und beliebte Kaffeehäuser.«

»Und du kommst nicht mit?«, fragte Jeff.

»Während Ihres Spaziergangs bereite ich das Programm in Budapest vor. Ich habe viel Papierkram und eine lange Aufgabenliste«, log er.

In Bratislava ging er nie mit den Pensionisten mit. Er hätte sich in Grund und Boden geschämt.

»Du machst schon wieder blau. Gib wenigstens zu, dass du zu deinem Mädchen gehst!«, krächzte William Webster.

»Sie haben recht, lieber William, verzeihen Sie, ich will mich wenigstens eine Stunde in einem Kaffeehaus mit meiner Freundin treffen und bitte Sie untertänigst, leiten Sie das nicht an die Firma weiter.«

»Ach was, was soll man mit dir schon anfangen, du bist faul und unfähig, das ist unverzeihlich, allerdings, das hier kann ich durchaus verstehen, ich war ja auch mal jung und töricht«, antwortete William herablassend. »Aber mach schnell, dass du ja bald wieder da bist!«

»Ich danke Ihnen, Sie sind zu gütig!«

»Nichts zu danken, gern geschehen, doch ich werde dich noch daran erinnern, wenn ich mal wieder unzufrieden bin. Denk' mal drüber nach!«

Manche Touristen hinkten absichtlich, um Martin zu quälen und ihm ein schlechtes Gewissen zu machen. Sie wollten, dass er sich für sein körperliches Glück sowie für seinen ungehörigen Vorteil schämte. Oft wetteiferten die Amis während eines Urlaubs in der Kategorie Pflegebedürftigkeit, doch bei der Abreise sprangen sie schließlich aus dem Bus am Flughafen und liefen los, weil sie Martins Mitleid nun nicht mehr benötigten und selbst von ihrer vorgetäuschten Hilflosigkeit die Schnauze voll hatten. Der letzte in der langen Reihe, Arthur Breisky, benahm sich allerdings anders: Er biss die Zähne zusammen und zog wacker die Sauerstoffflasche hinter sich her.

Martin war froh, als er die Passagiere nicht mehr hören konnte und endlich Stille am Kai eingekehrt war. Für drei Stunden hatte er Ruhe von den Touristen. Die Sonne stand schon hoch. Er schlenderte durch die Gassen seiner Kindheit; nur die wenigsten trugen immer noch dieselben Namen wie zu seiner Schulzeit. Die Geschichte überschwemmte die Gassen von Bratislava mit einer Wucht, die nicht nur ihre Seelen, sondern auch deren Namen beanspruchte.

Eine halbe Stunde später war er wieder auf dem Schiff, setzte sich an den Laptop und fing an, seine Liste abzuarbeiten. Er las seine E-Mails und beantwortete die Fragen aus der ADC-Zentrale. Er bestätigte das Budapester Programm, rief bei fünf Reiseführern und zwei Museumsverwaltern an. Nach einer Stunde war er mit seiner Arbeit fertig und beschloss, bei Clark Collis nachzusehen. Er hatte ihn vernachlässigt und zu sehr der Besatzung überlassen.

Collis hatte ihn wohl erwartet. Er war viel besser gelaunt als beim letzten Mal, überaus freundlich, liebenswürdig, und er verfolgte die Bewegungen seines Gastes aufmerksam mit seinen kleinen Augen. Wieder trug er einen dunkelblauen Pyjama, mit einem gestickten Monogramm auf der Brusttasche. Einige Toilettensachen lagen neben ihm auf dem Bett. In einem Glas am Tisch lag ein Ersatzgebiss in einer Desinfektionslösung.

»Ich begrüße Sie, Herr Collis. Fühlen Sie sich exzellent?«

»Danke, lieber Martin. Ja!«, rief Clark. »Ich fühle mich so gut wie schon lange nicht mehr.«

»Das höre ich gern. Hören Sie mir in Ihrer Kajüte immer noch zu?«

»Ich habe dich, muss ich gestehen, etwas vernachlässigt. Nach diesem Erlebnis hatte ich Lust, einfach nur dazuliegen und zu träumen wie in den guten alten Zeiten.«

»Nach welchem Erlebnis, wenn ich fragen darf?«

»Wir sind hier doch unter uns, du weißt schon, was ich meine ...
Ich hoffe, wir können das bald wiederholen.«

»Ich fürchte, ich verstehe nicht ganz, Herr Collis.«

»Die Frau, die du mir geschickt hast – ich danke dir so dafür. Phantastisch, aufmerksam, schön, wirklich hübsch und sexy. Sie war nicht
einmal teuer. Im Web habe ich ja schon gelesen, dass es hier in Osteuropa recht billig ist. Wenn du nur wüsstest, welche Preise sie mittlerweile in Amerika verlangen«, seufzte er.

»Von welcher Frau sprechen Sie?«

»Natürlich von Mona ... Hey, was ist mit dir los? Hörst du mir
überhaupt zu?«

Martin versuchte, den Schreck, der in seine Glieder gefahren war,
irgendwie zu verbergen. Halluzinierte er, oder war der Alte wahnsinnig geworden?

»Entschuldigen Sie ... ich muss weg«, stotterte er und schlug die
Tür hinter sich zu.

Ein solches Verhalten duldete die Firma natürlich nicht. Martin
schwankte in seine Kajüte, setzte sich und starrte auf die Donau. Eine
Stunde später rief die Rezeptionistin an und meldete die Rückkehr
aller Passagiere.

Vor einem Treffen mit seinen Gästen sollte er sich lieber frisch machen, doch es war ihm egal. Er hatte nicht die geringste Lust, mit jemandem zu sprechen. Dieser schreckliche Tag ging aber noch weiter.
Er wusste nicht, wohin mit den zitternden Händen.

Am liebsten hätte er alles stehen und liegen lassen, wäre von Bord
gegangen und nie wieder zurückgekehrt. Martin freute sich über
jede stupide Frage, über jede Anweisung vom Kapitän, die ihn etwas
beschäftige, nur um nicht weiter nachdenken zu müssen. Genauer
als an diesem heißen Sommernachmittag hatte er seinen Dienst wohl
noch nie verrichtet. Alles war besser, als an Mona zu denken.

Er fuhr auch nicht mit ins slowakische Dorf, um dort Gänsebraten
zu essen. Er mochte keinen in altem Schmalz schwimmenden Braten,

minderwertigen Birnenschnaps, fettige Gänseleber und sauren Wein, all das obendrein in dieser Hitze. Früher wurde Gänsebraten in den Kleinen Karpaten nur ein paarmal im Jahr gegessen, da war er immer frisch; jetzt konnte man ihn jederzeit bestellen, aus der Tiefkühltruhe und in der Mikrowelle aufgewärmt. Martin freute sich insgeheim, dass dieser Programmpunkt schon seit langem am Schlechtesten abschnitt, obwohl er der Firma gegenüber stets beteuerte, wie leid es ihm täte. Amerikaner essen keine Gänse, sie lieben allerdings Truthahn. Es freute ihn, dass sich nur 21 Reisende für dieses Essen angemeldet hatten. Er setzte sie mit der Reiseführerin in einen Kleinbus und schickte sie los.

Nach dem Mittagessen saß er hinter seinem Pult. Er blätterte im Kalender und machte sich Notizen. Sein Vorhaben wurde immer greifbarer. Nach einer halben Stunde gewann es erste klare Umrisse. Er beschloss, Mona aufzusuchen. Als er den Gang entlangschritt, fühlte er sich müde und zugleich gereizt, unnatürlich wach. Er fand sie in der Wäscherei, hinter dem Bügelbrett. Sie sagte bei seinem Erscheinen kein Wort.

»Wir müssen reden«, erklärte er.

»Worüber? Jetzt habe ich keine Zeit.«

»Das weißt du ganz genau. Keine Ausflüchte. Nimm dir eine Stunde frei, und wir gehen zu unserer Stelle am anderen Donauufer, wir können ein Taxi nehmen.«

»Ich arbeite, siehst du das nicht?«

»Mona, das hier ist nicht wirklich deine Arbeit. Jetzt ist Schluss. Du hast schon etwas anderes gefunden. Ich weiß alles. Wir klären es, und dann verabschieden wir uns. Nimm all deine Sachen mit. Ich warte auf dich.«

Mona sah ihn ungläubig an. Ihr Gesicht verriet, wie gehetzt sie war. Sie blickte nach rechts und dann nach links und lehnte sich schließlich zurück, reif und sinnlich.

»Wir können auch hier. Jetzt gleich!«

Sie lächelte verführerisch, hielt sich an der Waschmaschine fest und streckte ihren Hintern vor. Sie lachte ihm ins Gesicht, mit einer Verachtung, die ihm weh tat und ihn zugleich betörte. Plötzlich war ein lautes Gelächter zu hören; es waren Lariana, Madalina, Loredana und Ioana, die Martin nicht hatte sehen können, weil sie sich vor ihm versteckt gehalten hatten. Sie trugen nur Unterwäsche und darüber ein Firmenleibchen, um die Hitze irgendwie auszuhalten. Martin begriff, dass Mona dieses Schiff nicht verlassen würde. Er konnte jetzt nicht allein sein. Obwohl er frei hatte, mischte er sich unter die Passagiere. Die Kollegen sahen ihn und schüttelten ungläubig die Köpfe. Die Regel lautete: Meide die Passagiere wie der Teufel das Weihwasser, wo du kannst und wann du kannst, immer und überall. Doch Martin fühlte sich wohl in ihrer Gesellschaft.

15. DER LETZTE STÖR

Martin Roy kam in Bratislava zur Welt. Er wusste nicht, wann er die Donau zum ersten Mal gesehen hatte – vielleicht war er nur einige Wochen oder Tage alt gewesen, er hatte seine Mutter nie danach gefragt. Doch sie hatte ihm oft erzählt, dass er, kaum dass er im Kinderwagen sitzen konnte, seine Augen nicht mehr vom Fluss lassen konnte; und wenn er diesen länger nicht sah, hätte sein Gesicht irgendwie alt gewirkt, und die Augen glänzten dann fiebrig. Er wuchs in Petržalka auf, in einem der schlechteren, vielleicht im schlechtesten aller Plattenbauten, die nahe am Ufer standen. Bei Hochwasser wurden die Keller regelmäßig überschwemmt.

Als sich andere Buben für Spielzeugautos, Computerspiele und Fußballklubs begeisterten, ließ sich Martin vom Fluss entführen. Er verschlang lauter Bücher über die Donau und lernte nach und nach die Helden und berühmten Schiffe kennen, von den Römern, Kelten und fränkischen Kaufleuten, die den Strom mit Schiffen voller Schätze befahren hatten, bis hin zu mittelalterlichen Rittern und deutschen Kriegsschiffen und sowjetischen Zerstörern. Donaumatrosen aus Ulm, Regensburg und Wien, Abenteurer und Siedler, Händler und Soldaten, Kreuzritter, Kapitäne, Admirale und Goldsucher, alle fuhren sie den Strom entlang, mit einem Schwert, einer Fackel oder einem Buch in der Hand.

Die Entscheidung, das alte Dorf abzutragen und eine neue sozialistische Siedlung zu errichten (Petržalka), fiel zur Zeit der Wohnungsnot im Jahre 1973. Martins Vorfahren stammten nicht aus Bratislava. Seine Eltern zogen sehr jung nach dem Krieg in die Hauptstadt. Sie kamen aus dem entlegenen Gebiet bei Arwa im Norden des Landes mit einem der ersten Transporte, der slowakische Siedler aus dem Norden und Osten des Landes brachte. Ihr neues Zuhause nahmen sie verlegen, beinahe schon ängstlich in Besitz. Die Beamten hatten ihnen allerlei Versprechungen gemacht – bald schon, nur durchhalten! – eine kleine Wohnung und eine Handvoll Lebensmittelkarten. Sie durften 20 Kilo Gepäck pro Person mitnehmen.

Martins Vater, Jozef Roy, war davon überzeugt, dass die Juden und Karpatendeutschen vor ihrer Aussiedlung irgendwo riesige Schätze vergraben hatten – in den Karpaten oder in der Donau. Immerzu grübelte er, wie man die Kisten voller Gold heben könnte. Martins Mutter war der Inbegriff aller Güte und Großzügigkeit. Sie hatte müde Augen, glatte Haare, einen schweren Busen und einen dicken Bauch. Ihr Kopf neigte sich vom langen Schweigen. Sie war gut in Handarbeiten, zahlreiche Haushalte im Plattenbau hatten ihre gewebten Decken auf ihren Resopaltischen – Plattenbau und Volkskunst fanden zueinander.

Martins Vater war ein leidenschaftlicher Fischer, sein großartigster Fang wurde sogar in Zeitungen abgelichtet. Der Donauabschnitt zwischen Bratislava und Komárno war schon immer ein fischreiches Revier gewesen. Der Strom wird hier etwas langsamer, kämpft sich durch tausendjährige Ablagerungen hindurch. Kaviar war seinerzeit alltäglicher Bestandteil der Speisekarte, selbst für die ärmsten Familien der Stadt war das nichts Besonderes. Jozef war am liebsten mit seiner Angel unterwegs, in Gummistiefeln, einem ausgebleichten Arbeitsgewand und einem Strohhut mit schwarzer Schleife. Martin begleitete ihn immer, auch wenn er dafür um vier Uhr früh aufstehen musste. Sein Vater fing Karpfen, Schleie, Brachsen, Zander und manchmal auch Hechte. Am liebsten war ihm, wenn vollkommene Stille herrschte, denn mit Gesprächen wurden nur die Fische verscheucht. Er trank langsam sein Bier und beobachtete die Bewegung seiner Rute, um den Augenblick, wo so ein Fisch anbeißt, ja nicht zu verpassen. Er fischte auch mit Harpunen und den bloßen Händen.

Die gefangenen Fische öffneten verzweifelt ihre Mäuler. Der Vater zog sie, einen nach dem anderen, mit dem Kopf voran aus dem

Wasser, zwei Finger unter deren Kiemen gesteckt. Zu Hause aßen sie außer Fisch auch noch Flusskrebse. Der Tisch war nach so einem Abendessen übersät von Panzern, Scheren, Schwänzen und Brotbröseln. Jeder Fischer in Bratislava träumte davon, einmal einen Stör zu fangen. Der legendäre Fisch war schon den Römern bekannt. Damals soll er bis zu zehn Meter groß geworden und regelmäßig den Strom aufwärts gezogen sein. Noch vor hundert Jahren waren in Wien mehrere Fischhändler nur auf Störfleisch spezialisiert gewesen, und die kapitalsten Stücke wurden bis nach München, Krakau und noch weiter ausgeliefert. Später wurde der Stör eine Seltenheit, nachdem ihm die Staustufen den Weg abschnitten. Das Störfleisch war überaus beliebt, weil es auch in der Fastenzeit gegessen werden durfte. Jozef Roy hatte im Herbst 1982 wohl den letzten Stör in Bratislava gefangen.

Im heißen Sommer sank der Wasserspiegel so tief, dass sogar der mit Algen überwucherte Panzer zum ersten Mal zum Vorschein kam, der hier in der Nacht des 21. August 1968 bei der »Operation Donau«, der Besetzung der Tschechoslowakei durch die Armeen des Warschauer Paktes, im Wasser versenkt wurde. An der Oberfläche trieben Karpfen und Schleie mit angelegten Kiemen, manche schon tot, und die Menschen kamen in der Nacht, um die Netze einzuholen.

Der Vater hatte auf den Stör, den König der Donau, ein Leben lang gewartet; seit vielen Jahren war er mit ihren Angewohnheiten vertraut. In der Vergangenheit waren die Störe mit der gleichen eisernen Regelmäßigkeit wie Schwalben vorbeigezogen, von einem geheimnisvollen, unbeirrbaren Instinkt geleitet, der erst von der menschlichen Technik außer Kraft gesetzt wurde. Der größte Süßwasserfisch war nun nach Jahrzehnten wieder in Bratislava eingetroffen. Er kam aus dem Schwarzen Meer und war nach Bayern unterwegs. In der Vergangenheit zogen die Störe zuweilen auch in andere Flüsse, die untere Waag, Neutra und March, doch auch in kleinere Flussläufe, wie die Theiß. Geschichten über Störe wurden gern ausgeschmückt.

Die Störe tauchten geschickt unter den Betonbarrieren durch und widerstanden allen Verlockungen. Martin sah sie als Erster und erlebte einen Anblick, der die Menschen seit jeher in Verzückung versetzt hatte. Zwei Dutzend Fische überwanden mit Leichtigkeit den Donaustrom. Bei manchen ragte der Rücken aus dem Wasser. Man schätzte sie auf sieben oder acht Meter Länge. Der Fluss kochte förmlich vor all den glitzernden Schuppen. Wenn sie sich ab und zu ausruhten, sahen ihre Körper wie große Felsblöcke aus. Ein paar Sekunden später bewegten sie sich unverhofft. Sich der allgegenwärtigen Gefahr bewusst, schwammen sie in Schwärmen, berührten einander an den Flanken und genossen ihre Schwimmkünste. Sie hinterließen eine breite Rinne, an deren Rändern die Luftblasen unter den Möwenfüßchen zerplatzten. Einst waren Hunderte Störe den Strom auf und ab gewandert. Der größte Fang aller Zeiten soll vor mehr als hundert Jahren über eine Tonne gewogen haben, doch Jozef glaubte das nicht.

Er nahm eine Schnur, dick wie sein kleiner Finger, einen Haken, groß wie seine Handfläche, und den größten Köder, den er je verwendet hatte: eine halbe gerupfte Ente. Er stand angespannt da und widmete sich voll und ganz seiner Jagd. Die Störe schwammen vorbei und entkamen. Einer jedoch biss an. Er erkannte allerdings die Gefahr, schoss nach vorn, und man sah seinen Kopf aus dem schäumenden Wasser ragen. Hinter seinem Schwanz blubberte es, vor dem breiten Maul bildete sich ein Strudel. Er bäumte sich blitzschnell auf, warf sich in Richtung seiner Gefährten, doch die Angelschnur ließ dies nicht zu.

Der Stör schwamm resigniert umher, schien Angst zu haben, doch wie aus dem Nichts warf er sich plötzlich in die andere Richtung und schoss davon. Zum ersten Mal in seinem Leben rief Jozef zwei andere Männer zu Hilfe. Die Angelrute bog sich bis aufs Äußerste. Der Stör kam an die Oberfläche, riss das Maul auf und schien zu drohen.

»Der kann gut dreißig Jahre alt sein«, stieß einer der Fischer hervor.

»Mehr noch, vielleicht fünfzig«, antwortete der andere.

Josef schwieg eisern. Fünfundvierzig Minuten lang kämpfte er mit dem Fisch. Der nächste Fluchtversuch war von kürzerer Dauer. Der Stör kapitulierte schließlich und ließ sich auf dem Rücken zum Ufer ziehen.

Sie trieben ihn in eine Art geschickt angelegtes Pfahlgatter. Martin schubsten sie weg, um ihn nicht zu verletzen. Nun begann die zweite Runde. Kaum war der Stör in der Falle, schien er zu begreifen, dass dies nun seine letzte Chance war, er erwachte noch einmal zum Leben und schlug in alle Richtungen aus wie ein wütender Boxer.

Die Männer umstellten den Fisch und zogen ihn mit vereinten Kräften zum Ufer. Sie mussten allerdings Opfer bringen. Der Stör biss zwei Menschen, stieß mit dem Kopf gegen ihre Brustkörbe und peitschte sie mit den Barteln. In Todeskrämpfen schlug er um sich, wand sich wie ein Drache, schwamm im eigenen Blut und hüllte sich in einen vom eigenen Körper aufgewirbelten Vorhang aus fallenden Tropfen.

Das stumme Flusswesen hatte keine Stimme, umso grauenvoller war sein Röcheln. Er krümmte sich auf die eine, dann auf die andere Seite, doch es konnte nun nicht mehr mit dem Leben davonkommen. Jemand schrie, doch dann wurde es jählings still. Blut floss. Der Vater berührte den glitschigen Bauch, ebenfalls nach Atem ringend. Der Stör zuckte nach links und rechts, fächerte wie wild mit seinen Kiemen. Es fielen einige harte Schläge, man erschlug ihn mit Knüppeln, und dann zog sogar ein herbeigeeilter Polizist die Pistole und schoss ihm in den Kopf.

Der Vater kroch aus dem Wasser, setzte sich ans Ufer und starrte die Leiche an. Die Fischer waren bald von einer Menschenmenge umrundet. Ein Journalist von der Abendzeitung machte ein paar Fotos. Ein herbeigerufener Wagen zog den Stör zur Gänze an Land. Er maß zwei Meter zwanzig. Vater zog sein Messer aus der Tasche, versenkte es im Fleisch des Fisches und lächelte ausnahmsweise. Aus dem Bauch des Störs brachen Millionen an Eiern hervor, kostbarster

Kaviar. Abends verkostete ihn Martin und aß auch reichlich vom delikaten Fleisch. Die Eltern tranken zu jedem Bissen Wodka und beschlossen – anlässlich dieses feierlichen Anlasses – auch gleich den Kauf eines Škoda 105. Den Rest des Fisches kassierte der Staat.

16. DONAUBIEGUNGEN

Mona schlief zum ersten Mal nicht in seiner Kajüte.

Niemals hört die Donau auf zu fließen, selbst wenn lange Dürreperioden auftreten, weil sie von Quellen aus fernen Gebirgen gespeist wird. Der Slowakei gehören 172 Kilometer. Auf der rechten Seite, bei Čunov, befand sich eine Galerie mit Gegenwartskunst, die Danubiana. Hinter Bratislava biss sich die Donau durch die kleinen Karpaten, mündete in die ungarische Tiefebene und bildete viele Seitenarme. Die *America* schwamm vorbei an Ahorn- und Pappelwäldern voller Misteln. Der Strom riss ganze Bäume mit sich. Irgendwo hier überquerte im Jahr 173 der Kaiser Marc Aurel mit seinen Truppen die Donau und gelangte so an ihr nördliches Ufer, das Gebiet der Barbaren, der germanischen Quaden. Die provisorische Pontonbrücke bauten sie sich aus Booten. Sie ist bis heute am Relief einer Gedenksäule in Rom zu sehen.

Auf slowakischem Gebiet wurde früher an seichten Stellen tatsächlich Goldsand gewaschen. Die Menschen verdienten mit dieser harten, beharrlichen, jedoch freien Arbeit ihren Lebensunterhalt. Ganze Jahrhunderte lang nahm die Donau Goldkörner in überraschenden Mengen aus den Alpen mit, die »Große Schüttinsel« wurde daher auch »Goldener Garten« genannt. Laut einer Sage fielen die goldenen Körner aus den Kleidern der Donaufeen, aus Sonnen- und Mondstrahlen, Blumenblättern und goldenen Haaren gewoben. Die Körner wurden von Sand und Kies getrennt, mit Quecksilber vermischt und chemisch gereinigt. Die Fundstellen und Methoden der Gewinnung vererbten die Väter später an ihre Söhne.

Auf dem Stausee in Gabčíkovo, einem 20 Kilometer langem Zuflusskanal, machte Martin die Amerikaner darauf aufmerksam, dass das Wasser einige Meter höher floss, als die umliegenden Dörfer und Städte lagen. Die kontroversen politischen Umstände, die das Entstehen dieses Wasserwerks begleitet hatten, sparte er lieber aus. Der höchste Aussichtspunkt des Schiffes bot einen beeindruckenden Ausblick. Eine ruhige Landschaft, mit Obstgärten und gemähten Feldern, strahlte eine überbordende Fruchtbarkeit aus. Die Sonne schien gnadenlos, kein Blatt rührte sich. Die *America* schwamm unter der mehr als hundert Jahre alten Elisabethbrücke in Komárno vorbei, auf der dichter Grenzverkehr herrschte. Der Blick auf den Kapitän war nicht gerade erfreulich. Atanasiu steuerte das Schiff in zerknitterter Uniform und war betrunken. Sein Gesicht wirkte dunkelrot, die Augen blutunterlaufen, und von der Stirn tropfte ihm der Schweiß. Wenn er essen wollte, ließ er sich die Speisen bringen. Wie kann ein so desolater Mensch eine solche Verantwortung tragen? Er grüßte nicht einmal mehr die anderen Kapitäne. Wenn sich zwei Schiffe an der Donau begegneten, unterhielten sich die Schiffsführer für gewöhnlich kurz per Funk miteinander. Die Dialoge setzten sich oft fort, selbst wenn die Schiffe längst hinter der nächsten Biegung verschwunden waren. Viele Kapitäne kannten sich, stammten aus gleichen Häfen oder hatten an der gleichen Hochschule studiert. Meistens sprachen sie nicht auf Englisch, damit sie sich ungestört über die amerikanische Klientel austauschen konnten, sondern in gebrochenem Serbokroatisch, Russisch oder Rumänisch.

»Grüß dich, Atanasiu! Wie geht's dir, Mann!«, meldete sich der slowakische Kapitän Oliver Benkovský von einem großen deutschen Schiff, der *MS Arosa*. Martin wusste, dass ihn Atanasiu sehr gut kannte. »Hey, Männer, seid ihr noch da? Habt ihr gestern etwa so viel gesoffen, dass ihr noch schlaft, ihr Bestien!? Ich habe es euch ja gesagt, sauft nicht mehr so viel Schnaps, ihr Schweine! Oder habt ihr wieder diesen rumänischen Rachenputzer gebechert? Ich habe euch gewarnt! Hallo? Hört ihr mich?«

Atanasiu gab keinen Laut von sich, starrte auf die Wasseroberfläche und schwieg. Das Signal wurde unterbrochen, aus den Lautsprechern hörte man ein Rauschen, ein sporadisches Piepsen, dann *schkrrrrrrr, schkrrk,* und das Gerät war plötzlich stumm. Was Martin sah, berührte ihn längst nicht mehr.

»Hast du schon dein Testament gemacht?«, fragte ihn Atanasiu unvermittelt.

»Nein, um Gottes willen«, antwortete Martin. »Wozu?«

»Dann beeil dich, damit es nicht zu spät ist.«

»Jetzt übertreib nicht ...«

»Ich habe es seit meiner ersten Reise dabei. Ohne dieses Stück Papier würde ich das Schiff gar nicht betreten. Man sieht, dass du noch gar nichts über die Donau weißt.«

Der Kapitän bremste. An einer strategischen Stelle, am linken Ufer, dem Zusammenfluss der Donau mit der Hron, hatten die Römer einst eine Siedlung namens Anavum erbaut.

Die beiden Ufer verband eine der schönsten Donaubrücken. Benannt war sie nach der Kaisertochter Marie-Valerie, hatte vier Pfeiler, über die sich eine Eisenkonstruktion in fünf Bögen spannte. Insgesamt maß sie 480 Meter. Die Deutschen hatten sie bei ihrem Rückzug im Jahr 1945 zerstört. Bis 2001 lag der Bau als ein Sinnbild für die bescheidenen nachbarschaftlichen Beziehungen brach, dann wurde die Brücke endlich erneuert.

Auf der anderen Seite lag das ungarische Esztergom mit einer imposanten Basilika. Die Amerikaner fotografierten, und Martin weihte sie in die Geschichte dieses Doms ein, welcher mittelalterlich aussah, doch eigentlich war erst 1822 mit dem Bau begonnen worden. In der zweiten Hälfte des 10. Jahrhunderts wurde dort der erste ungarische König, der heilige Stefan, geboren, und Esztergom mauserte sich für zweieinhalb Jahrhunderte zur Hauptstadt. Nach der Invasion der Türken verlor die Stadt für eine lange Zeit an Bedeutung.

Rechts breiteten sich die Pilisberge aus. Eine Stunde später stach auf dem Gipfel gegenüber von Nagymaros die obere Visegráder Burg hervor, und am Ufer lag eine andere, sie enthielt auch das Palais der Könige.

Im Ungarischen blieben die Ortsnamen unverändert. Der Name Visegrád wurde hier seit gut 1500 Jahren verwendet. Für Mitteleuropa war es bezeichnend, dass dort auch böhmische und polnische Könige einst ihren Sitz gehabt hatten – allerdings keine slowakischen, denn solche gab es nicht. Den Höhepunkt seiner Macht genoss Visegrád im 15. Jahrhundert, während der Herrschaft des Königs Matthias Corvinus, der, als ein Verbündeter Roms, erfolgreich die Türken zurückgedrängt hatte.

Die *America* gelangte nunmehr zum Flusskilometer 1708, zur sogenannten Mündung von Ipel, einer Donauschlaufe. Der Fluss wandte sich aus östlicher Richtung nach Süden, verließ die Slowakei, teilte sich in zwei große Arme und ergoss sich in eine breite Ebene.

17. DAS ENDE DER KINDHEIT

Das erste Mal reiste Martin im August 1989 nach Ungarn. Seine Kindheitsjahre waren verschlafen wie die Reden der Parteifunktionäre, gähnend und langsam wie ein Trabi auf der Autobahn und eintönig wie Nachmittagssendungen des Tschechoslowakischen Rundfunks. Die zwei Ferienmonate, vom 1. Juli bis 31. August, verliefen fast immer gleich. Ganze Wochen lang hing er zu Hause herum, las viel und versuchte, nicht ständig an Mona zu denken. Gelang es ihm, die Eltern zu überzeugen, fuhren sie in Urlaubsdestinationen von solch internationaler Anziehungskraft wie Kokava nad Rimavicou, Domažlice oder Zemplínská Šírava, aus purer Verzweiflung wohl auch »slowakisches Meer« genannt. Die Sonnenidylle wurde beharrlich von sowjetischen Piloten in ohrenbetäubenden Kampfflugzeugen gestört, die pflichtbewusst die Tschechoslowakei vor einem Angriff des Westens bewachten. Der Vater versprach ihm einen ersten Urlaub im Ausland. Eine große Sache.

Im Frühjahr 1989 wuchs das Chaos von Woche zu Woche und bekam schon bald völlig absurde Züge. Das Regime zwang das Leben auf ein dermaßen primitives Niveau, dass nur noch die Leute halbwegs gut angezogen waren, die auch in Textilgeschäften arbeiteten. Das Land mit seiner rasch im Wert sinkenden Währung überlebte lediglich dank seiner Schwächen, die Leute selbst hatten keine Kraft mehr. Die Ernten fanden im Fernsehen statt, und der Roggen blieb einfach auf den Feldern liegen, ungeerntet. Obwohl der Ostblock langsam zusammenbrach, bestand ein großer Teil des Unterrichts aus Erklärungen, was die Sowjets alles geschaffen und die Amerikaner zerstört oder von ihnen kopiert hatten. Schon Ungarn kam Martin wie ein unerreichbares, kapitalistisches Glück vor, und das unbekannte Jugoslawien schien so weit entfernt wie ein anderer Planet. Der Vater verkündete, wenn man schon zu reisen gedenke, dann doch wenigstens in eine Stadt an der Donau. Er und Martin wünschten es sich sehr, Budapest kennenzulernen. Sie fuhren mit dem Škoda 105, dessen Name den Eindruck implizierte, dass es vor diesem Modell schon 104 andere gegeben hatte und dieses den Höhepunkt einer langandauernden (erfolgreichen) Entwicklung darstellte. Dem war jedoch nicht so. Wenn man mit einem solchen Fahrzeug unterwegs war, wuchs die Entfernung zu all den Bergen, Seen und Meeren stetig, und eine ansonsten einstündige Reise konnte vier oder fünf Stunden dauern.

Eine damalige Reise nach Ungarn erforderte eine ähnliche Vorbereitung wie ein heutiger transatlantischer Flug eines verfolgten Drogendealers. In alte Cremetuben und Zeltstangen stopften die Eltern äußerst kompliziert westdeutsche Mark, in Rollen gewickelt, irgendwie hergeschmuggelt, zu einem absolut unzumutbaren Kurs. Die Geldwechsler wurden schon damals sehr reich – jeder wollte schließlich Schweizer Franken oder Dollar in seinen Taschen haben. Die tschechoslowakischen Kronen zerflossen einem nur so durch die Finger. In Einmachgläser füllte die Mutter für jeden Tag das Essen. In diesen zweiwöchigen Aufenthalt in einem Camp, das jeder seriöse Hygienebeauftragte sofort geschlossen hätte, investierten die Eltern ihre ganzen Ersparnisse.

Kaum aus Bratislava herausgekommen, ging das verdammte Fahrzeug kaputt. Der Keilriemen riss, und der Vater ersetzte ihn durch Mutters Strumpfhosen. Im Stau an der Grenze kam es zu weiteren spannenden Momenten, doch das Auto hielt irgendwie durch. Unfreundliche Zöllner strömten aus der Grenzstation, kontrollierten gründlich alle Dokumente, durchsuchten die überfüllten Autos und, wie gemunkelt wurde, tatsächlich auch so manchen Hintern. Die Menschen zitterten vor Angst. Doch dann winkte endlich einer mit der Hand, und der Vater gab, nunmehr auf ungarischer Seite, Gas.

Martin war zum ersten Mal in seinem Leben im Ausland. Die Reise führte die Donau entlang. Als er endlich Budapest erblickte, machte der Auspuff Schwierigkeiten. Das Auto ratterte wie ein Maschinengewehr. Überall, wo sie hinkamen, ging das Licht an, ein Fenster nach dem anderen, weil sich die Menschen wohl dachten, erneut von der sowjetischen Armee besetzt zu werden. Ein Hotel kam überhaupt nicht in Frage. Die Eltern fuhren zu dem Camp unweit der Donau. Das Zeltlager platzte aus allen Nähten. Die Grasfläche war mit Schlafsäcken und Autos übersät. Die Familie Roy fand kaum einen Platz, um das orangefarbene Zeltmonstrum aufzuschlagen, das, obwohl man sich drinnen weder bewegen noch bequem hinlegen konnte, ungefähr eine Tonne wog.

Die anderen Touristen reisten in ostdeutschen Plastikfahrzeugen an, produziert in Zwickau, mit dieser absurden Aufschrift »De Luxe« auf dem Kofferraum. Überall hörte man das lispelnde, sächsische Deutsch. Irgendetwas hing in der Luft. Selbst die Kinder spürten die Anspannung. Der Waschraum, den nicht einmal eine Kuh betreten hätte, wurde jeden Morgen von nervösen Ostdeutschen vereinnahmt, die keinesfalls einen Urlaub im Sinn hatten, sie flüsterten und tuschelten verschwörerisch und gaben sich sehr geheimnisvoll. Martin war das egal, er war absolut glücklich, dass im Schwimmbecken kaum einer badete.

Das Wort »Wellness« gab es damals noch nicht. Die Heilquellen interessierten Martin nicht die Bohne. Er hoffte, es würde ihm gelingen, neongrüne Schuhbänder, eine Spiegelsonnenbrille und eine gefälschte Jacke mit drei Streifen aufzutreiben. Seine Welt drehte sich um Schokopalatschinken, Plakate von Sandra und Michael Jackson, damals noch dunkelhäutig und außerordentlich lebhaft, beziehungsweise Comichefte in einer Sprache, die doch keiner verstand: *Köszönöm szépen!* Die Waren auf den Märkten sahen übertrieben grell aus. Stündlich kamen mehr Deutsche an, die zunehmend ärmer und verängstigter aussahen.

Eines Morgens wachte Martin verschwitzt im Zelt auf, in dem

eine Gluthitze herrschte. Verschlafen zog er den Reißverschluss hoch, steckte den Kopf hinaus und rieb sich die Augen, von einem gleißenden Licht geblendet. Zuerst dachte er, er würde träumen. Es dauerte eine ganze Weile, bis ihm klar wurde, dass er doch wach und bei Sinnen war.

Die Roys waren ganz allein im Campinglager zurückgeblieben. Weit und breit kein anderer Mensch. Nur eine unvorstellbare, atemberaubende Stille. Rundherum standen einige verlassene Trabis. Die Kolonne an leeren Fahrzeugen zog sich an manchen Stellen mehrere Kilometer lang, bis zur Grenze, wo am 27. Juni der Stacheldraht durchschnitten worden war. Im zusammengetretenen Gras lagen einige ostdeutsche Produkte herum, doch für die interessierte sich Martin nicht. Trotz all der Einsamkeit überfiel ihn eine Euphorie. Die Eltern diskutierten, was sie weiter tun würden, und entschieden auch zu packen. Martin schritt zum verlassenen Becken. Etwas hatte sich wohl für immer verändert. Obwohl er noch keine Ahnung von Politik hatte, war ihm klar, dass gerade Geschichte geschrieben worden war, und gleichzeitig spürte er, dass sich seine Kindheit dem Ende zuneigte.

II. TEIL

»Wenn du das Dröhnen des Flusses hörst, verzichte auf alle Zukunftspläne.«

Gyula Krúdy: Traumbuch

»Die Donau existiert nicht, das ist ganz klar.«

Péter Esterházy

»Ich folgt' ihm nach, um Weitres zu erkunden,
Worauf uns bald des Stroms Gebraus erklang,
So nah, daß wir uns sprechend kaum verstunden.
Gleich jenem Flusse mit dem eignen Gang.«

Dante Alighieri

»Die Donau kennt alles, was Europa kennt. Nichts Neues ereignet sich, es sei denn, an der Donau würde es erprobt werden, und nichts Altes kann verschwinden noch aus glücklicher Vergessenheit wieder auftauchen, das nicht schon in der Donau versunken war oder gespenstisch wieder an eines ihrer Ufer trat.«

Karl-Markus Gauß

18. RAUSCH DER MELANCHOLIE

Nur in Budapest blieb die *MS America* auf ihrer Reise zum Donau-delta ganze zwei Tage lang. Um wenigstens die Illusion einer Ver-änderung zu vermitteln, setzte sie am zweiten Tag ans andere Ufer über. Martin betrachtete das Parlament, das größte europäische Ge-bäude im neugotischen Stil. Ein jedes Mal, wenn er die ungarische Metropole aufsuchte, bekam er ein kosmopolitisches Lebensgefühl. In Budapest fühlte er sich von der ersten Minute an wohl.

Die ungarische Reiseführerin Katalin erinnerte an eine zerstreute Göttin der Fruchtbarkeit mit einem Tuch um den Hals, sie quasselte wie aufgezogen. Kaum hatten sich die drei Busse in Bewegung ge-setzt, begann sie, die Gäste mit allerlei Zahlen zu beeindrucken: »Das Parlament ist 268 Meter lang, 123 Meter breit und 96 Meter hoch. Die verbaute Fläche beträgt 18.000 Quadratmeter. Im Gebäude-inneren befinden sich 10 Innenhöfe, 13 Aufzüge, 27 Tore, 29 Stiegen und 691 Räume, davon 200 Büros. Den Raumschmuck bilden 90 Sta-tuen und Wappen.«

Die Passagiere hatten große Mühe, ihr zu folgen, doch sie ließ sich nicht beirren. Martin versuchte ihr zu erklären, dass die Amerikaner keine Vorstellung von Metern hatten, doch es half nichts, Katalin plapperte unermüdlich weiter.

Budapest liegt an beiden Ufern der Donau, und die Stadtführung dauerte rund fünf Stunden – um einiges länger, als die Amerikaner bewältigen konnten. Sie gingen die Andrássy-Straße entlang. Sie überquerten die zentral gelegene Kreuzung, die, ihrer Form wegen, den Namen »Oktogon« bekommen hatte. Anstelle der einst berühm-ten Cafés *Claridge*, *Savoy* oder *Abbázia* gab es nun bekannte und ge-läufige Fastfoodketten.

Nach einer einstündigen Rückfahrt kamen die Touristen völlig erschöpft zum Heldenplatz zurück, gemartert von der sengenden Hitze, zerstochen von Mücken und betäubt von lästigen Straßenverkäuferinnen, die neben grässlichen Ansichtskarten und falschem ungarischen Paprika auch eine Verjüngungscreme anboten. Weiter ging es durch den Stadtteil Erszebetváros, mit seinen unverputzten Häusern, Balkons wie aus einer Theateraufführung, rostbehangenen Gittern, traurigen Stuckverzierungen, und überall in der Luft lag diese tranceähnliche Melancholie.

Nach der Pester Stadtführung, mit dem Haus des Terrors, dem Zoo, dem Stephansdom, der Staatsoper, der Váci-Straße, der städtischen Markthalle und dem Széchenyi-Thermalbad, fuhr der Bus über die Kettenbrücke, auf der mehr Chinesen und Koreaner als Ungarn zu sehen waren. Sie umrundeten den Adam-Clark-Platz. Im Tunnel unter dem Burghügel waren die Schlussleuchten der Autos zu sehen. Nach einem langen Aufstieg erreichte die Gruppe den Budahügel mit seinem Panoramablick. Die Amerikaner besichtigten den Königspalast, die Matthiaskirche und die Fischerbastei.

Martin machte sich unauffällig aus dem Staub, um einen Kaffee zu trinken und sein geliebtes Kastanienpüree zu probieren. Wohin das Auge reichte, war kein Hochhaus zu sehen.

In der Ferne tauchte wieder die Reiseführerin mit der gesamten Gruppe auf. Sie hatte gewiss erwartet, ein höheres Trinkgeld zu bekommen, je mehr sie sagen und zeigen würde; dieser Zusammenhang bestand in Wirklichkeit aber nicht.

Auf dem Weg zurück zum Schiff sprach Katalin auch über die älteste Kettenbrücke, die Széchényi, die als erste feste Uferverbindung 1849 erbaut worden war. Entworfen worden war sie vom englischen Baumeister Adam Clark, der unter mysteriösen Umständen Selbstmord begangen hatte. Eröffnet wurde sie als Symbol der Modernisierung und des Fortschrittsglaubens. Als 1873 die zweite in Betrieb genommen wurde, die Margaretenbrücke, hatten die Bewohner längst andere Sorgen; die Brücke wurde fortan von Selbstmördern, den Opfern einer fortschreitenden industriellen Revolution, genutzt. Gegen Ende des Zweiten Weltkrieges sprengten die Nazis schließlich alle Budapester Brücken in die Luft.

In Budapest ist die Donau weder blau noch schwarz, noch braun, vielmehr bedrohlich grau. Es waren die Ufer der Donau, wo die wesentlichsten Werke über die Funktionen der Träume entstanden sind. Abschließend führte Katalin die Touristen zum Mahnmal an der Donau, das an die Judenhinrichtungen im Winter 1944 erinnerte. Am Ufer zwischen dem Roosevelt- und dem Kossuthplatz, etwa einen Kilometer vom Schiff entfernt, lagen bronzene Schuhe verstreut, zum Gedenken an jene Menschen, die hier erschossen oder im Fluss ertränkt worden waren.

Die Amerikaner gerieten in Panik, seufzten, rangen ihre Hände, schrien vor Rührung, manche weinten sogar. Erwin Goldstucker jammerte als Einziger nicht, er versuchte seinen Blick zu schärfen, und Martin schien es fast so, als hätte er einen Augenblick lang gelächelt.

19. GULASCH

Drei volle Busse brachen nach dem Mittagessen zum Ausflug in die ungarische Steppe auf. Es ging anderthalb Stunden auf der Autobahn in Richtung Süden, zum Nationalpark Hortobágy. Seinerzeit hatten Kaufleute auf diesem Weg Salz aus Salzburg nach Buda befördert. Martin erklärte den Touristen, dass Ungarisch keine slawische, germanische und auch keine romanische Sprache sei, vielmehr eine finnougristische, verwandt mit dem Finnischen, Estnischen und Lappischen, jedenfalls ungeheuer schwer zu erlernen. Als 1924 Thomas Mann nach Budapest kam, wollte er sogar mongolische und türkische Anklänge in der Sprache gehört haben.

Es folgte ein gemeinsames Essen auf dem Bauernhof. Die Amerikaner saßen um schwere Holztische herum und bekamen reichlich Getränke und Essen vorgesetzt. Die Wände der Stube waren mit Trachten und Bauerngerät geschmückt. Aus der Küche wurden ein Kessel Gulasch und einige Körbe voller Weißbrot gebracht. An Paprika und Pfefferoni war nicht gespart worden. Die Bauern, auch ihre Frauen und Kinder, versammelten sich um das Feuer, manche hatten Kartoffeln mitgebracht und warfen diese in den Kessel, andere legten Holz nach. Das Essen musste ordentlich weich gekocht werden, um von den zahnlosen Touristen (und Drittgebissträgern) gekaut werden zu können.

Aufgrund der großen Portionen, doch vor allem dank des so starken Weins, wurden die Amerikaner zunehmend lebendiger. Alle waren weitaus gelöster als auf dem Schiff. Der Himmel war die ganze Zeit über wolkenlos. Martin wusste nicht, ob er sich plötzlich so frei und locker fühlte, weil die ganze Gruppe glänzende Augen bekommen hatte, oder ob seine Distanz zu den Touristen gerade dahinschmolz.

Auf dem kleinen Podium nahmen die Musiker Platz – bärtige Roma mit einer Geige, einem Kontrabass und einem Zymbal. Schon der erste, kräftige Zymbalton ließ jegliche Zurückhaltung verschwinden. Sogleich fanden sich einige amerikanische Paare, die wild und weitaus verrückter herumfegten als im Salon des Schiffes. Der Hof verwandelte sich in einen wilden Strudel wirbelnder, springender und stampfender Körper. Bei jedem Takt klirrten die Gläser.

In den Pausen zwischen dem Weinausschank brachten die Serviermädchen den Touristen einige Volkstänze bei, nach denen die Amerikaner noch heiterer gestimmt an ihre Tische zurückkehrten. Der Kapellmeister verbeugte sich nach jedem Lied mit der Geige unter dem Arm, und wenn ihm ein Fünf- oder Mehrdollarschein zugesteckt wurde, zwinkerte er seinen Kollegen zu, und sie legten sofort wieder los.

Martin wusste, dass alles gespielt und überzogen war und die Eigentümer nur am Gewinn interessiert waren, doch es schien ihm manchmal, dass sogar die Darsteller etwas Spaß hatten – und falls nicht, dann hatten sie ihre Arbeit tadellos ausgeführt. Morgen bereits würden sie es vielleicht für Deutsche oder Spanier tun. Der trockene Rotwein wurde pausenlos nachbestellt. Ständig wurde auf die Gesundheit angestoßen, die Rauchwolken hüllten alles in einen graublauen Dunst. Martin fühlte eine an Ausgelassenheit grenzende Leichtigkeit in sich aufsteigen. Die Fotoapparate klickten, doch ansonsten sah es wie auf einem Dorffest in vergangenen Zeiten aus, nur hießen die Menschen Erwin Goldstucker, Jeff und Ashley Rose, Foxy Davidson oder Arthur Breisky, und sie alle waren um die halbe Welt gereist.

Martin hatte getrunken, doch er wollte es nicht übertreiben. Er täuschte vor, genauso betrunken zu sein wie die anderen. Die Passagiere hingen schon über den Tischen und hoben bei den nachfolgenden Toasts nur noch ihre wässrigen Augen. Wer auf die Toilette musste, torkelte gerade noch zur richtigen Tür.

Die Passagiere kamen nach und nach zu Martin und bedankten sich überschwänglich:»Exzellenter Ausflug! Wirklich exzellentes Essen!«

Es fröstelte ihn manchmal, wenn er daran dachte, wie gut seine Gehirnwäsche funktionierte. Er würde sich bemühen, die Fahrt zu einem guten Ende zu bringen, ein hohes Rating und gutes Trinkgeld zu bekommen. Da fiel ihm plötzlich Venera ein, und er würde sich, wie alle anderen auch, so verhalten, als wäre gar nichts geschehen.

»Ich schätze, du hast dich satt gegessen und getrunken. Solche wie du bekommen nicht jeden Tag eine solche Gelegenheit. Und du hast, hoffe ich, mitverfolgt, wie ein wirklicher Gentleman speist«, rief ihm unerwartet William Webster zu.

Der Alte saß mit den anderen am Tisch, verhielt sich jedoch distanziert. Sein Ruf eilte ihm mittlerweile auf dem Schiff voraus, weswegen ihn die meisten mieden.

»Danke für das Essen und Trinken, Sie waren alle großartig. Doch wie geruhte der Gentleman zu speisen?«, fragte Martin.

Jeffrey Rose kicherte, doch als ihn Webster anblickte, verstummte er, als hätte er eine über den Mund bekommen.

»Martin Roy hat in Bratislava die Stadtführung geschwänzt, hat uns der armen Reiseführerin ausgeliefert, die nicht gut genug Englisch konnte, und hat stattdessen mit seiner Freundin geschlafen!«, rief der beschwipste Webster.

Martin saß wie versteinert da. Genug des ewigen Einlenkens!

»Ich habe in Bratislava niemanden getroffen. Doch das ist egal. Wenn ich fragen darf, mein Herr – von all Ihren großartigen Urlauben, natürlich viel besseren als dem unsrigen, welcher hat Ihnen da am besten gefallen?«

»Das weiß ich ganz genau. Die Fahrt mit dem Schiff *Adalia*, wo ich seinerzeit die Ehre hatte, als Erster Offizier zu dienen.«

»Und das war wo?«

»Das übersteigt deine gedanklichen Kapazitäten, deinen bedauernswerten Horizont! Da müsstest du bis ans Ziel kommen, um das zu begreifen.«

»Was Sie nicht sagen. Für heute ist es aber genug mit diesem Theater, einverstanden? Die anderen fühlen sich – ganz im Gegensatz zu

Ihnen – hier wohl. Auch ich möchte einen Abend lang abschalten«,
sagte Martin entschlossen, denn der Alkohol hatte ihm Mut gemacht.
»Was denn? Schau mal einer an! Der Herr möchte abschalten!
Ach, warum sollte der junge Mann nicht einen Tag frei bekommen.
Er ist ja zu Tode erschöpft vom ganzen Nichtstun. Ein grauenhafter
Abend ... furchtbar ... schenkt mir wenigstens nach!«
Das Klirren der Gläser verstummte. Auch die Musik setzte aus.
Alle Augen waren auf die Streitenden gerichtet.

»Herr Webster, Sie haben schon wieder recht«, sagte Martin so
gutmütig, wie es sein pochendes Herz erlaubte. »In mir haben Sie
tatsächlich keinen guten Gesellschafter. Ich sehe ein, ich habe Ihnen
heute die Laune verdorben. Ich hoffe, ein paar Tage halten Sie es
noch mit mir aus. Es sind ja nur noch achteinhalb.«

Webster brach in schallendes Gelächter aus. Er klatschte in die
Hände, zufrieden mit sich selbst.

»Hahaha! Achteinhalb! Auf den Tag genau hat er sich ausgerech-
net, wann er uns los werden wird. Das hat er sich bestimmt rot im
Kalender eingetragen: ein Feiertag, sie fahren wieder zurück in die
USA! Von so einem Grünschnabel brauche ich keine Belehrungen,
wann unsere Fahrt zu Ende ist! Pass auf, Junge, manchmal verrech-
net man sich. Ha, achteinhalb. Halb. Halb!«

Er lachte immer heftiger, wie von einem bösen Fieber geschüttelt.
Der Eigentümer der Csarda läutete geistesgegenwärtig mit einem
Horn die Schlussrunde ein. Trotz des Vorfalls regnete es Banknoten
in den Hut des Kapellmeisters, man sah Fünfziger, aber auch Hun-
derter darunter.

Martin war noch eingefallen, einen halben Liter Schnaps für Clark
Collis mitzunehmen, um einen Vorwand zu haben, ihm ein paar Fragen zu stellen. Schnell kaufte er beim Eigentümer eine Flasche, trank
mit ihm einen Schlaftrunk auf Kosten des Hauses, und nun musste er
nur noch die Passagiere abzählen. Die ganze Csarda kam, um sich zu
verabschieden. Danach Einstieg in die Busse, Winken und Abfahrt.

Die Rückfahrt war schnell vorbei. Martin ließ eine selbstgebrannte

CD mit ungarischen Volksliedern laufen, lehnte seinen Kopf nach hinten und verfolgte die Fahrt durch die nächtliche Landschaft. Er fühlte sich wie aufgesogen von der endlosen Ebene mit all ihrer Melancholie, den Rinderherden und der vor Hitze schwirrenden Luft. Die Passagiere schliefen oder dösten.

Da kaum Verkehr herrschte, dauerte die Rückfahrt nur knapp über eine Stunde. Der aufgebrachte William Webster stieg als Erster aus, sagte kein Wort, hinter ihm torkelte die restliche Gruppe an Bord. Die Dankesworte an Martin nahmen kein Ende.

Am Schiff beschlossen einige Amerikaner, im Salon noch weiterzutrinken. Sie luden auch Martin ein, doch dieser entschuldigte sich höflich, er müsse am nächsten Morgen früh aufstehen und arbeiten.

Es war schon fast Mitternacht, und er überlegte, ob er jetzt noch zu Clark Collis gehen oder es auf Morgen verschieben sollte. Er fühlte sich ein bisschen schwindlig. Nach den Geräuschen in der Kajüte würde er sich entscheiden; wenn er nichts hörte, ginge er schlafen.

Die Tür war überraschenderweise nur angelehnt.

»Guten Abend! Herr Collis, darf ich hereinkommen?«

Keiner antwortete.

»Hallo. Sind Sie da, Herr Collis? Ich habe eine Überraschung für Sie.«

Er tippte die Tür an und sah auf das leere Sofa. Auf dem Nachttisch lagen die Schmerztabletten. Der Raum wirkte, als hätte Herr Collis alles liegen und stehen lassen und sei plötzlich irgendwo hingegangen oder jemand hätte ihn abgeholt. Sowohl das eine als auch das andere konnte man ausschließen.

»Herr Collis?«, rief Martin. »Clark?«

Dann bemerkte er einen dunkelroten Strich, der sich unter der Badezimmertür hinzog und sich langsam verlängerte, bis er schließlich einen Fleck auf dem hellen Teppich hinterließ. Martin machte die Tür auf, und Clarks Körper fiel gegen sein Bein.

Der Körper war noch warm, und aus dem Hinterkopf floss Blut. Der Raum sah aus wie ein Schlachthaus. Die weißen Fliesen waren dunkelrot bespritzt. Im Neonlicht kam ihm der tote Körper grotesk unpassend, ja unwirklich vor. Mit einem unangenehmen Geschmack im Mund versuchte er sich wegzuschleichen, doch erst beim dritten Mal bekam er die Klinke zu fassen. Er riss die Tür auf, doch im Gang verließen ihn die Kräfte.

Das ist das Ende der Fahrt und der *MS America*. Er schrie nur deshalb nicht auf, weil er keinen Ton hervorbrachte. Mirela hatte bereits die Nachtbeleuchtung angemacht. Hier geht es hinunter, überlegte er. Schnell ins Unterdeck, die Stufen hinunter und weg, weg! Weg von hier, damit er keinem Passagier begegnete, mit dem er reden müsste. Zu spät! An der Ecke stand Mona. Warum schlief sie noch nicht? Wieso tauchte sie hier auf? Auf einmal war er völlig klar, die Wirkung des Alkohols verflogen.

»Mein Gott, Martin, was ist los? Du bist ja kreidebleich ... Ist was passiert?«, fragte sie.

»Nichts, nichts«, stotterte Martin.

Er wollte an Mona vorbei. Aus dem Salon waren Stimmenwirrwarr und Lachen zu hören.

»Wie nichts?«

»Ich habe etwas Wichtiges vergessen. Der Ausflug. Du weißt, die Puszta...«

»Ich weiß nichts, rede!«

»Was bist du so neugierig?«

»Beruhige dich, bitte. Du wolltest etwas sagen ...«

»Ich soll mich beruhigen? Das sagst du mir? Du solltest mir was erzählen oder besser dein Maul halten und von hier verschwinden, du Hure! Ich weiß alles!«, brüllte er.

»Nichts weißt du. Sprich nicht so, und sei vor allem ruhig, du weckst die Leute auf! Setz dich einmal hierher.« Sie flüsterte.

Er folgte und bereute es selbst schon, geschrien zu haben. Mona setzte sich ihm gegenüber in den Polstersessel und wartete wortlos ab. Martin erkannte im Spiegelbild der Glasvitrine die ersten Anzeichen des Wahnsinns. Zunächst musste das Wichtigste gesagt werden:

»Mona, der Mann, mit dem du für Geld geschlafen hast, Clark Collis, ist tot. Jemand hat ihn umgebracht. Und du bist verdächtig. Du warst am Tatort, du wusstest, in was für einer Lage er war, und du hattest Zugang zu ihm...«

Als er es ausgesprochen hatte, fühlte er sich leichter. Er war sich dessen bewusst, dass er vielleicht Unsinn sprach, natürlich wollte er Mona nicht erniedrigen.

»Blödsinn. Ich war die ganze Zeit in der Wäscherei, nur jetzt bin ich kurz herausgegangen, eine rauchen und mich ein bisschen auslüften. Vier Kolleginnen bezeugen dir das. Und andere haben mich auch gesehen. Ich gebe zu, ich war einmal bei dem Menschen und habe ihm einen runtergeholt, weil ich das Geld brauche, das du mir genommen hast. Es war furchtbar, und ein zweites Mal würde ich es um nichts auf der Welt mehr machen. Er wollte mich küssen, das habe ich abgelehnt, er hat mich beschimpft und wollte mir am Schluss gar nichts bezahlen. Du hast ja keine Ahnung, was es heißt, am Ende zu sein. Du tust so, als würdest du so schuften, als würdest du über den Dingen stehen, doch versuch einmal einen Tag lang unten in der Wäscherei auszuhalten, nicht hier oben, mit den Amis, sondern unten mit den Bauern – du wirst schon sehen. Ich habe viele Dinge falsch gemacht, doch in diese Geschichte kannst du mich nicht hineinziehen.«

»Du hast keine Ahnung, wovon du sprichst. Du bist seit drei Tagen hier. Versuch mal drei Jahre auf dem Schiff zu bleiben ...«

»Ich werde keine Ruhe geben, solange du mich beschuldigst. Gehen wir lieber zu Clark.«

Sie riefen Atanasiu und Tamás zum Tatort und weckten Emil und Sorin auf. Martin versuchte, sich auf jedes Detail zu konzentrieren, doch es gelang ihm nicht. Sicher hatte er wichtige Spuren übersehen. Konnte ein Dieb etwas so Grausames anrichten? Was gab es in einer Kajüte schon zu stehlen? Die meisten Amerikaner trugen keine großen Summen bei sich, nur Kleingeld für die Trinkgelder, und auch sonst zahlten sie alles mit Kreditkarten. Doch auf der Donau wurde seit jeher gestohlen. Auch die Kreuzritter im Mittelalter plünderten und brandschatzten auf ihrem Weg zum Heiligen Grab in Jerusalem. Ansonsten hätten sie nicht freiwillig zweitausend Meilen auf sich genommen.

»Was hältst du davon?«, fragte ihn der Kapitän.

»Ich weiß nicht mehr als du. Es sind zwei Morde passiert. Soweit ich sagen kann, ist nichts verschwunden. Ich gehe davon aus, dass es ein Psychopath war. Meiner Meinung nach jemand von der Besatzung, keiner der Passagiere. Die Schnitte sehen ident aus.«

»Kannst du versuchen, mehr herauszufinden?«

»Ich habe jede Menge andere Arbeit. Das kann ich nicht machen.«

Atanasiu blickte Mona an. Martin schüttelte den Kopf.

»Wir zwei reden nicht mehr miteinander.«

»Aber klar doch, er übertreibt mal wieder etwas ...«, sagte Mona. »Ich helfe Martin gerne.«

»Atanasiu, ich möchte eine Aufstellung aller Bordbestellungen. Wer hat was zum Waschen aufgegeben, an der Bar bestellt, im Bordshop eingekauft, alle Papiere, die ich von der Rezeption bekommen kann.«

»Nimm Mona mit.«

»Dir ist es wohl egal. Oder du willst Gras darüber wachsen lassen. Du willst es so aussehen lassen, als könnte ich wirklich etwas herausfinden, doch eigentlich weißt du ganz genau, dass es ohne Fingerabdrücke und Laborbefunde nicht gehen wird. Aber die Polizei willst du ja nicht rufen. Nein, du willst nichts herausfinden, du willst bloß ankommen und dein Geld kassieren. Ruf ruhig in Chicago an. Du kannst mich genau so zitieren.«

Über Atanasius Stirn legten sich Zornesfalten, Wut flammte in seinen Augen auf.

»Ich bin es nicht gewohnt, von Tourmanagern beleidigt zu werden«, zischte er.

»Man lernt nie aus.«

Martin durchsuchte Collis' Taschen – alles leer. Der Tote besaß insgesamt vier Paar Schuhe, Maßanfertigung und nahezu neu. In der Schublade lagen Hemden, Handtücher und Socken säuberlich gestapelt, alles in Größe XXL. Es blieben nur noch zwei luxuriöse Koffer übrig, die neben dem Schrank standen. Martin ging davon aus, dass die Taten minutiös geplant worden sein mussten, der Täter kannte gewiss den Programmablauf. Doch selbst ein Wahnsinniger muss irgendein Motiv haben.

Als Martin mit seiner Untersuchung zu Ende war, entbrannte unter den Männern ein Streit. Atanasiu hatte vorgeschlagen, Clarks Sachen an die Besatzung zu verteilen, doch Tamás und Martin waren strikt dagegen. Dann gerieten sie auch noch aneinander, weil nicht klar war, was mit der Leiche geschehen sollte. Zu dritt überstimmten sie Martin, sie drohten ihm sogar mit einer Kündigung wegen Alkoholmissbrauchs – sie hatten natürlich recht, er hatte ja wieder einmal gegen die Nullpromillegrenze verstoßen. Was für eine Farce. Doch noch nie im Leben bereute er es so sehr, etwas getrunken zu haben.

»Wir fahren ja nicht. Wir sind in einer Stadt. In Budapest! Seid ihr wahnsinnig geworden? Ihr wollt ihn hier in den Fluss werfen? Hier?«, fragte Martin.

»Dieser Mann kommt nicht mehr hoch«, erklärte Atanasiu.

Tamás, Sorin, Emil und Martin zogen den Körper eine halbe Stunde lang denselben Weg entlang, den sie schon mit Venera absolviert hatten, und hofften inständig, dabei niemanden zu wecken. Vor den Fenstern leuchtete das Panorama von Budapest. Martin hielt die Luft an, er achtete angestrengt auf das winzigste Geräusch. Martin und Tamás holten das Rettungsboot und ließen sich mit einer Winde hinuntergleiten. Auf dem Ufer war nur hier und da ein nächtlicher Passant unterwegs. Vor zwei Jahren wäre es Martin nicht im Traum eingefallen, bei so etwas mitzumachen, nicht einmal vor zwei Monaten oder gar Wochen. Das Verschwinden eines Passagiers würde erst auf dem Flughafen in Bukarest oder überhaupt erst in den USA oder vielleicht noch später oder sogar erst nach Wochen entdeckt werden.

Dauernd hatte er diesen verstümmelten Körper vor Augen. Beide Verbrechen wiesen die gleiche Brutalität auf. Vielleicht hing alles zusammen: Mona, Venera, Clark Collis. Wer könnte der Täter sein? Vielleicht wurden diese beiden Leben sogar von mehreren Händen zerstört. Er konnte sich der Vorstellung eines kollektiven Verbrechens allerdings nicht ganz anschließen. Tamás band die Gewichte an den Leichnam, das Boot geriet ins Schwanken. Schließlich plumpste der Körper ins Wasser.

Martin rief die Besatzung zusammen. Die verschreckten Kollegen versammelten sich nach und nach im Speisesaal. Atanasiu versuchte, unantastbar zu wirken, doch er brachte die Angst mit, die man bekanntlich von allen Gefühlen am allerschlechtesten verbergen kann. In diesem Moment des kollektiven Schocks wusste niemand, was zu sagen oder gar zu tun war. Sie wirkten alle wie Schauspieler auf einer Bühne, die ihren Text vergessen hatten.

»Man hat den Passagier Clark Collis ermordet, doch die Polizei will keiner rufen!«, sagte Martin.

Im Raum hallte es nach: ermordet, ermordet, ermordet.

»Tamás, pass auf, dass niemand den Raum verlässt«, ordnete er an.

»Glaubt ihr immer noch nicht, dass sich ein Mörder an Bord herumtreibt? Wir müssen die Sicherheitsmaßnahmen verstärken. Niemanden Fremden hereinlassen, den Eingang und die Kajüten versperren, jede verdächtige Bewegung beobachten. Wir müssen Wachen aufstellen.«

Martin bat alle aufzuschreiben, wo und mit wem ein jeder den Abend und die Nacht verbracht hatte.

»Habt ihr ein ungewöhnliches Geräusch gehört? Hat sich jemand von der Besatzung oder den Passagieren anders verhalten?« Er verteilte Papier und Stifte und fuhr fort: »Ich verstehe eure Befürchtungen. Wir alle sind entsetzt. Ich muss euch aber dennoch ein paar Fragen stellen. Versucht, möglichst ausführlich darauf zu antworten. Schreibt alles auf, ich bin es gewohnt, viel und schnell zu lesen. Denkt auch an die Details, nach denen ich nicht fragen kann. Alles ist wichtig. Versteht ihr?«

Als nach 20 Minuten alle fertig waren, sammelten Martin und Mona die Berichte ein und reichten sie Atanasiu, der gemeinsam mit Erin die Angaben (laut Dienstplan und den Aussagen der jeweiligen Vorgesetzten) überprüfte. Die Crewmitglieder, die ein klares Alibi vorweisen konnten, durften gehen. Eine Gruppe machte sich auf, das Ober- und Unterdeck zu durchsuchen. Mit einigen Kollegen wollte Martin persönlich sprechen, etwa mit dem Maschinisten Dragan. Die Männer hatten viele Ausreden, wollten eigentlich nur schlafen gehen. Er bekam kein vernünftiges Wort aus ihnen heraus. Die Frauen kamen mit der ganzen Warterei besser zurecht, doch auch sie schwiegen eisern. Die Mitarbeiter würden auf keinen Fall etwas tun, was der Firma schaden konnte.

»Was für ein Mensch war Clark Collis eigentlich? Bist du mit ihm in Kontakt gekommen?«, fragte Martin abschließend jeden.

Er versuchte, sich ein unvoreingenommenes Bild von dem Toten zu machen. Vielleicht musste Collis sterben, weil er war, was er war. Zwei Stunden später hatte Martin gut sieben Porträts aus fremden Gedächtnissen beisammen und machte sich daraus eine eigene Vorstellung. Danach löste Atanasiu die Versammlung im Salon auf.

»Ich will deine Meinung zu dem Verbrechen hören«, forderte Martin ihn auf.

»Du weißt über die ganze Angelegenheit mehr als ich. Du weißt ja eh wieder alles«, gab Atanasiu unwirsch zurück.

»Fast alle Passagiere waren weg. Das hier ist eine Katastrophe und wahrscheinlich auch das Ende deiner und meiner Karriere. Der Mörder denkt wohl, dass er uns in diesem Irrenhaus an der Nase herumführen kann«, sagte Martin. »Und das gelingt ihm auch.«

»Es ist erst nach der Rückkehr passiert ...«

»Ich hoffe, du hast ein gutes Alibi.«

Sie gingen im Streit auseinander. Martin ging einen Stock höher, querte den leeren Salon bis zur Bar, nahm sich eine Flasche Tequila, schraubte sie auf und klemmte sich den Flaschenhals zwischen die Zähne. Binnen ein paar Sekunden war er von diesem Getränk vollkommen eingelullt. Er betrank sich so schnell wie noch nie zuvor. Mona tauchte auf und trank mit.

Als sich der betrunkene Martin in seine Kajüte schleppte, musste er die Wände zu Hilfe nehmen, um nicht hinzufallen. Mona ging mit, obwohl er sie mehrere Male aufforderte, ihn in Ruhe zu lassen. Er meinte, im Gang ein paar Stimmen zu hören, das Flüstern der Toten, die sich miteinander unterhielten. Falls die Hölle jemals ein Ort war, würde sie sich nicht von diesem Schiff unterscheiden.

In der Kajüte schmiegte er sich – mehr aus Verzweiflung, denn Verlangen – an Mona. Er küsste sie. Sie umarmte ihn. Dann folgte ein Blitzschlag, überall weißes Licht, das in seinem Kopf explodierte und die Nacht auslöschte.

20. RABEN

Als er neben Mona aufwachte und seine Augen öffnete, ließ ihn der Kater sofort ins Bett zurücksinken. Er hoffte, zwei Kopfwehtabletten und ein großes Glas Wasser würden die Beschwerden etwas erträglicher machen. Als er jedoch zehn Minuten später in den Gang trat, fühlte er sich immer noch wie erschlagen. Er ahnte, dass nun eine weitaus schwierigere Phase der Schiffsreise beginnen würde. Ein Passagier weniger und niemand durfte davon erfahren, alles musste wie bisher weitergehen. Er würde nicht mehr nur einfach ein Schauspieler sein, vielmehr müsste er nun mit Vorsatz täuschen; es machte ihn zum Mittäter.

Auf dem Weg zum Sonnendeck überfiel ihn die glühende Hitze, und ihm wurde speiübel. Das Schiff bewegte sich im Sonnenaufgang zur anderen Seite des Flusses. Am Ufer unter dem Burghügel ankerten drei weitere Ausflugsschiffe: das ukrainische hieß *Odessa*, das rumänische *Dunarea* und das russische *Fürstin Anna*. Martin wäre am liebsten in eines der drei umgestiegen, bloß weg von der *America*. Vergeblich bemühte er sich den ganzen Vormittag darum, unbekümmert mit den Passagieren zu plaudern, dabei zitterten seine Hände, und seine Kehle war wie ausgetrocknet. Die Amerikaner wollten den freien Tag nutzen und Thermalquellen besuchen, denn Budapest hatte schließlich mehr als 200 davon zu bieten, des weiteren Souvenirs einkaufen und sich die Große Synagoge ansehen.

Trotz allem wollte er den Gästen bis zum Ende dieser Reise das Bestmögliche bieten, vor allem jedoch wollte er möglichst schnell ans Ziel. Er behielt alle üblichen Gewohnheiten bei und versuchte, den Anschein einer Normalität zu wahren. Er gab Rat, beschrieb Sehenswürdigkeiten, navigierte, bestellte Taxis, telefonierte, berechnete die Wechselkurse, arbeitete mit vollem Einsatz, obwohl er einige Male nahe dran war, sich zu übergeben.

Er würde sich beide Todesfälle noch einmal durch den Kopf gehen lassen. Sollte er nicht doch die Polizei rufen?

Martin begleitete John Stansky mit seiner Frau bis zur U-Bahnstation und half ihnen beim Fahrkartenkauf. Als er die *America* aus der Ferne sah, wirkte sie auf ihn ganz anders als früher. Verdreckt, mit tiefen Furchen an den Seiten, die Geländer schienen schwarz. Unter anderen Umständen hätte es wohl die gelungenste Schiffsreise des Jahres werden können, die auch noch einen ordentlichen Verdienst einbrachte, aber jetzt ...

Ein Schwarm Raben kreiste über dem Schiff. Auf die Kapitänsbrücke, auf die Liegen, Geländer und Säulen, überall setzten sich die Vögel, vergeblich versuchten die Matrosen, sie mit Geschrei zu verscheuchen, doch die Raben blieben an Ort und Stelle, als ob sie die *America* für ein unbewohntes, mit den Wellen ziellos ziehendes Wrack halten würden. Weder der Kapitän noch die ältesten Mitglieder der Crew hatten so etwas je erlebt.

Selbst wenn sie aufflogen, verabschiedeten sie sich mit einem schrillen Krächzen. Die schwarzen Silhouetten kreisten über den Köpfen. Das Gesicht des Kapitäns verfinsterte sich zusehends. Überhaupt fielen nur noch ganz wenige Worte auf dem Schiff, es war ein absolut schweigsamer Tag in Budapest. Und sollte irgendwer von der Besatzung gelächelt haben, dann war es nur ein aufgesetztes Grinsen.

Bei den Ausflügen der Amerikaner kam es zu keinerlei Störfällen. Niemand renkte sich einen Knöchel aus, niemand wurde von Taschendieben oder Taxifahrern ausgenommen.

Als sich die *America* nach dem Mittagessen in Bewegung setzte, fuhren auf dem Oberdeck die Raben mit. Hinter Budapest schlug die Donau eine südliche Richtung ein und teilte sich in zwei Flussarme: einen linken namens »Sereth« und einen rechten Hauptarm namens »Budafocke«, die beide die 50 Kilometer lange Insel Csepel umschlossen. Östlich breitete sich die Tiefebene Alföld aus, ein an die Tisa angrenzendes Gebiet. Die Schifffahrt erinnerte die Passagiere an eine Reise in die Urzeit, zu den Anfängen der Welt, als es auf der Erde einen Aufstand der Pflanzen gab und die Weltherrschaft von großen Bäumen übernommen wurde. Martin Roy stand auf seinem üblichen Platz neben dem Kapitän, das Mikrophon in der Hand, und beobachtete die sumpfigen Ufer, die Pferde, Autos und Wägen in kleinen Städten mit Namen wie Százhalombatta, Adony oder Szigetújfalu. Die Hitze hielt das gesamte Schiff umklammert. Das Wasser plätscherte, die Raben krächzten, und überall hörte man Grillen und Heuschrecken. Die breite und fruchtbare Ebene, eine grüne, wasserreiche Wüste, strahlte vor Licht. Aus den Wellen tauchte ab und zu ein Weißfisch auf, sprang hoch, schnappte nach einer Fliege und fiel wieder zurück in sein Element. In der Puszta nisteten viele Vögel: Auerhühner, Rotschwanzammern, Bachstelzen, Haubenlerchen, Birkenhühner. Zehn Kilometer hinter Csepel befand sich am rechten Ufer die Industriestadt Dunaujváros mit einem Hafen und danach Dunaföldvár mit seinem Burgturm und einer Brücke über die Donau. In Paks thronten die Kühltürme des einzigen ungarischen Atomkraftwerks über den Weizenfeldern.

Der still gewordenen Mannschaft stand einer der längsten Abschnitte der gesamten Reise bevor. Sogar Tamás schwieg, viele Stunden lang ging er auf und ab, unermüdlich, ohne sich auch nur kurz hinzusetzen, als ob er dadurch den Lauf der Dinge umkehren könnte.

Die Kellner bedienten die Amerikaner pflichtbewusst, sie holten Speisen und Getränke und schmeichelten ihnen, immerzu in der Hoffnung auf ein generöses Trinkgeld.

Nach Absprache mit Tamás und Suang verkündete Martin die Öffnungszeiten der Bar. Das Mittagessen wurde am Oberdeck serviert. Innerhalb weniger Minuten brachten die Köche Töpfe, Schneidebretter, Gaskartuschen, Pfannen, Gemüse, Salz, frische Karpfen und Gewürze. Es dauerte nicht lange, und die Thailänder hantierten über dampfenden Töpfen. Die *Halászlé* unter freiem Himmel wurde begeistert aufgenommen, das Deck füllte sich. Die Gäste kämpften um die besten Plätze, um alles zu fotografieren.

In südlicher Richtung fanden sich vermehrt Strände. Die Schwimmer taumelten mit viel Geschrei ins Wasser, freudiges Planschen überall, einer neben dem anderen, manche holten sogar weiße Boote mit Ruderern ein.

Bald kamen wildere Ufer. Jenseits seines Flussbetts fächerte sich der Strom auf und glitt langsam durch sein Kiesbett. Bei der Stadt Baja unterquerte man die letzte Donaubrücke im ungarischen Abschnitt. Diese Brücke benutzte im Jahr 1921 ein Gefolge mit dem letzten ungarischen König, dem Habsburger Karl IV. von Ungarn, der hier zum letzten Mal einen Blick über sein Land schweifen ließ, bevor er auf die Insel Madeira flüchtete, wo er ein Jahr später starb.

Die Donau floss jetzt sogar kurz südwestlich. Ihre Gewässer wälzten sich träge in eine ungewisse Zukunft. Sie hatte nunmehr ein niedriges Gefälle, war ohne bedeutende Zuflüsse, doch mit vielen Seitenarmen ausgestattet, insbesondere am rechten Ufer. Um fünf Uhr nachmittags begann Atanasiu das Anlegemanöver bei Flusskilometer 1447, in der ungarischen Grenzstadt Mohács. Sowohl das Schiff als auch Reisende und Crew mussten sich einer gründlichen Zoll- und Passkontrolle unterziehen. Schließlich verließ die *America* die Europäische Union in Richtung Balkan.

»Wem noch ein paar Forint übrig geblieben sind, der kann sie als Souvenir aufheben, denn dort, wo wir morgen aussteigen, wird mit einer anderen Währung bezahlt«, informierte Martin.

»Was? Ich habe noch gut dreitausend Ungargeld, was mache ich zu Hause damit?«, ärgerte sich William Webster.

»Wenn Sie einmal hierher zurückkommen, können Sie sich dafür einen Hamburger kaufen, mein Herr«, antwortete Martin.

Im Salon machte er die Karaokeanlage an, die mit einem Großflächenbildschirm versehen war. Die Amerikaner sangen schon kurz darauf »Autumn in New York«, »I've Got You Under My Skin« oder »What Is This Thing Called Love«. Martin und Atanasiu kauften sich in der Zwischenzeit von den unverschämten, ungarischen und kroatischen Zöllnern frei, ohne Bestechung lief hier gar nichts. Diesmal waren sie zu neunt aufmarschiert, und neben einer dreisten Summe forderten sie sich einen Haufen Feinkost und drei Flaschen Wein. Die Aktion dauerte eineinhalb Stunden, ungefähr so lange wie vor fast 500 Jahren die berühmte Schlacht in der Ebene bei Mohács. Der Westen legte sich hier mal wieder mit dem Osten an, wie schon im Jahre 1526, als die türkischen Osmanen das christlich-ungarische Heer in die Knie zwangen; in dieser Schlacht verloren der König, der Erzbischof, 500 Adelige und Tausende Infanteristen ihr Leben. Die Schlacht bei Mohács öffnete den Türken das Tor nach Ungarn. Wie schon damals eilte auch heute niemand den Geschröpften zur Hilfe.

21. DAS TOR IN DEN OSTEN

Nach dem Anlegen in Vukovar bot sich den Passagieren ein Bild der Verwüstung. Auf der Mole ragte ein kunstvoll verzierter, jedoch brutal zerschossener Wasserbehälter empor, der die Form eines auf den Kopf gestellten Kegels hatte. Auf der Spitze wehte die kroatische Flagge.

Die Bustour begann um zehn Uhr vormittags. Martin sah den Passagieren an, dass sie sich fürchteten.

»Guten Tag, herzlich willkommen in meiner Stadt, Vukovar befindet sich nicht in Ost- sondern in Mitteleuropa, merken Sie sich das bitte«, begann der vierzigjährige kroatische Reiseführer Goran, ursprünglich ein Dozent für Sprachwissenschaft. »Vukovar, vormals eine schöne und prosperierende Stadt mit 45.000 Einwohnern und einer malerischen Barockarchitektur, veränderte die moderne Geschichte Kroatiens. Zum Schlechteren, wie man leider sagen muss. Einige Donaukapitäne können sich gewiss noch erinnern, wie gefährlich es war, mit Frachtschiffen die Kampfzone um Vukovar zu queren. Die Matrosen riskierten ihr Leben, ihre Gehälter wurden natürlich dadurch nicht höher. Ein slowakischer Kapitän hat sogar erlebt, wie irgendwelche Dachtrümmer bis auf sein Schiff, die *Inovec*, geprasselt sind. In den Fluss ist viel Blut geflossen, denn alle, die flohen und sich retten wollten, mussten die Donau queren.«

Diese Geschichte beeindruckte die Amerikaner. Sie schwiegen und musterten erschrocken die halbzerfallenen Mauern, aus denen kleine Bäumchen sprossen. Vukovar hatte im Krieg schrecklich gelitten, doch es konnte sich auch in Friedenszeiten nie erholen. Jeder zweite Bewohner war arbeitslos. Die Armut und der öffentliche Zerfall hatten unerträgliche Ausmaße angenommen, die Korruption wucherte. Viele lebten noch immer in Wohnhäusern mit zerschossenen Dächern. Auf den Zufahrtsstraßen waren die Krater der Granateinschläge im Asphalt zurückgeblieben. Auch das ansässige Zementwerk war wie ein Sieb durchlöchert worden.

Martin holte aus dem tragbaren Eiskasten das hiesige Bier, um die Amerikaner etwas abzukühlen. Die Busse hatten fast die gesamte Besichtigungstour absolviert, als sich plötzlich einige junge Männer mit Kapuzen und Militärstiefeln um sie gruppierten.

»Schert euch zum Teufel, ihr Arschlöcher! Zuerst habt ihr uns bombardiert, und jetzt kommt ihr auch noch her, um uns anzustarren. Schämt euch! Niemand will euch hier haben. Steckt euch eure Dollars in den Arsch, amerikanische Schweine! Fucking USA! *Fuck!*«, schrien sie und streckten den verängstigten Greisen ihre Mittelfinger entgegen. Martin forderte sie auf zu verschwinden, doch das provozierte sie umso mehr. Schließlich wies er sie darauf hin, dass die Touristen alte Menschen seien, unschuldige Pensionisten.

»Verschwindet von hier, alle! *Get out! Out of here!* Weg von hier!«, brüllten die Männer und drohten mit ihren Fäusten.

Sie warfen Steine auf die Busse, versetzten ihnen sogar Fußtritte. Bestimmt Serben, die durch verschiedene, von Brüsseler Bürokraten erdachte Versöhnungsprogramme, hierher zurückgebracht worden waren. Das Blech verbeulte sich unter den Schlägen. Jemand holte ein Messer hervor, um die Reifen aufzustechen, doch er blieb erfolglos. Die erfahrenen Busfahrer starteten sofort. Ein Stein zerschmetterte noch die hintere Fensterscheibe, die in Tausenden von Teilchen explodierte und einige Sitzreihen mit Splittern bedeckte. Zum Glück wurde niemand verletzt. Die Busse rasten durch die zerstörte Stadt, doch niemand verfolgte sie.

»Ich entschuldige mich. Was hier passiert ist, tut mir sehr leid, und ich nehme die Verantwortung auf mich. Glauben Sie mir dennoch, dass das hier nur eine traurige Ausnahme war. Die hiesigen Einwohner schätzen die Amerikaner sehr«, log Martin. »Überall auf der Welt gibt es junge Gangster, von Amerika bis nach Osteuropa.«

Goran schämte sich und war verärgert, weil er am Ende der Besichtigung von keinem Einzigen Trinkgeld bekam, er musste sich mit dem armseligen Honorar von der ADC zufrieden geben, welches unentwegt, mit Verweis auf die Wirtschaftskrise, gesenkt wurde. Unter den Amerikanern brach beim Aussteigen Panik aus, sie rannten aufs Schiff wie in einen Bunker und ließen sich von Martin kaum beruhigen.

»Ich weiß, dass sie uns hassen«, flüsterte Catherine.

Fünfzehn Minuten später lag Vukovar hinter ihnen, und nichts mehr deutete darauf hin, dass das Schiff ein ehemaliges Kriegsgebiet passierte. Nur beim aufmerksamen Hinschauen mit dem Fernstecher sah Martin, dass auf den Feldern immer noch Schilder mit Totenschädeln standen – »Warnung! Minenfelder!« Er wollte die Passagiere allerdings nicht noch mehr beunruhigen; als kleine Entschädigung bot er einem jedem ein Cinzano-Orange auf Kosten des Hauses an; das Angebot wurde freundlich angenommen und die Unzufriedenheit durchwegs gedämpft.

Unter Iloka, bei Kilometer 1296, verließ die Donau Kroatien und floss durch serbisches Gebiet.

Eine Stunde später, es dämmerte bereits, erreichte das Schiff Novi Sad, den Sitz der autonomen Region Wojwodina. Über der Stadt ragte die massive Festung Petrovaradin gen Himmel, vormals die wichtigste Basis der habsburgischen Truppen am unteren Flusslauf. Die amerikanischen Angriffe hatten alle Brücken in Novi Sad zerstört, doch davon durfte Martin nicht berichten. Gegen diese Luftangriffe hatten nicht einmal menschliche Schutzschilder geholfen, deren Aufstellung von serbischen Parteibonzen befohlen worden war. Doch heute wölbten sich die Brücken wieder in voller Pracht, die *America* fuhr unter ihnen hindurch und weiter in südöstlicher Richtung, einsam und allein im immer breiteren Strom.

Die Hauptstadt Belgrad liegt am rechten Ufer, gleich nach einer engen Biegung bei Flusskilometer 1170. Keine andere Stadt an der

Donau wurde so oft zerstört und danach wieder aufgebaut wie Belgrad. Die Donau war für Belgrad und ganz Serbien eine wahre Lebensader gewesen: Barock, Aufklärung, Sauerkraut und Psychoanalyse. Der Fluss streift die Stadt lediglich am Rande und schöpft aus einem Zufluss neues Wasser. Vom Zentrum aus erreicht man die Donau nur beschwerlich, zu Fuß jedenfalls, zur Save, kommt man wesentlich schneller.

Die Stadt wird von einer monströsen Kathedrale des heiligen Sawa beherrscht, an der seit den sechziger Jahren des 19. Jahrhunderts stetig gebaut wird. Bisher freuten sich die Amerikaner über jeden Kirchenbesuch, doch hier waren sie ängstlich, wagten nur einen kurzen Blick hinein und zogen sich zurück. Sie zeigten sich von den ausgebombten Gebäuden des Verteidigungsministeriums und des Generalstabs an der Nemanjina-Straße überaus verschreckt. Offiziell wurde nie verlautbart, warum man sie hatte stehen lassen, man hatte nicht vor, sie zu renovieren, allerdings auch nicht, sie abzureißen.

An der zentralen Kňaz-Mihail-Straße drängten sich Boutiquen, Kaffeehäuser und Restaurants aneinander. Martin versuchte die ganze Zeit, Taschendiebe von seinen Touristen fernzuhalten. Die Fußgängermassen drängten sich an Straßenmusikern vorbei, in der Luft lag ein Geruch von *Pljeskavica*, Gewürzen und verschwitzten Körpern. Bettler mit krummen Rücken warfen den Touristen traurige Blicke zu. Die Luft flirrte über dem langsam vor sich hinschmelzenden Asphalt, der sogar an Schuhsohlen kleben blieb. Unzählige freilaufende Hunde wuselten zwischen den Füßen der Spaziergänger herum; die Belgrader hatten für ihre Haustiere während der Luftangriffe kein Futter mehr gehabt, also waren sie einfach vor die Tür gesetzt worden.

Das Mittagsläuten war schließlich das Zeichen, um mit der Besichtigung zu Ende zu kommen. Diese Tradition stammte von Papst Calixtus III., abgehalten zu Ehren des Sieges über die Türken im Jahre 1456; er hatte diesen Sieg für ein Wunder erklärt. Die christliche Welt hatte sich kaum vom Schock über den Fall Konstantinopels erholt, schon waren die Türken erneut in Europa eingedrungen und belagerten Belgrad. Die Armee der Kreuzritter hatte das osmanische Heer (unter der Führung des Sultans) tatsächlich in alle Winde zerstreut. Seit damals läuteten die Mittagsglocken alle Gläubigen auf der ganzen Welt zusammen, um dieser Tatsache zu gedenken.

»Unser Rundgang war kurz gehalten, weil ich für Sie am Nachmittag eine exzellente Überraschung vorbereitet habe. Um halb zwei treffen wir uns vor dem Schiff. Kommen Sie alle, lassen Sie sich das nicht entgehen!«, erklärte Martin.

Um ein Uhr hielt Titos berühmter blauer Zug vor dem Schiff. Die meiste Zeit des Jahres war dieser im Depot des Belgrader Vororts Rakovica abgestellt. In keiner anderen Stadt führten die Gleise so nah an den Hafen heran, was für die ADC eine große Chance bedeutete. Martin erwartete die Passagiere in der militärischen Präsidentenuniform, mit Orden behangen, samt weißen Handschuhen und einer Kappe mit rotem Stern. Mona zog unterdessen eine serbische Tracht an. Sie streifte sich Strümpfe über. Die Strumpfbänder gruben sich in ihre weichen Schenkel. Als er neben ihr zu stehen kam, beschleunigte dies seinen Puls. Sie sah ihn prüfend an. Als sie sich fertig herausgeputzt hatte, übte sie mit Lariana ein paar einfache Tanzschritte ein.

Die ersten Passagiere kamen. Martin legte eine CD mit serbischen Gassenhauern ein. Das Einsteigen über die hohen Stufen dauerte ziemlich lange, doch schließlich waren alle in den Wägen und nahmen Platz. Suang und sein Team servierten im Speisewagen Cevapcici, Pljeskavica und Burek mit Fleisch- oder Spinatfüllung. Ausgeschenkt wurde helles serbisches Bier, etwas Weiß- und Rotwein. Der Zug fuhr gemächlich los.

»In den vierzig Jahren seiner Herrschaft legte Tito mit seinem blauen Zug 600.000 Kilometer zurück; hierbei nahm er mehr als 60 Politiker aus der ganzen Welt mit. Er bewirtete hier den Palästinenserführer Yassir Arafat, den sowjetischen Präsidenten Leonid Breschnew, den indischen Premierminister Nehru. Er selbst fuhr viele Male kreuz und quer durch ganz Jugoslawien und propagierte überall seine Auffassung des marktkonformen Sozialismus. Diese einmalige Zuggarnitur wurde 1947 in Jugoslawien gefertigt und gehörte zu den luxuriösesten der ganzen Welt. Die heutige, neuere Version stammt aus dem Jahr 1972, als auch die britische Königin Elisabeth zwei Tage lang mit diesem Zug unterwegs war.«

Die Amerikaner freuten sich, denn sie hatten ganz offensichtlich genug von all den Erzählungen über Kriege, an denen die Vereinigten Staaten beteiligt gewesen waren. Dann drängten sie sich in den Gängen und bewunderten die kostbaren Teppiche, die Jugendstilmöbel und Lampen, das Bleiglas, die seltenen Fotos, Schlafzimmer, Esszimmer, die Küche und die Toiletten. Neben einem braunen Ledersofa stand ein Glastisch mit einem schweren kristallenen Aschenbecher. Fast alles war – wie durch ein Wunder – erhalten geblieben, und was mit der Zeit gelitten hatte, war sorgfältig restauriert worden. Gott sei Dank sah niemand aus dem Fenster. Sie durchquerten gerade die Gegend nahe der Brücke von Novi Beograd und dem Zentrum, darunter lag Gazela, das verrufenste Viertel der ganzen Metropole. In den Hütten lebten vor allem Roma. Das Ghetto wuchs mit enormer Geschwindigkeit weiter.

Der Zug passierte Plattenbauten, inmitten einer Asphaltwüste – ein wahr gewordener Traum sozialistischer Architektur. Martin fühlte sich in Novi Beograd wohl, ihn erinnerte es an Petržalka – und seinen herben Charme. Zwischen all dem Beton fand man allerdings auch Nischen mit kleinen Hütten und einen Flohmarkt.

Mona und Lariana begrüßten den Genossen Dejan Petrovic mit einem Tänzchen und übergaben ihm einen Strauß roter Rosen und Nelken, die Präsident Tito doch so geliebt hatte. Martin küsste den Mann, der in einfacher Eisenbahneruniform gekleidet war, in sozialistischer Manier auf beide Wangen. Der alte Herr hieß in Wirklichkeit Bojan Hrabjanovic. Martin hatte ihn vor einem Jahr gefragt, ob er sich zu seiner miserablen Pension (von 80 Euro) nicht etwas dazu verdienen wolle; er solle einfach den Touristen gegenüber behaupten, der Leibkoch von Josip Tito gewesen zu sein. Er antwortete sofort: »*Nema problema.*«

Der schon etwas altersschwache Mann brachte alles durcheinander, doch die Amerikaner verstanden ihn sowieso nicht. Martin konnte dolmetschen, was er gerade brauchte – ein Kinderspiel im Vergleich zu jener Situation, als er hatte vorgeben müssen, selbst der Urenkel von Gustav Mahler zu sein.

»Ich heiße Dejan Petrovic. In Titos Zug habe ich die letzten fünf Jahre gearbeitet, als die Karriere unseres glorreichen Präsidenten langsam zu Ende ging. Es war eine große Ehre für mich«, behauptete Martin, während sich der wirre Alte darüber beschwerte, dass in Serbien alles teurer wurde.

»Mein geliebter Chef ist am 4. Mai 1980 verstorben, und diesen Tag werde ich, so wie auch jene davor und danach, niemals vergessen. Den Leichnam haben wir mit diesem Blauen Zug von Ljubljana bis nach Belgrad gebracht, in jedem Ort haben uns Tausende weinende Menschen begrüßt. Die Bürger haben sich bei ihrem geliebten Führer zum letzten Mal bedankt – er hat es schließlich geschafft, Stalin die Stirn zu bieten und Jugoslawien zu retten. Auf jeder Bahnstation, selbst der allerkleinsten, hingen seine Porträts, und die Menschen drückten seine Konterfeis an ihre Brust. Für Präsident Tito zu arbeiten war das schönste Ereignis meines Lebens. Nach jedem Mittagessen ist er zu uns in die Küche gekommen, hat den Köchen gedankt und ausdrücklich das Essen gelobt. Er hat sich in der Gastronomie ausgekannt wie kaum ein anderer.«

Die Amerikanerinnen weinten. Bojan Hrabjanovic bettelte unterdessen um ein höheres Honorar, doch es wurde als allertiefste Trauerbekundung gegenüber seinem geliebten Präsidenten übersetzt. Martin erzählte längst wieder etwas ganz anderes:

»Tito hat Jugoslawien geeint, vom Ende des Zweiten Weltkrieges an bis zu seinem Tod. Er frönte zwar dem Luxus, was ihm auch viele vorhielten, doch gleichzeitig sorgte er dafür, dass sich der Lebensstandard verbesserte, er ließ den Menschen Freiheiten und unterhielt gute Beziehungen zu Ost und West. Nach seinem Tod zerfiel die Föderation, und ein blutiger Bürgerkrieg brach aus.«

Ergriffen hörten die Amerikaner seinen Ausführungen zu.

Der Blaue Zug kehrte langsam zum Schiff zurück. Der Lokführer bremste alsbald im Hafen. Martin sah erneut die Donau, so groß wie ein Meer.

Bojan Hrabjanovic bekam für seine Erzählung ein astronomisches Trinkgeld und weinte vor Glück. Das Händeschütteln und gegenseitige Umarmen nahm kein Ende. Beim Ausstieg reichte Mona einem jedem zusätzlich noch ein Gläschen mit billigem Raki.

Die Amerikaner wurden auf dem Pier sofort von einer Horde aggressiver Bettler umringt. Martin hatte alle Hände voll zu tun, damit diese sie nicht ausraubten. Die Uniform half durchaus.

»Wir sind zu Ehren des Präsidenten Tito hier, und wie benehmt ihr euch!? Hier ist sein persönlicher Koch, Dejan Petrovic, und ihr macht einen solchen Unsinn!«

Manche erschraken und liefen davon. Doch nicht alle ließen sich so leicht abwimmeln.

»Nehmt doch mich als Tito!«, rief einer.

»Ich mach es um die Hälfte!«, ein anderer.

»Ruhe, bitte, wir haben schon einen Koch und sind zufrieden mit ihm; wir brauchen keinen zweiten, wirklich nicht!«, gab Martin zurück und räumte lieber das Feld.

»Titos kann es doch nie genug geben. Was, wenn einer mal krank wird?«, rief ihm einer nach.

Auf den Wellen schaukelten haufenweise Hausboote, auch »Spla-vovi« genannt, die sich schon in zwei Stunden in Restaurants oder Nachtklubs verwandeln würden. Aufgelassene Dampfboote wie etwa die *JRB Srbija* wurden von mehreren Familien bewohnt. Auf dem Schiff ratterte die Ankerwinde. Aus dem Wasser schlän-gelte sich langsam die Kette mit dem Anker, fest umschlungen von Wasserpflanzen. Die von der Hitze zermürbte Mannschaft lief über das siedend heiße Deck und machte die Taue los. Die *America* sollte gleich able-gen, und Martin hatte erneut das Gefühl, dass sich ein Teil von ihm ablöste und irgendwohin aufstieg. Ein solches Gefühl mussten wohl die Reisenden auf der Arche verspürt haben, als diese vom Wasser emporgehoben wurde.

22. NAHKAMPF

Der längste, mehr als 1000 Kilometer lange Teil der Donau, gehört zu Rumänien. Der untere Flusslauf wirkte majestätischer, floss nunmehr fast geradeaus, und man konnte im oder am Fluss alles erkennen, was irgendwo in Europa ins Wasser gefallen war. Die Ufer waren von Urwäldern gesäumt. Nach jeder Biegung wurde das Tal breiter. Das Süßwasser war voller Wracks, denn in der Vergangenheit waren hier unzählige Schiffe gekentert. Steile Felswände ragten in die Höhe und hielten den Strom fest umklammert.

Römische Legionen hatten Wege entlang des Stromes angelegt, um den Schiffen das Überwinden der Strömung zu erleichtern. Die Waren wurden mühsam über die Hügel getragen, und die leeren Boote von Menschenhand, später mit Hilfe von Dampfmaschinen, an langen Seilen gegen den Strom geschleppt. Eine Straße wurde erst nach der Errichtung des Staudammes gebaut.

Neben dem rumänischen Städtchen Orsova lag eine überschwemmte Donauinsel unter Wasser, Ada-Kale, wo sich seinerzeit Schmuggler und Piraten versammelt hatten, um Lieferungen von Bernstein, orientalischem Schmuck, Parfüm, Tabak, Südfrüchten und Waffen auszuhandeln. Sogar Jules Verne erwähnte die Insel in seinem Roman *Der Pilot von der Donau*, den Martin übersetzt hatte.

Die Katarakte endeten an einer Staumauer namens »Eisernes Tor« bei Flusskilometer 943. Tonnen von Beton hielten dem Druck des Wassers stand, das hier 60 Meter tief war. Vor einem Jahrhundert stürzten hier noch mächtige Wasserfälle in die Tiefe. Nach seiner Fertigstellung 1972 war der Derdap der größte Stausee in Europa. Die Ufer rund um den See waren gähnend leer. Über dem Schiff wanden sich lange Stromdrähte von Mast zu Mast. Das Passieren der Schleusen zog sich zwei volle Stunden hin. Martin zwängte sich zwischen Transformatoren, Trägern und Stahlzäunen durch und erklärte die Funktionsweise, was immerhin die männlichen Fahrgäste interessierte. Am Ufer saßen ein paar uniformierte Serben mit ausgestreckten Beinen; sie gaben den Amerikanern unmissverständlich zu verstehen, dass sie hier nicht willkommen waren. Sie kündigten an, die Dokumente zu prüfen und das Schiff zu durchsuchen, und gaben so lange keine Ruhe, bis sie ein ordentliches Bestechungsgeld kassiert hatten. Auch Dragan gab den Zöllnern ihren Anteil, damit sie bloß nicht auf die Idee kamen, in seiner Kajüte nachzusehen.

Das serbische Kladovo lag rechts, und links erstreckte sich die rumänische Stadt Drobeta Turnu Severin, berühmt für ihre antiken Denkmäler. An dieser Stelle stand einst die älteste Donaubrücke, im Jahr 105 von Kaiser Trajan erbaut, um die Provinz Dakien in das Römische Reich einzugliedern. Mit dem Entwurf und dem Bau beauftragte er den Architekten Apolodor aus Damaskus. Ein Jahr später überquerte Trajan mit seinen Truppen diese Brücke und massakrierte die Dakier. Die Brücke hatte 20 Pfeiler und war über 100 Meter hoch, sie wurde jedoch noch unter Hadrian zerstört; heute erkennt man lediglich kümmerliche Überreste. Bis 1918 markierte dieser Abschnitt die Grenze Österreich-Ungarns. Bis hier trug die Donau auch die Bezeichnung k. u. k., kaiserlich und königlich; man nannte sie sogar »zweiter Kreislauf der Monarchie«. Am »Eisernen Tor« musste Martin unwillkürlich an Imrich Lichtenfeld denken.

Am Morgen des 18. Mai 1940 ankerte im Bratislaver Hafen ein unbekanntes Dampfschiff und bereitete sich auf eine der längsten Donaureisen in der Geschichte der Neuzeit vor. Schon auf den ersten Blick war klar, dass es sich nicht um ein gewöhnliches Schiff handelte. Es stach durch seine ärmlichen Aufbauten und das eckige Kapitänshaus hervor. Durch die verschmutzten Fensterscheiben war nichts zu erkennen. Das verbeulte Blech war mit einer billigen weißen Farbe gestrichen worden, die allerdings schon wieder abblätterte. Die Aufschrift war offensichtlich übermalt, jemand hatte den Schiffsnamen kurzum auf *Pentcho* geändert. Der Schornstein neigte sich verdächtig schief, als ob er jeden Augenblick zusammenbrechen würde. Sobald der Kapitän das Seitenrad in Betrieb setzte, ratterte es.

Der alte Schlepper diente bisher nur zum Transport kleinerer Frachtboote, doch jetzt – obwohl er ganze 50 Meter maß – überstieg die Anzahl der Einsteigenden bei weitem die erlaubte Kapazität. Unter den Menschen herrschte eine strenge, nahezu militärische Ordnung, doch je näher man dem Schiff kam, desto stärker erkannte man ihre Gefühle. Frauen, alt wie jung, jammerten leise und weinten vor sich hin. Ihre Gesichter waren fahl und grau – nach einem Tag der schnellen Abschiede und Trennungen, es war ungewiss, für wie lange. Verstörte Menschen mit Rucksäcken und Lederkoffern in der Hand, sie schauten sich pausenlos um, als ob sie verfolgt würden. Und tatsächlich, am Ufer standen Soldaten und beaufsichtigten streng, ja beinahe schon hasserfüllt, das Geschehen, fast so, als hätten sie gefährliche Sträflinge vor sich. Der Status der Ankömmlinge glich wohl wirklich jenem von Häftlingen, mit dem Unterschied, dass sich diese Menschen hier nichts zuschulden hatten kommen lassen, sie hatten lediglich eine falsche Herkunft. In die *Pentcho* stiegen vornehmlich Juden aus vielen verschiedenen Ecken der Slowakei, vor allem jedoch aus Bratislava.

In den Gesichtern der jungen slowakischen Soldaten spiegelten sich Verachtung und Freude wieder, dass sie diese, wie sie meinten, minderwertigen Bürger endlich loswurden. Besondere Aufmerksamkeit widmeten die Gardisten einem Mann, der Imrich Lichtenfeld hieß, denn diesen kannten sie nur zu gut. Sie hatten Gelegenheit gehabt, seine Fäuste kennenzulernen. Über Lichtenfelds Ausreise freuten sie sich außerordentlich. Am liebsten hätten sie ihn längst eingesperrt oder gar hingerichtet, sie konnten ihm jedoch nie etwas anhängen.

Der robuste Mann sah die Ordnungstruppe an Bord höhnisch an, als Einziger. Voller Verachtung musterte er die uniformierten Gestalten. Seine hohe Stirn verriet die Fähigkeit, blitzschnell kombinieren und taktieren zu können. Die Augen verfolgten unauffällig, jedoch aufmerksam, jede Bewegung am Ufer.

Imrich Lichtenfeld wurde 1910 in Budapest geboren, verbrachte allerdings sein ganzes Leben in Bratislava. Sein Vater hieß Samuel Lichtenfeld, ein berühmter Bratislaver Detektiv mit einer rekordverdächtigen Zahl gelöster Kriminalfälle und zugleich legendärer Gründer des Ringerklubs »Hercules«.

An seinen Sohn Imrich vererbte er seine Intelligenz und das Talent zu kämpfen, welches der mit der Hilfe des Vaters bis zur Perfektion brachte. Er wurde mehrfach slowakischer Champion im Boxen, der Gymnastik und griechisch-römischem Ringkampf. Er war sogar bei mehreren internationalen Turnieren äußerst erfolgreich, doch das Aufkommen der Nationalsozialisten stoppte seine vielversprechende Karriere. Dennoch wurde er innerhalb kürzester Zeit zum erfolgreichsten slowakischen Ringkämpfer der Zwischenkriegszeit.

In den Geschichtsbüchern wird selten von einem Widerstand der Juden gegen den deutschen Faschismus gesprochen, höchstens erwähnt man einen äußerst schwachen bewaffneten Widerstand. Als eine der wichtigsten Ausnahmen gilt der Aufstand im Warschauer Ghetto im Mai 1943. Doch Imrich Lichtenfeld verteidigte mit einer kleinen militärischen Truppe das jüdische Viertel vor den Pogromen in Bratislava schon seit dem Jahr 1936 und weitete diese Aktivitäten noch aus, als der slowakische Staat gegründet wurde. Lichtenfelds Truppen stürzten sich in allerlei Straßenkämpfe, sie gingen gegen die Gardisten und Nationalsozialisten vor, und obwohl sie meistens einer weitaus besser ausgerüsteten Überzahl gegenüberstanden, konnten sie diese besiegen. Sie kämpften bis zum Jahr 1940, als sich die Situation hoffnungslos zuspitzte und der Anführer der Widerstandsbewegung seine letzte Rettung in einer Flucht sah. Doch alle Wege waren längst abgeschnitten, die Donau schien die letzte und einzige Chance zu sein.

Lichtenfeld organisierte die Schifffahrt, und es gelang ihm nach schleppenden Verhandlungen, den Kauf des Schiffs durchzusetzen. Er schätzte, dass sie in drei Wochen im rumänischen Sulina ankommen müssten. Mit seinen dreißig treuesten Mitarbeitern sicherte er Lebensmittelvorräte, Trinkwasser und sogar eine bulgarische Flagge, unter der das Schiff wohl ohne irgendwelche Bewilligungen passieren konnte. Die Bestechungsgelder an slowakische und deutsche Beamte erreichten astronomische Höhen und ruinierten viele der flüchtenden Familien. Am Ziel würde auf die Flüchtlinge ein Überseeschiff warten, um sie nach Syrien oder nach Palästina zu bringen.

Die Reise nach Mohács verlief ziemlich glatt und dauerte lediglich eine Woche. In Budapest nahm die *Pentcho* viele weitere ungarische und deutsche Juden auf. Bei der Weiterreise in Richtung Balkan wuchs jedoch der Zeitverzug gefährlich an. In jedem größeren Hafen zwang man das Dampfschiff anzuhalten. Alle Papiere und Dokumente wurden kontrolliert, die Entrichtung eines Zolls verlangt und die Weiterfahrt immer wieder verzögert. Das Gedränge im Unterdeck wurde unerträglich, die Nervosität und der Hunger wuchsen. In Kroatien wurde das Schiff zwei Wochen lang festgehalten, weil die Beamten gar keine Weiterfahrt erlauben wollten. Lichtenfeld gab sein gesamtes Vermögen als Bestechungsgeld hin, die Wertsachen nutzte man dazu, Lebensmittel von der Bevölkerung einzutauschen.

Der Höhepunkt der Krise erfolgte schließlich beim Eisernen Tor. Die rumänischen Wachen, angestachelt von der faschistischen Regierung, ließen sie nicht passieren. Die *Pentcho* blieb am verlassenen Ufer an der südslawischen Seite liegen, die Verhandlungen zogen sich in die Länge und zeigten dennoch keinen Erfolg. Glühend heiße Tage, Wochen und Monate eines Balkansommers vergingen. Imrich wurde überall mit feindlichen Blicken und Ablehnung begegnet. Die Besatzung hatte irgendwann keine Lebensmittel mehr, auch das Trinkwasser ging zur Neige, und jede Anstrengung, mit dubiosen Dorfbewohnern Geschäfte zu treiben, misslang ebenfalls. Beim Versuch, irgendwie doch noch weiterzukommen, fiel ein kleiner Junge aus Budapest an einer gefährlichen Stelle in die Donau. Imrich Lichtenfeld sprang ihm sofort nach und rettete den Buben, doch schon bald entzündete sich sein linkes Ohr, was ihm beinahe das Leben kosten sollte. Ein Arzt schnitt ihm obendrein während einer improvisierten Operation wichtige Nervenstränge durch, sodass die eine Hälfte von Imrichs Gesicht für immer erstarrt blieb. Diese Verletzung härtete ihn jedoch noch weiter ab.

Die Bewilligung zur Weiterfahrt erfolgte erst Mitte September. Die *Pentcho* durfte, an zwei rumänische Militärschiffe gekettet, weiterfahren, doch kaum in Bulgarien angekommen, wurde sie wieder zur Umkehr aufgefordert; die Menschen waren verzweifelt. Der Kapitän ließ eine gelbe Fahne in den Wind hängen. Lichtenfeld beschriftete eine große Tafel:»Wir hungern – wir sind krank – wir haben keine Medikamente«. Doch nur das Dampfschiff *Melk*, welches jüdische Flüchtlinge aus Wien an Bord hatte, leistete Hilfe; alle anderen beachteten die *Pentcho* nicht und fuhren einfach weiter.

Nach vier quälenden Monaten kam die Besatzung schließlich doch noch in Sulina an, alle waren in einem elenden Zustand, kein Schiff wartete auf sie. Lichtenfeld beriet sich mit dem Kapitän, und man beschloss, die Fahrt fortzusetzen. Doch die *Pentcho* war nicht für eine Seefahrt gerüstet. In dieser ausweglosen Situation waren jedoch alle bereit, es dennoch zu riskieren. Sprachen sich Mut zu, indem sie behaupteten, ihnen würde keine Gefahr drohen, wenn sie nah genug am Ufer blieben.

Am 23. September passierten sie die Meerenge am Bosporus. Im Hafen von Istanbul anzulegen wurde den Juden jedoch verwehrt, man beschoss sie sogar. Männer mit Turban und Frauen in schwarzen Hidschabs drohten ihnen mit den Fäusten. Sie wurden mit Schimpfwörtern überschüttet, die brüllende Masse gebärdete sich wie wild, und so wechselte der Kapitän lieber schnell seinen Kurs.

Das Schiff kam schließlich ins Marmarameer und passierte die Dardanellen, so gelangte man bis zur Insel Lesbos. Die Besatzung erneuerte ihre Vorräte, und das Schlimmste schien hinter ihnen zu liegen. Die Weiterfahrt über das Ägäische Meer wurde jedoch zunehmend komplizierter. Es herrschte brütende Hitze, und das Deck glühte in der gleißenden Sonne. Die zerlumpten Menschen erinnerten an geblendete Tiere. Die *Pentcho* kämpfte auf offener See mit immer neuen Störfällen, bis die Dampfmotoren gänzlich versagten; zuletzt explodierte der Dampfkessel, und das Schiff neigte sich heftig zur Seite. Lichtenfeld, unverwüstlich wie er war, ließ improvisierte Segel setzen, mit deren Hilfe sie bei der nächsten Insel anlegen konnten. Doch die ungeduldigen Passagiere wollten möglichst schnell ans Ziel kommen. Am 9. Oktober brach das Schiff, das nun kaum noch zu steuern war, erneut auf. Die Pumpen brachten jedoch nicht mehr die benötigte Leistung, immer mehr Wasser drang ins Schiff, und am Abend kenterte es schließlich in der Nähe einer unbekannten Insel. Wie durch ein Wunder wurde niemand verletzt.

Auf diesem wüstenartigen Stück Land (mit einer Länge von circa zwei Kilometern) gab es weder Pflanzen noch Leben. Imrich Lichtenfeld und vier weitere Männer brachen in einem Rettungsboot auf, ohne Navigationsgeräte und mit nur wenig Essensvorräten, um irgendwie nach Kreta zu gelangen und Hilfe zu holen. Vier Tage lang wurden die Schiffbrüchigen von Gewittern über das Meer getrieben. Am fünften Tag wurden die fast toten Männer von einem britischen Aufklärungsflugzeug entdeckt und gerettet. Die auf der Insel zurückgebliebenen Gefährten mussten noch weitere zehn Tage ausharren, bis sie schließlich ein italienisches Schiff aufnahm und in Gefangenschaft brachte.

Der abgemagerte Imrich Lichtenfeld wurde nach Alexandria gebracht. Nach gut einem Jahr trat er den tschechoslowakischen Truppen im Nahen Osten bei. Während der vielen Kämpfe erhielt er mehrere Auszeichnungen. Nach dem Ende des Zweiten Weltkriegs nahm er in Israel den hebräischen Namen Imi Sde-Or an und wurde ein berüchtigter Mossad-Ausbilder. Zum Weltruhm gelangte er schließlich durch eine von ihm erfundene, neue Selbstverteidigungs- und Nahkampftechnik, die »Krav Maga«. Als deren Basis wählte er Bewegungsmuster, die sich schon während der Kämpfe in den dunklen

Pressburger Gassen bewährt hatten. Bis heute steht das außerordentlich anspruchsvolle Training auf dem Lehrplan der israelischen Mittelschulen und Militärakademien, es zählt zudem zum fixen Bestandteil einer Ausbildung von Schiffsbesatzungen.

23. VERBLÜHTE DÖRFER

Fünfzehn Kilometer später verließ die *America* endgültig Serbien. Wenn der Wasserpegel tief stand, tauchten bei Radujevac, bei Donaukilometer 863, die Wracks deutscher Kriegsschiffe auf, die im September 1944 versenkt worden waren. Die Nazis hatten hier fast 80 eigene Schiffe zerstört, die an der Operation »Donaudämon« beteiligt gewesen waren. Die Deutschen strebten einen schnellen Rückzug entlang des Stroms an, wurden jedoch von unzähligen Minen behindert. Die Front kam immer näher. In dieser ausweglosen Situation und aus Angst vor sowjetischer Gefangenschaft gab der Kommandant den Befehl, die gesamte Schwarzseeflotte, insgesamt fast 200 Schiffe, zu versenken, damit diese nicht in Feindeshände gerieten.

Die Sommertage an der Donau versprachen eine enorme Hitze, es war nunmehr gewiss die heißeste Etappe der Reise. Die *America* schwamm an der Grenze zwischen Rumänien und Bulgarien entlang, gleich neben der Walachischen Tiefebene. Das rechte, bulgarische Ufer zog sich steiler dahin und war dichter besiedelt; das linke, niedrig und mit einer seichteren Uferzone, war oft überflutet, weswegen die Menschen ihre Häuser ein ganzes Stück weiter weg hatten bauen müssen. Bei Flusskilometer 790 lag die erste bulgarische Stadt, Vidin, und die *America* hielt erneut an.

Vor dem Schiff warteten museumsreife Busse aus sowjetischer Herstellung, sie stanken nach Diesel, türkischem Tabak und Desinfektionsmitteln. Auf den jeweiligen Vordersitz hatte der Fahrer einen Aufkleber platziert:»Wenn du es klimatisiert haben willst, mach das Fenster auf.« Martins Mikrophon verzerrte seine Stimme dermaßen, dass diese wie ein heiseres Krächzen klang.

Vidin kämpfte verzweifelt – wie ganz Bulgarien – gegen einen massiven Bevölkerungsschwund an. Das Land war in den letzten Jahren von mehr als vier Millionen Menschen verlassen worden, und dieser Trend setzte sich weiter fort. Das stille und eintönige Städtchen bot eine herrliche Aussicht auf den Fluss, der von hübschen Stränden gesäumt war.

Der bedeutsame Hafen, aus dem Waren in den gesamten Mittelmeerraum gelangten, wurde schon im Mittelalter mit einer Festung versehen. Im 16. Jahrhundert war Vidin zur größten Stadt weit und breit angewachsen, das Territorium rundum wurde sowohl von den Türken als auch von den Serben beansprucht. Der Bus fuhr durch das türkische Tor »Stambul Kapija« im Norden und holperte dann über den Hauptplatz »Bdinci«, der sozialistischen Realismus mit mittelalterlicher Monumentalität verband. In die ehemalige Zentrale der Kommunistischen Partei hätten leicht alle 40.000 Einwohner auf einmal gepasst. Die Besichtigung wurde in der mittelalterlichen Festung »Baba Vida« fortgesetzt, in der sich die Türken im 17. Jahrhundert ein Waffenlager eingerichtet hatten. Jede Seite maß circa 70 Meter, doch einige Außenmauern zogen sich auch einen halben Kilometer weit bis ins Zentrum. Eine vielfältige Geschichte hatte diese Burg geprägt, was an und für sich wunderbar war, doch das Museum erweckte eher einen verzweifelten Eindruck. Die einzige Hinweistafel sah so aus:

Durch den Komplex wurde frische Luft geblasen, die Staubfäden aufwirbelte. Die Objektbeschreibungen gab es nur auf Bulgarisch. Die Folterkammer und die Militärausrüstung hatten längst ihren Gruselfaktor eingebüßt. Die vormals großzügige Ausstattung war nur noch fragmentarisch erhalten, von den Wänden bröckelte die Farbe ab, und viele Ziegelsteine waren mit der Zeit wie verfaulte Zähne ausgefallen. Martin sah Raben über der Burg auffliegen, in schwarzen Kreisen bevölkerten sie den Himmel und begleiteten die Passagiere während ihrer Ausflüge.

Am späten Nachmittag legte die *America* wieder ab, passierte vormals blühende, jetzt unter der Krise leidende Dörfer, weitläufige Moorgebiete und überaus fruchtbare Felder, wo allerdings nichts mehr angebaut wurde. Schon aus der Ferne konnte man vier riesige Kühltürme erkennen. Das Schiff näherte sich Europas gefährlichstem Kernkraftwerk »Kozloduj«. Einer der sechs Reaktorblöcke war von der Strahlung beschädigt. Das Kühlwasser wurde regelmäßig in den Fluss abgeleitet. Trotzdem fanden in Bulgarien immer wieder Demonstrationen statt, die sich für den Betrieb von zwei stillgelegten Blöcken einsetzten.

»Martin, wie geht es Herrn Collis?«, fragte Catherine.

»Exzellent«, antwortete dieser. »Er genießt seine Reise und ist gut versorgt.«

»Ich habe mir gedacht, dass wir ihn besuchen könnten, Peggy und ich. Es ist sicher traurig, den ganzen Tag so allein zu sein. Einige andere haben auch schon nach ihm gefragt.«

Martin bekam eine Gänsehaut.

»Leider hat er heute schon den ganzen Tag lang Verdauungsprobleme. Entschuldigen Sie bitte, ich habe ihm eigentlich versprochen, dass ich dies niemandem erzähle. Wir haben auch schon den Arzt konsultiert. Sie wissen ja, bei diesem Übergewicht ...«

Die Donau änderte ihre Farbe nunmehr in ein mattes Blau. Auf der Wasseroberfläche trieben Schaum und Ölschlieren. Am Ufer ragten Industrieruinen in die Höhe. Die Matrosen lagen an Deck herum oder stierten mit leeren Blicken vor sich hin. Die Sicherheitswache ging ständig auf und ab. Auf jedem Stockwerk stand ein Mann und hielt die Augen offen. Es herrschte ziemliche Ruhe, aufgeladen mit Erwartungen. Nur die Raben krächzten pausenlos.

In Bulgarien bildete die Donau gut 50 große Inseln; berühmt berüchtigt war vor allem Belene, wo 1949 ein Gulag errichtet worden war. Das Lager hatte 50 Jahre lang bestanden, die Häftlinge hatten sich auf Gemüse- und Hanffeldern zu Tode geschuftet. Man weiß bis heute nicht, wie viele Tausende dort umgekommen waren. Offiziell war es 1962 aufgelöst worden, doch insgeheim hatte es viel länger existiert; oft waren vor allem die Türken dort gelandet, die sich gegen die Bulgaren aufgelehnt hatten.

Nach dem Abendessen verschwand Martin in seiner Kajüte. Es ärgerte ihn, dass Mona sich im Speisesaal ans andere Ende des Tisches gesetzt und nur mit Dragan gesprochen hatte. Trotz aller Müdigkeit war ihm nicht nach Schlafen. Er schloss die Augen, durch den Kopf schossen ihm allerlei Gedanken.

Wer hätte einen persönlichen Vorteil von der Ermordung einer rumänischen Putzfrau und eines übergewichtigen Reisenden? Was motivierte den Mörder? Die allergrößten Übel beruhen nicht auf Böswilligkeit und Brutalität, sondern auf Schwäche. Martin kam zu keinem Schluss. Er fand keinerlei Anhaltspunkte. Keinen einzigen verfluchten kleinen Punkt.

24. FAMILIENESSEN

In Russe, der größten bulgarischen Stadt an der Donau, wachte Martin schon am frühen Morgen auf. Am gegenüberliegenden Ufer konnte man die rumänische Stadt Giurgiu erkennen. Im 19. Jahrhundert war Russe die reichste Stadt der Region gewesen. Die erste bulgarische Zeitung wurde hier publiziert, die Marineschule und Wetterstation eröffnet. Doch in diesen Tagen nutzten all diese Errungenschaften den Bewohnern gar nichts mehr. In den letzten Jahren sank die Einwohnerzahl um 50.000. Sogar die McDonalds-Filiale ging pleite. Am Hafen sah Martin die sonderbarsten Gestalten aus allen Ecken der Welt. Jede Woche kamen dutzende geldgierige Neulinge – stattliche junge Männer vom Balkan, Südafrikaner, Russen und Chinesen. An der Peripherie häuften sich Verkaufsbuden, Lagerhallen und Kneipen. Im Wasser lagen Schiffe vor Anker. Die Raben flogen weiter über dem Schiff herum, als wollten sie seinem Bann entfliehen, doch es gelang nicht, immer und immer wieder landeten sie erneut auf dem Oberdeck und krallten sich am Holz fest.

Für heute hatte Martin die *incredible real life experience* geplant. Die Passagiere wurden in kleinen Gruppen von bulgarischen Ureinwohnern eingeladen und bekocht. Die ADC verkaufte diesen Ausflug als eine Reise ins authentische Dorfleben und war überaus stolz auf dieses Produkt, das – wohl aus gutem Grund – kein anderes Reisebüro in seinem Programm hatte. Die »Interaktion mit der lokalen Bevölkerung und zugleich Hilfe für jene, die sie am dringendsten brauchen« sollte ein unvergessliches Erlebnis für jeden Teilnehmer werden.

Als angeblich idealer Ort wurde Veliko Tarnovo ausgewählt, die Hauptstadt des zweiten bulgarischen Staates im frühen Mittelalter. Martin mochte das Städtchen durchaus, doch alles andere hielt er für eine ausgemachte Katastrophe. Der regionale ADC-Vertreter hatte ihn einmal davon unterrichtet, dass die Vertragsbedingungen mit einer auf dem Tisch liegenden Pistole ausverhandelt und Bedingungen auch nur von einer Seite diktiert wurden.

Veliko Tarnovo gehörte zu den wenigen Orten dieser Gegend, in der die Einwohnerzahlen nicht sanken, vielmehr regelmäßig zunahmen; mittlerweile lebten gut 70.000 Menschen hier. Die Amerikaner brachen – unter Martins Leitung – um zehn Uhr auf, schließlich war eine 106 Kilometer lange Strecke zurückzulegen. Die Busse desselben Transportunternehmens wie gestern boten natürlich denselben miserablen Komfort. Der Reiseführer sprach ein dermaßen unverständliches Englisch, dass Martin sogar für ihn einsprang. Loswerden konnte er den jungen Mann allerdings auch nicht mehr, denn er war der Neffe des Cousins des Geschäftsvermittlers. Er bemitleidete die Touristen in den anderen beiden Bussen, für die es absolut unmöglich sein musste, irgendetwas zu verstehen; bestenfalls konnten sie die Schönheit des Bulgarischen mit einem zweifelhaften englischen Akzent genießen.

Sie fuhren nach Süden, über Ivanovo, Dve Mogili und Borovo. Die Hinweisschilder in kyrillischer Schrift verwiesen auf entlegene Gegenden, deren Verlassenheit einem Angst einflößte, die jedoch auch eine wilde Schönheit versprachen. In der klaren Luft traten die Baumäste, Dachfirste und Hausumrisse besonders scharf hervor. Martin erzählte etwas über die fruchtbaren Böden, die nicht bestellt wurden, die niedrigen Gehälter und die Korruption, er zeichnete (wie auf Geheiß) das Bild einer Gegend, in der zu leben eine ausgemachte Strafe sein musste. Dies erfüllte die Touristen mit Mitgefühl und Schadenfreude und steigerte, wie er aus Erfahrung wusste, sein Rating. Unter dem allgegenwärtigen Schmutz erkannte Martin auch etwas Reines, als würden die Bewohner ihren Unrat zwar unter die Schränke kehren, doch zugleich ein reines Herz besitzen. Die Busse schleppten sich im Schneckentempo auf Straßen dahin, die diesen Namen nicht verdienten. Vor den Häusern saßen alte Frauen und schluckten Straßenstaub, schärften ihre Zungen oder versanken in Erinnerungen an ihr früheres Leben. Die Frauen auf den Feldern stützten sich auf ihre Rechen und folgten ihnen mit Blicken.

Nach anderthalb Stunden blitzte zwischen den Hügeln Veliko Tarnovo auf. Die Passagiere zeigten sich überrascht. Auf den Ufern über dem Fluss Jantra drängten sich in engen Gassen bemerkenswert schöne Häuschen aneinander; das kleingliedrige Durcheinander wirkte überraschend einheitlich. Moderne Bauten auf steilen Böschungen kontrastierten mit älteren Gebäuden. Sogar »Le Corbusier« hob die hiesige organische Architektur hervor.

Als die Busse hielten, war es natürlich vorbei mit dem Zauber. Die Amerikaner wurden als leichte Beute erachtet, jahrelang trainierte Geier umringten sie. Der »Wildwestkapitalismus« hatte den Abstand zwischen Touristen und normalen Bulgaren noch vergrößert. Ein jeder, der noch laufen konnte, wartete nun auf dem Parkplatz auf seine Chance, Kinder, selbst aus den entlegensten Vororten, Greise und Greisinnen, manche dürften sogar aus dem Grab auferstanden sein. Von Teenagern bis zu den Alten mit ihren goldenen Zähnen und einer Bibel unter dem Arm versuchte ein jeder, irgendetwas zu verkaufen oder, besser noch, zu stehlen, was bei näherer Betrachtung eigentlich aufs Gleiche hinauslief. Gestalten in Windjacken bildeten Gruppen, gingen herum, begrüßten die Amerikaner, tranken Bier, tätschelten die verschreckten Ausländer, umarmten sie, fassten sie unterm Arm, zeigten, was sie alles hatten ,und gaben an. In mit Leinen abgedeckten Kiosken wurde chinesischer Plastikkrimskrams angeboten, ergänzt mit zu Hause ausgedruckten Postkarten und DVDs eines russischen Psychotronikers.

Die Mitglieder einer »Folkloregruppe« wirkten so, als hätten sie ihre Tiroler Kostüme bei Lidl eingekauft, doch sie trugen – weithin sichtbar – Unterhosen von Dolce & Gabbana. Viel zu laute Sängerinnen glichen eher Stripteasetänzerinnen, denn bulgarischen Müttern. Aus dem Kofferraum eines mächtigen Jeeps dröhnten elektronische Volkslieder. Einer bettelte, eine bot Oralsex an, der dritte wollte aus der Hand lesen, die vierte verkaufte Keramik, und der fünfte bot Türkischen Honig an.

Martin staunte, was für einen Lärm diese Masse hervorzubringen vermochte. Die betäubten Amerikaner wussten nicht, wohin sie sich wenden sollten. Der Spaziergang durfte nicht zu lange dauern, denn sonst würden die Reisenden beim Mittagstisch nackt sein, man würde ihnen nicht nur die Fotoapparate und Kameras abschwatzen, sondern auch ihre Kleidung und Unterwäsche. Es war ihm schon mehrmals passiert, dass barfüßige Kinder von irgendwelchen Amis Nikes, Reeboks oder Sketchers erbettelt hatten, nur um später in Gelächter auszubrechen, weil sie zu Hause bereits fünf Paar davon hatten.

Veliko Tarnovo hieß auch die Zarenstadt, und ihre Geschichte spiegelte den einstigen Ruhm Bulgariens. Die Gruppe spazierte durch eindrucksvolle Gassen zu den Ruinen des Palastes und zur alten Patriarchenkirche auf dem Carevac-Hügel. Die gigantischen Stadtmauern hatten den Angriffen der Türken drei Monate lang standgehalten. Die steinernen Mauern und Gewölbebögen wirkten wie Kulissen eines Historienfilms. Martin war davon fasziniert, dass schon im Hochmittelalter in diesem Städtchen eine Universität gegründet worden war, wo Mönche auch literarische Übersetzungen aus dem Griechischen in die neue slawische Sprache und Schrift anfertigten.

Von hier oben hatte man eine schöne Aussicht auf das bergige Umland. Die Ottomanen unterhielten ganze Jahrhunderte lang große Kasernen, die an diesem Ort nur schwer zugänglich waren. Das größte Hotel trug den Namen der Stadt und bewirtete in seiner Vergangenheit verwöhnte sozialistische Machthaber; das Gebäude wirkte wie ein auf den Balkan übertragener Bauhaus-Stil, den man mit sowjetischem Prunk zu vermischen wusste. Am Felsvorsprung in der Flussbiegung ragte ein Heldendenkmal in die Höhe, als Andenken an längst vergangene Siege.

Neben all den Ladas parkten auch Jeeps auf den Gehsteigen, sodass die Fußgänger immer wieder auf die Straße ausweichen mussten. Die Amerikaner zeigten sich überrascht, diese Autos entsprachen so gar nicht ihren Vorstellungen von der Armseligkeit dieser Region. Das örtliche Sushilokal konnte getrost mit den japanischen Restaurants in Manhattan Schritt halten, und der Eigentümer war dort auch vertreten. Die noble Cocktailbar erinnerte an das Filmfestival von Cannes. Aus dem Solarium schwebte ein Model herab, die Frau gebärdete sich wie auf einem Laufsteg in Mailand, bis sie mit einer Oma und ihrem Wagen voller Kartoffeln zusammenstieß.

Nach einer einstündigen Stadtbesichtigung nahm sich der mafiöse Bürgermeister Krasimir Bogdanov der Amerikaner an, ein ehemaliger Taxifahrer und Geldschmuggler, der demnächst wohl auch EU-Abgeordneter werden würde. Er war der neue Typ osteuropäischer Mutanten, die etwas lächerlich wirkten, gleichzeitig aber auch Angst einflößten. Seine politischen Ansichten waren gewiss auch zweitrangig – wichtig war es zu wissen, dass er den mächtigsten Clan anführte.

Jeweils zehnköpfige Touristengruppen gingen in zwölf bulgarische Haushalte zum Mittagessen. Martin musste allen weiß machen, diese Speisen hätten einfache Mütter nach alten Familienrezepten gekocht. In Wahrheit wurden sie in der örtlichen Großküche aus Halbfertigprodukten zusammengepanscht und vom Handlanger des Bosses mit einem nagelneuen Mercedes-Lieferwagen verteilt.

Martin begleitete eine der Gruppen zum Essen. Die ausgesuchten Häuser sahen bei Gott nicht wie bescheidene Bauernhäuser aus der Provinz aus; es waren echte Neureichenvillen mit drei Garagen, Plasmafernsehern über ganze Wände und Küchenzeilen, die in ihren Ausmaßen eher an Squashplätze erinnerten. Martin hatte mit dem Chef zumindest die Vereinbarung getroffen, dass die Eigentümer ihre drei Autos drinnen parkten.

Eine wichtige Rolle wurde dem Gespräch mit echten Bulgaren beigemessen. In den Büros von Chicago hatte man die Vorstellung, es würde bei Tisch angeregte Gespräche über Kinder, Geschichte, Heimat und Naturschönheiten geben. Im Katalog stand, die Balkanbewohner interessierten sich ausgesprochen für den Lebensstil der

USA, da sie sich so etwas kaum vorstellen könnten – oder bestenfalls schemenhaft, dank der alten Fernsehserien. Die Ansässigen kannten die USA allerdings oft viel besser als die Amerikaner, weil sie dort zweimal jährlich luxuriöse Urlaube verbrachten. Die neuesten amerikanischen Sitcoms verfolgten sie mit Hilfe ihrer fünf HBO-Kanäle, die sie mit Decodern sogar in der bulgarischen Provinz empfangen konnten, in Spitzenqualität und illegal natürlich.

Die Hausherren ließen sich bei den verwirrten und durchaus eingeschüchterten Amis gar nicht blicken, sie schickten ihnen ihr rumänisches Dienstmädchen, das sich zwar abmühte, doch keine Fremdsprache sprach und mit vorgestreckter Hand, flehenden Augen und eindeutigen Gesten um Dollar bettelte. Das Essen war unter aller Sau. Blasses Hühnerfleisch mit Kartoffeln wurde in einer Mikrowelle aufgewärmt, schon eine Minute später war es wieder kalt. Der Salat bestand aus einem trockenen Krautblatt und einer müden Tomatenspalte.

Die Firma forderte, dass das Mittagessen mindestens fünfundvierzig Minuten dauerte. Zugleich kontrollierte ein Handlanger der Mafia, dass es keine Sekunde mehr wurde. Die Amis wurden danach regelrecht aus den Häusern geschmissen und hatten nicht einmal die Zeit, nach der Adresse zu fragen, um den Gastgebern eine Postkarte schicken zu können.

Die Rechnung für die Mittagessen überreichte am Ende des Ausfluges der Bürgermeister höchstpersönlich vor seiner Villa. Die Summe raubte Martin beinahe den Atem. Allerdings, so hart arbeitende Menschen hatten doch Anspruch auf eine angemessene Entlohnung? Krasimir hatte dunkle Ringe unter seinen hellblauen Augen, vielleicht vom Clubbing am Vorabend. Er verkörperte einen neuen Politikertyp, der den etablierten Parteien das Fürchten gelehrt hatte und seinen Sieg darauf baute, dass jeder zweite Bulgare die EU verachtete und Ausländer zutiefst hasste. Er stand, von vier Bodyguards umgeben, vor seinem Autopark, bestehend aus Cadillacs und Lincolns, mit Blaulichtern auf den Dächern. Seine reichverzierte steinerne Festung (frei nach Walt Disney) hatte allerdings Fenster, die eher Schießscharten glichen, fürs Schauen gänzlich ungeeignet. Gleich nebenan thronte ein dreistöckiger Palast, eine aufgeplusterte Kopie einer TV-Ranch, den er für seine Tochter hatte errichten lassen. Dahinter entstand gerade eine private weiße Kirche mit vergoldeten Zwiebeltürmen und einem lächelnden Patriarchen über der Tür. Auf dem dahinterliegenden, etwa zwei Fußballfelder großen Grundstück wollte Krasimir einen Aquapark mit Kasino und einem Einkaufszentrum für die Betuchten errichten.

Im Anschluss durften sich die Touristen kurz mit dem Bürgermeister fotografieren lassen; dann sang ein Knabenchor die bulgarische Hymne »Mila rodino ty si zemen raj«.

Anderthalb Stunden später kehrten die Busse nach Russe zurück. In dieser Stadt kam im Jahre 1905 Martins Lieblingsautor und wohl auch ihr berühmtester Sohn zur Welt – Elias Canetti, der viersprachig aufwuchs und seine Literatur auf Deutsch verfasste. Er dachte an Rovans Vorlesungen über Canettis *Masse und Macht*, »Masse« existierte, solange es ein gemeinsames Ziel gab und individuelle Absichten unterdrückt werden konnten. Er wusste nicht, ob Canetti einverstanden wäre, doch beim Anblick der Passagiere wurde er sich seiner erschreckenden Ähnlichkeit damit bewusst.

Lange Jahre war Canettis Gedenktafel am falschen Haus angebracht gewesen. In jenem Hof, wo der Autor einst als Kind gespielt hatte, wurde irrtümlich Gemüse angebaut.

Der alternde Schriftsteller hatte oft behauptet, dass alles, was er im Laufe seines langen und abenteuerlichen Lebens in Österreich, Frankreich, Deutschland, England und der Schweiz erlebt hätte, sich schon während der ersten sechs Jahre seines Lebens in Russe, das er stets mit dem alten Namen »Rustschuk« nannte, abgespielt hätte; Martin konnte sich das allerdings nicht vorstellen. Doch er hatte längst keine Zeit mehr, um über Bücher nachzudenken. Die *America* legte schon um fünf Uhr ab.

25. DAS TAL DER VERDORRTEN GEBEINE

Bislang hatte sich Martin Roy durchaus auf vertrauten Wegen aufgehalten; der Rest der Reise würde allerdings eine große Unbekannte darstellen. Er überprüfte telefonisch jeden weiteren Schritt, bis zu den allerkleinsten Details. Vorsichtshalber notierte er sich die Namen der bestellten Reiseführer und ihre Kontaktdaten. Es wurde dunkel. Von den Ufern war das Brummen der Stromaggregate zu hören. Obwohl überall kreuz und quer diverse Drähte gespannt waren, gab es kein funktionierendes Stromnetz. In den Siedlungen herrschte tiefste Nacht, wenn Licht vonnöten war, gab es ja noch Autoscheinwerfer.

Bei Kilometer 374, unterhalb der Stadt Silistra, floss die Donau wieder nach Rumänien. Die *America* fuhr auch des Nachts. Die Donauufer wurden von der Milchstraße beleuchtet. Martin betrat seine Kajüte und bemerkte sofort, dass etwas nicht stimmte. Zunächst hätte er nicht sagen können, was seine Aufmerksamkeit erregt hatte. Ein Stapel Papiere lag etwas weiter links, als er es in Erinnerung hatte. Ein Buch ragte aus dem Regal hervor. Die Schublade des Schreibtisches war geschlossen, doch Martin konnte sich ganz genau erinnern, sie halb geöffnet zurückgelassen zu haben. Die Kleidungsstücke lagen ebenfalls anders, als er sie gestern hingelegt hatte. Die Überzeugung, dass jemand seine Kajüte durchwühlt hatte, wurde immer stärker. Er schloss die Tür ab und sah sich noch einmal um, ob auch nichts fehlte.

Es war ihm nie zuvor passiert, dass jemand bei ihm eingedrungen war. Er überprüfte erneut seine persönlichen Gegenstände und stellte fest, dass noch alles da war. Wer war das? Er versuchte lieber schnell einzuschlafen, doch es gelang ihm nicht. Die Gedanken kreisten weiter. Der Fluss plätscherte geheimnisvoll. Dann siegte allerdings doch die Müdigkeit.

Als er wieder ruckartig zu sich kam, stellte er fest, dass er kaum zwei Stunden lang geschlafen hatte. Er knipste die Lampe an und lauschte. Nichts. Irgendwo auf dem Schiff lauerte ein Killer. Er konnte seine Angst nicht mehr beherrschen, verbarrikadierte die Tür und kontrollierte noch einmal das Schloss. Er kehrte ins Bett zurück und schaltete sich einige Male durch die diversen Fernsehkanäle, bis er bemerkte, dass er nach wie vor mehr auf die Bilder in seinem Kopf als auf den Bildschirm konzentriert war. Es war noch nicht vorbei. Auch am nächsten Morgen verspürte er diese Unruhe. Er hatte den Verdacht, jemand würde ihn beobachten, war sich dessen nahezu sicher. Wem würde er fehlen, wenn er im nächsten Hafen verschwände? In seinem Job hatte er sich immer schon austauschbar gefühlt Wäre es nicht das beste, einfach abzuhauen?

»Während unserer ganzen Reise hat es nicht ein einziges Mal geregnet. Das habe ich im Lauf meiner Karriere bei der ADC noch nie erlebt«, erklärte er.»Ich bin überzeugt, dass auch unsere letzten gemeinsamen Tage exzellent sein werden.«

Blumige Landschaftsbeschreibungen waren in diesem Abschnitt kaum möglich. Die Donauzenerie hatte sich gewandelt. Er konnte kaum glauben, dass diese Gegend hier einst zu den reichsten des ganzen Kontinents gehört hatte. Nach seinem Siegeszug durch Dakien schleppte Trajan 200 Tonnen Gold, 300 Tonnen Silber und Horden von Gefangenen und Sklaven an. Die kolossalen Feierlichkeiten und Gladiatorenspiele in Rom dauerten 123 Tage lang. Mittlerweile kämpfte die Region gegen eine erschreckende Armut an. Die Raubzüge unter Ceaușescu hatten allerdings selbst die der römischen Eroberer bei weitem übertroffen.

In der Hafenstadt Cernavoda war die längste Donaubrücke gebaut worden, die in einen künstlichen Kanal mündete; dieser führte bis zum Ufer in Constanta. Die politischen Häftlinge hatten hier Schwerstarbeit geleistet, und das Projekt brachte die Wirtschaft der gesamten Region zum Erliegen. In Zeiten der Megalomanie maß man das menschliche Glück lieber in Kubikmetern, Beton und noch mal Beton. Der Kanal war 64 Kilometer lang und für Güterschiffe wie auch die Personenschifffahrt gedacht.

Beide Ufer gähnten vor Leere, Autowracks ohne Motoren, Türen und Räder aber mit eingeschlagenen Scheiben und offenen Motorhauben lagen überall herum. Auf der Böschung war der aufgedunsene Kadaver eines Esels zu sehen. Immer öfter beobachtete Martin Herden spindeldürrer Wildpferde, die das trockene Gras abgrasten oder dem Schiff hinterhergaloppierten. Die *America* traf lediglich auf vier Schiffe unter ukrainischer Flagge, deren Verkleidung seit langem keinen Pinsel mehr gesehen hatte.

Unter Atanasius Hand wich die *America* allen Untiefen aus. Die Donau floss in zwei großen Armen in Richtung Norden, wobei sie den tieferen linken Arm nahmen. Es sah aus wie in jenem Tal der verdorrten Gebeine, von dem der Prophet Ezechiel einst berichtet hatte. Überall nisteten Störche, die in den stehenden Sümpfen Frösche jagten.

In die Hafenstadt Braila liefen sie im allerletzten Augenblick ein. Die *America* ankerte um Punkt zwei Uhr. Schon um halb drei begann die Stadtführung. Die Raben flogen in Schwärmen auf, offensichtlich mussten auch sie sich etwas zu essen besorgen.

Da er noch nie in Braila gewesen war, dachte er sich irgendwelche Geschichten aus. Er erzählte von der Antike, über die Daken und das Reich der Osmanen, über das Königreich und den Adel; die Jahreszahlen waren frei erfunden. Auf vielen Wegen war der Straßenbelag nicht fest, die Arbeiter hatten den Asphalt einfach direkt in den Schlamm geschüttet. Die Gruppe gelangte schließlich im Schneckentempo bis ins Zentrum. Es überwogen niedrige Häuser, vorwiegend Jugendstil aus der zweiten Hälfte des 19. Jahrhunderts. Beeindruckend wirkte das Maria-Filotti-Theater, in dem laut Aushang auch einmal die Schauspielerin Sarah Bernhardt aufgetreten war. Auf der zentralen Mihail-Eminescu-Straße wechselten sich historische Gebäude und architektonische Schandtaten ab. Mit dem Eintreffen der Touristen strömte eine Menschenmasse auf die Gehsteige, die Fahrbahn und die Kaffeehausterrassen. Auf armseligen Bänken saßen alte Frauen mit Kopftüchern und Gebetsbüchern in den Händen, beobachteten den Gänsemarsch und tratschten.

Martin schaute sich immer wieder um und prägte sich jede Ecke ein. Er orientierte sich recht schnell. Er dachte gar nicht daran, den Amerikanern etwas Freizeit für Kaffee und Einkäufe zu gewähren. Er wollte sie unter Beobachtung halten und wohlbehalten zum Schiff zurückführen. Zwischen den Schornsteinen hingen ganze Knäuel von Drähten. Besser erhaltene, klassischere Gebäude wurden von den Eigentümern mit selbstgebastelten Reklameschildern und bizarren Logos übersät. Die Kirchen mit ihren Zwiebeltürmchen waren von der Stadtverwaltung hingegen vorbildlich restauriert worden.

Beim desolaten Hotel Pescarus drehte er sich wieder einmal um. Er blickte in die Auslagen und erkannte, dass er sich wohl am dreckigsten Fleckchen in ganz Braile befand.

Er sah sich noch einmal um. Wieder hatte er dieses Gefühl, beobachtet zu werden. Er sah in die alten und faltigen Gesichter, die wie Ablagerungen auf Felswänden wirkten, und beobachtete ihren langsamen Gang. Bevor die Sonne unterging, wurde das Licht strahlend und intensiv. Offensichtlich begann er langsam durchzudrehen. Zur Donau ging es abwärts, seine Orientierung hatte ihn wenigstens nicht im Stich gelassen, schon von weitem hörte er das Krächzen der Raben.

Beim Betreten des Schiffes drückte Mona jedem Einzelnen einen Bewertungsbogen in die Hand. Die Stunde der Wahrheit war gekommen.

Bei Kilometer 134 mündete der Fluss Prut, der die Grenze zwischen Rumänien und Moldawien bildet, in die Donau. Moldawien besaß den kürzesten, nur einen halben Kilometer langen Abschnitt des Flusses. Dieser schwer geprüfte Staat besaß also auch ein Stückchen Donau und hoffte, damit zu Geld zu kommen. Doch die Welt ahnte nicht einmal, dass Moldawien überhaupt existierte, und Martin beschloss, es den Amerikanern gar nicht auf die Nase zu binden, denn die waren längst verwirrt, diese Fülle an Orten, unbekannten Sprachen und Währungen ...

Die letzten hundert Kilometer floss die Donau einfach gen Osten. Martin hatte diese unnatürliche Ruhe des Urwalds vor Augen. Im Delta herrschten Ewigkeit und Trägheit. Bunte Vögel krächzten und flogen wie schon in der Urzeit herum, die Welse lauerten in den Buchten schon seit Jahrtausenden auf ihre Beute. Die Gegend erinnerte an archaische Gebiete dieser Welt wie Amazonien oder den afrikanischen Dschungel. Das Vieh weidete ohne Aufsicht. Im Schilf quiekten die Schweine, die den Hirten wie Hunde nachliefen. In die Ruine eines Bauernhauses waren zwei Esel eingezogen. Ausgemergelte Pferde mit durchhängenden Kreuzen und diversen Anzeichen von Krankheiten spitzten die Ohren, die *America* schien ihnen zu gefallen.

Das Donauwasser wurde schwärzer und dichter. Silbrige Fische streiften die Oberfläche, Vögel querten den Horizont. Die Seen und Feuchtwiesen waren mit weißen und gelben Seerosen überwuchert, in denen die Motoren kleinerer Boote steckenblieben. Auch die Luft veränderte sich; das Licht, die Gerüche und die Farben bekamen den Beigeschmack des Meeres. Rumänen, Lipowaner, Ukrainer, Aserbaidschaner, Armenier, Juden und Tataren lebten hier nebeneinander. Martin stellte sich die Menschen vor, die in diese Welt gehörten – in eine ewige Feuchtigkeit und in klare Morgen, wo es den Menschen im Tiergebrüll die Ohren verschlägt, wo selbst der Boden unter den Füßen nachgibt. In den Auen erinnerte das Donauwasser an zähflüssigen Sirup, der die Fischerboote festzuhalten vermochte. Die leeren Schiffswege, die sich wie sinnlos durch die Gegend schlängelten, wirkten nahezu unwirklich, fast verwunschen.

Bis zum Ausbruch des Zweiten Weltkrieges gehörte das Delta zu Rumänien, danach fiel es zusammen mit Moldawien an die Sowjetunion. In der kommunistischen Zeit wurde die Grenzregion hermetisch abgeriegelt, ohne Sondererlaubnis durfte sie niemand betreten. Heute war das linke Ufer ukrainisch und das rechte rumänisch. Die Grenze der Europäischen Union führte durch die Flussmitte oder verlief kompliziert entlang der Ufer. Jede neue genaue Karte des Donaudeltas war nach wenigen Monaten veraltet, die Inseln verschoben sich ständig. Nur die örtlichen Seeleute kannten die Fahrrinnen genau, weil sie sie täglich befuhren.

In der Nähe des Dorfes Caraormanu, was auf Türkisch »schwarzer Wald« bedeutet, ließ Ceaușescu eine Goldschürfanlage errichten. Die monströsen Maschinen waren allerdings nie in Betrieb gegangen und rosteten nun vor sich hin. Der wahnsinnige Diktator befahl, das Delta trockenzulegen. Riesige Seen bei Murighiol und an anderen Orten ließ er in Wiesen umwandeln. Der Fluss ließ sich jedoch nicht so einfach beherrschen, und das Vorhaben brach in sich zusammen. Dann entschied der Präsident, es sollte großflächig Reis angebaut werden. Tiefere Gebiete wurden von politischen Häftlingen noch weiter vertieft. Auch das ging schief. Riesige Flächen wurden für Mohnplantagen und Papierwerke abgeholzt. Jahrzehntelang wurde aus den Fabriken Gift in den Fluss eingeleitet. Tausende Bauern wurden mit Gewalt in Städte umgesiedelt. Diese Projekte fanden erst nach dem Zusammenbruch des Kommunismus im Dezember 1989 ihr Ende. Die Donau überstand bislang noch jedes dieser Regime.

26. DER STURM

Nach dieser langen Fahrt erwarteten sie im Hafen von Tulcea endlich Sicherheit, Komfort und Frauen – all das, was die Mannschaft schon so lange vermisst hatte. Die Männer freuten sich auf das Ziel und planten bereits ihren Abend. Sogar die Raben flogen gemeinsam als Schwarm auf, sie schienen das Schiff nun endgültig verlassen zu wollen. Am Ufer herrschte ein heilloses Durcheinander, die Menschen schleppten Koffer, standen am Pier herum, beobachteten die Schiffe, aßen Fisch, tranken Wodka, gingen ihrer Arbeit nach oder träumten in den Abend hinein. Der Orient schien hier zum Greifen nah.

Im Dock sah Martin auch den legendären Dampfer *Republica*, der Ende des 19. Jahrhunderts in Linz erbaut worden war. Der einzigartige Seitenradantrieb wurde später von amerikanischen Schiffen kopiert. Der österreichisch-ungarische Raddampfer fiel nach dem Ersten Weltkrieg Frankreich zu. Er wurde auch im Zweiten eingesetzt und später von den Sowjets beschlagnahmt. Nach dem Krieg durften nur noch angrenzende Staaten ihre Flotten auf der Donau stationieren, und so schenkte Frankreich das Schiff seinem geliebten Rumänien. Die *Republica* blieb in Tulcea vor Anker liegen, einmal übernachtete sogar Nikita Chruschtschow darauf.

»Liebe Passagiere, unsere exzellente Fahrt neigt sich langsam ihrem Ende entgegen«, sagte Martin ins Mikrophon.

»Nein!«, riefen die Amerikaner. »Buuh! Wir wollen nicht nach Hause! Noch nicht!«

»Ich hoffe, dass Sie auch beim Ausfüllen der Fragebögen an Ihre Worte denken«, erinnerte sie Martin. »Ich kann Ihnen nur empfehlen, gleich Ihren nächsten Urlaub mit der ADC zu planen! Wir sind nun in Tulcea angelangt, das sich wie Rom über sieben Hügel erstreckt. Es ist die letzte größere Stadt an der Donau. Sie wurde einst zwar von den Daken, den Vorfahren der Rumänen, begründet, gewachsen ist sie jedoch vor allem unter den Römern. Den hiesigen berühmten Hafen und die Werften nutzten sowohl das Byzantinische als auch das Osmanische Reich. Morgen werden Sie in einem echten Dschungel erwachen, und es erwartet Sie ein allerletzter Ausflug. Sie werden seltene Vögel aus nächster Nähe beobachten, fotografieren und die Natur bewundern können. Doch vorher müssen wir noch einige praktische Dinge erledigen. Kommen Sie bitte in einer halben Stunde alle in den Salon. Und heute Abend feiern wir natürlich Ihren Urlaub mit einer würdigen Abschiedsparty!«

Die Anweisungen zum Verlassen des Schiffes nahmen etwa eine Stunde in Anspruch. Martin schien von nahezu unerschöpflicher Geduld, er wiederholte die wichtigsten Informationen gleich mehrfach. Er erklärte, wie am übernächsten Morgen der Bustransfer aus Tulcea zum Flughafen in Bukarest verlaufen würde, wie die Rechnungen an der Bar und im Schiffsshop zu bezahlen seien und wo das Gepäck vor dem Aussteigen verstaut werden musste. Dann erklärte er alles noch mal, einem jeden einzeln. Wären Rechnungen unbezahlt geblieben oder hätte ein Passagier sein Gepäck vergessen, wäre Martin finanziell dafür verantwortlich.

Das Restaurant wurde nach dem Mittagessen für die abendliche Party im Las-Vegas-Stil dekoriert; dieser Event musste gelingen, ein guter Eindruck erhöhte die Chancen auf eine positive Gesamtbewertung. Aus der Küche drangen anregende Düfte. Die Kellner eilten auf und ab, legten Silberbesteck und Gedecke auf und schmückten die Wände mit kitschigen Dekorationen. Um halb sechs zog sich Martin in seiner Kajüte das Sakko an, band sich die Krawatte und tupfte sich sogar Parfüm hinter die Ohren. Als er unter der Treppe Stellung bezogen hatte, kamen schon die ersten Gäste. Die Männer trugen Anzüge, manche sogar Smokings, die Frauen kamen in langen Abendroben. Die Tischreihen bogen sich unter Schüsseln mit Kaviar, Rebhuhnsuppen, Kalbsbrust, Pirogen, Lammpasteten, Safranragout, frischem Obst und anderen Leckereien.

Martin setzte sich an einen der letzten freien Tische, mit dem Rücken zum Saal, gleich gegenüber von Atanasiu.

Er konnte die Augen nicht von Mona lassen. Was würde nur aus ihr werden? Würde sie auf dem Schiff bleiben? Oder mit ihm für ein paar Tage nach Bratislava kommen? Sie hatte ein neues weißes Kleid an. Der Stoff zeichnete ihre Körperkurven exakt nach. Sie saß allein da und wirkte einsam; Martin war drauf und dran, ihr wieder zu vertrauen. Die Pensionisten verfolgten sie mit ihren Augen, zu lange hinzuschauen, das traute sich allerdings keiner.

»Danke für coming this ship!«, legte Atanasiu mit seiner unglaublichen Abschiedsansprache los. »Das ist Plesir für all und thank you, thank you, thank you. You come home, I am happy, you say okay? I am okay auch. Bye bye! Wiedersehen! Zbogom, zdravo!«

Der tosende Applaus spornte Atanasiu offensichtlich an. Die Passagiere starrten ihn an – so stellten sie sich wohl einen sprachlich bewanderten Europäer vor. Martin spielte unter dem Tisch mit seinem Handy und mailte sich Fotos von dieser Fahrt. Dann stellte er sich neben den Kapitän und umarmte ihn wie seinen allerbesten Freund; der Alkoholgeruch ließ ihn erschaudern. Er sprach seine paar Abschiedsworte.

»Im Namen der ADC bedanke ich mich bei Ihnen für die exzellente Fahrt. Ohne so außergewöhnliche und interessante Gäste, wie Sie es waren, wäre diese Fahrt niemals zu solch einem exzellenten Erfolg geworden. Ich wünsche Ihnen noch einen wunderschönen Abend, und auf ein baldiges Wiedersehen bei Ihrem nächsten exzellenten Urlaub mit der ADC!«

Er nahm eine Keule und begann gierig zu essen. Gábor klimperte auf dem Klavier, und eine Stunde später wurde getanzt. Mona hatte ein unbeteiligtes Gesicht aufgesetzt. Ein Pensionist forderte sie zum Tanzen auf. Mit einer Entschuldigung verließ sie die diskutierende Gruppe und ging, bei William Webster eingehängt, zum Parkett. Als sie Martin in die Augen sah, verzog sich ihr Gesicht für den Bruchteil einer Sekunde, dann nickte sie ihm höflich zu und ging weiter. Er ließ das tanzende Paar keine Sekunde aus den Augen. Mona tanzte Walzer und strahlte absolute Gelassenheit aus. Websters Körper drängte sich an sie. Martin hatte eine noch größere Lust, sich zu betrinken. Er war schon im Begriff, aufzustehen und zu Mona zu gehen, doch als sie ihn erblickte, verkündete sie ihrem Tanzpartner unvermittelt: »Ich bin sehr müde, mein Herr, entschuldigen Sie mich bitte. Ich möchte früh ins Bett kommen ... Gute Nacht!«

Martin überlegte, wie er ebenfalls am schnellsten verschwinden könnte. Noch vor einer Stunde hatte er gehofft, eine Nacht mit Mona zu verbringen, doch jetzt hielt ihn nichts mehr auf diesem Schiff. Sie würde nicht mit ihm kommen. Nach Bratislava würde er allein zurückfahren, in vier Tagen schon wieder am Flughafen in München stehen, und der Kreislauf würde erneut beginnen. Wenn er jetzt noch länger sitzen bliebe, würde er verrückt werden. Er stand auf, ging wortlos in seine Kajüte, zog sich um und ging hinaus.

Über der Stadt zeigten sich ein paar Sterne. Das Delta leuchtete und spiegelte die Lichter wieder, der Fluss verschmolz förmlich mit dem Himmel. Er lungerte eine ganze Stunde herum und schloss sich dann sechs seiner Kollegen an, die in die Stadt aufbrachen. Tulcea schien die fischreichste Stadt an der Donau zu sein. In Kesseln und Töpfen aller Restaurants wurden Fischsuppen und andere Fischgerichte zubereitet. Fisch aß man hier offensichtlich zum Frühstück, zu Mittag und auch am Abend.

Der lange Pier zog sich in einem Halbkreis hin. Die Hotels sahen verlassen aus, obwohl die Touristensaison in vollem Gange war. Die schlecht gepflasterten Straßen waren von verschmutzten Plattenbauten gesäumt. Auf den Seiten wurden die Docks von starken Scheinwerfern angestrahlt und von Schäferhunden bewacht.

Wohin er auch kam, trank er auch. Die Kneipen rochen nach ungewaschenen Körpern, verschüttetem Alkohol, billigem Parfüm und schmutzigen Toiletten. Sogar der Wodka schmeckte hier irgendwie nach Fisch. Von Izmail am anderen Ufer dröhnte die Musik bis hierher, vor allem ukrainischer Dancefloor. Martin hatte mit der Besatzung schon einiges erlebt, doch ein solches Saufgelage hatte es noch nie gegeben. Sie landeten in einem Klub zwischen zwei riesigen sozialistischen Hotels, wo Balkanpop mit englischen Texten gespielt wurde. Die Besatzung setzte sich, trank eine Runde nach der anderen und rauchte gefälschte Camel. Am schlimmsten richtete sich Dragan zu. Martin hielt sich noch einigermaßen aufrecht. Wenn ihn jemand ansprach, verstand er in all dem Lärm kein einziges Wort. Er konnte gar nicht fassen, was für eine Ausdauer die Matrosen beim Trinken hatten – er wäre bei dieser Menge längst tot. Er trank lieber in kleinen Schlucken und legte ausgiebige Pausen ein – dabei war er überglücklich, dass die Reise zu Ende ging und nun alles erlaubt war. Er dachte an Mona, überzeugt davon, dass sie eben jetzt mit jemandem schliefe.

Als er auf die Uhr sah, war es drei in der Früh. Er hatte in diesem furchtbaren Lokal sein Zeitgefühl vollkommen verloren. Er saß neben zwei Teenagern, jungen, dünnen, biegsamen Mädchen mit Storchenbeinen; er fühlte sich wie ihr Vater. Suang lag unterm Tisch, zwei Köche waren mit Prostituierten nach hinten gegangen, in den Darkroom. Martin fiel ein, dass das Schiff um vier Uhr ablegen musste, und trieb die Männer zurück. Es ging leichter, als er angenommen hatte. Die Pflicht siegte bei den Seeleuten über alles, sie hatten offensichtlich auch genug.

Als die wilde Truppe die Disko verließ, blieb Martin kurz stehen und beobachtete die Lichtspiegelungen auf dem Wasser. Er hatte die Donau noch nie so eigenartig verfärbt gesehen: schwarzgrün, wie das Gesicht eines zerfallenen Leichnams. Die Möwen flogen wie verwirrt hin und her und klapperten böse mit ihren Schnäbeln. Im Schilf gingen zwei Störche auf und ab.

In Tulcea teilte sich der Strom in drei Arme: Chilia im Norden, Sulina in der Mitte und Sfintu Gheorghe im Süden – dieser war für große Schiffe unpassierbar. Vom Süden näherte sich eine unheilverheißende Wolke mit weißem Rand und kündigte einen Sturm an. Der erste Blitz erleuchtete jäh den Nachthimmel. Die Dunkelheit verlieh der *America* eine eigenwillige Aura. Martin kam müde und betrunken an Bord. Durch die offenen Türen drängte die Hitze nach innen. Die Raben erwarteten ihn wie immer und begannen zu krächzen.

Die Männer beschlossen, noch einen Schlaftrunk zu nehmen, sie schenkten auch Martin einen ein. Mit dem aufkommenden Wind schaukelte das Schiff immer stärker. Martin trank auf den Sommer, die Fahrt, Mona, die Nacht und den Fluss. Der Himmel zog sich zu, und über dem Wasser wälzte sich träger Nebel.

In diesem Augenblick schlug etwas Schweres am Ende des Decks auf. Es folgte ein Schmerzensschrei, der nur von einer Frau stammen konnte. Er brach ab. Martin erschrak, doch die anderen nahmen längst nichts mehr wahr. Trotz seiner Trunkenheit rannte er los, über das Deck, so schnell er konnte. Ein furchtbarer Verdacht keimte in ihm auf.

»Schnell, kommt mit!«, brüllte er.

Er wusste nicht, ob ihn noch jemand gehört hatte, ob sie ihm folgten oder nicht. Er fand die halbnackte Mona im hintersten Winkel des Decks. Ihre Hände waren nach hinten gebunden, sie war geknebelt. Blut tropfte aus ihren Mundwinkeln auf ihre Brust. Sie sah Martin erschrocken an, atemlos und geschockt, zerschlagen, geschunden, aber am Leben. Ihr linker Backenknochen sah zerschmettert aus. Als sie den Mund aufmachte, bemerkte er eine Lücke in der oberen Zahnreihe. Sie atmete schwer und schien gleich ohnmächtig zu werden.

»Was ist passiert?«, schrie er, als er ihren Mund und die Hände befreite.

»Ich weiß nicht ... Ich weiß nichts ... ich ... ich wollte«, stotterte sie und deutete nach rechts.

Er blickte sich um und sah, wie gerade die Luke zum Unterdeck zuklappte. Der Täter floh.

»Bleib hier. Ich bin gleich wieder da!«

Sein Verdacht nahm endlich Gestalt an. Martin hatte noch nie die Abkürzung für Seeleute zum Unterdeck genommen, offiziell durfte er das gar nicht. Mit Mühe hob er den Deckel an. Er tastete sich mit den Füßen vor und fand die Leiter, die nach unten führte. Er kam bis zur letzten Sprosse, neigte sich ein wenig vor und ließ sich fallen. Es war kalt und roch modrig. Das Lager sah aus, als würde es von Geistern bewohnt werden. Er hatte rasende Kopfschmerzen, glaubte, sich sofort übergeben zu müssen. In der Dunkelheit tastete er sich vor, in die Nähe der dröhnenden Maschinen. Der Unbekannte musste dort irgendwo stecken.

Er blieb stehen und lauschte angestrengt. Von irgendwo kam ein Geräusch. Das Knistern war schwer zu orten, zwei Ohren an einem besoffenen Kopf waren auch keine große Hilfe. In der Finsternis konnte er nun zahlreiche Ecken und Nischen ausmachen. Jemand bahnte sich einen Weg zwischen den Kisten hindurch. Martin lief an einer Reihe Gefriertruhen und Schränke vorbei.

Plötzlich setzte sich die *America* in Bewegung. Das Ablegemanöver riss Martin zu Boden und ließ ihn nach Luft schnappen. Es folgte ein metallischer Schlag – der Beweis, dass die Besatzung, trotz aller Trunkenheit, ihren Dienst versah. Das Schiff nahm Kurs ins Delta, um in einigen Stunden die Gäste inmitten eines Dschungels zu begrüßen. Er bereute es längst, getrunken zu haben. In seinem Kopf drehte sich alles. Er war dem Menschen, der mindestens zwei Leute auf dem Gewissen hatte, zum Greifen nahe. Die Motoren lärmten, die Kühlschränke summten. Er wartete, ob jemand nachkommen würde, um ihm zu helfen, bis ihm klar wurde, dass er alleine damit fertig werden musste. Sein Mobiltelefon lag in der Kajüte, es hätte sich ebenso gut auf dem Mond befinden können.

Er ging in den Mittelgang. Der Angreifer war hier entlanggelaufen und floh weiter, immer tiefer in den Schiffsrumpf. Einige unendliche Sekunden lang überfiel ihn quälende Unsicherheit. Die Sicherheitsbeleuchtung verwirrte ihn noch mehr. Er hatte nicht geahnt, dass das Schiff selbst hier unten noch so breit war. Er drängte den Unbekannten langsam in eine Ecke, zumindest hoffte er das.

Er spürte einen Luftzug auf seiner Wange. Also gab es auch hier andere Ausgänge. Er arbeitete sich weiter vor. Die Temperatur im Unterdeck sank merklich. Er hörte ein Geräusch. Die Gestalt lief an ein paar Lebensmittelsäcken vorbei und kam an Martins rechte Seite. Undeutlich erkannte er, wie der Körper verschwand. Wollte der Mörder ihn etwa von hinten angreifen?

Er drehte sich um und stürmte vorwärts. Vor sich sah er einen leeren, dunklen Raum. Gegenüber eine enge Eisentreppe. Plötzlich war alles weg, um ihn herum wurde es pechschwarz. Er verlor die Orientierung und versuchte, nicht in Panik zu geraten, tastete sich an den Wänden entlang und redete sich ein, dass er wohl gleich eine Öffnung finden würde. Unter den Füßen klirrten ein paar leere Flaschen, in die er getreten war und die über den Boden kollerten. Sein Herz raste.

Er bekam eine Klinke zu fassen. Er drückte sie nieder, doch diese Tür war zugesperrt. Er rüttelte daran, schlug gegen die Wand, es half nichts. Den Geräuschen nach zu urteilen, änderte sein Gegner die Richtung. Die Gestalt rannte los und riss alles um sich herum nieder. Es war schwer abzuschätzen, wohin er lief. Dann begriff Martin endlich. Zu ihm. Etwas blitzte auf. Ein langes Messer. Die Lösung des Rätsels war zum Greifen nah. Er konnte sich nicht mehr rühren, war bewegungsunfähig. Er bedauerte, diese Selbstverteidigungstechnik der Krav Maga nicht zu beherrschen. Ein Imrich Lichtenfeld hätte die Situation bewältigt.

Martin stolperte rückwärts, stieß irgendwo an und lief gegen einen Tisch. Er wollte nur weg und krachte gegen die Wand. Der Verfolger holte ihn ein wie ein Raubtier sein Opfer. Der Unbekannte schlug ihm mit der Faust gegen die Schläfe und dann auf seine Brust. Seine Furcht schmolz zu einem Schrei zusammen. Er schnappte nach Luft, krümmte sich. Vor den Augen wurde es schwarz. Das letzte »Nein« verstarb in seinem Hals. Ein Fallen, ein Aufblitzen und dann wurde alles in Dunkelheit getaucht.

Als er zu sich kam, dauerte es einige Sekunden, bis ihm bewusst wurde, dass er im Eis lag. Suang lagerte in den großen Eisschränken allerlei Meeresgetiere.

Er war nun stocknüchtern. Die Eiseskälte kroch unter seine Haut, verbreitete sich rasend schnell und wurde immer stärker. Auf jedem Millimeter seiner Haut fühlte er den Schweiß. Er konnte das nicht überleben, das war klar. So etwas konnte niemand überleben. Er hatte ungefähr so viele Chancen wie ein Schneeball in der Hölle.

In der Dunkelheit gab es noch etwas Sauerstoff. Er hob den Kopf, so gut es ging, also nicht allzu hoch, und spannte alle Muskeln an, doch das Metall bewegte sich keinen Millimeter. Kostbare Sekunden vergingen, während er diese Welt langsam verließ. Er wollte nicht sterben, er musste es hinauszögern. Wenn er am Leben bleiben wollte, musste er all seine Kräfte bündeln und sich auf die Flucht konzentrieren. Er steckte schließlich in seinem eigenen Grab. Das Eis ließ ihn langsam erstarren. Es wäre durchaus verlockend gewesen, einfach liegen zu bleiben. Er tastete die Umgebung ab, doch seine Hände fassten nur in Eissplitter. Er sammelte all seine Kraft und trat mit dem Fuß zu, doch er konnte nicht weit genug ausholen. Das Schloss hielt stand, selbst wenn er mit aller Kraft dagegentrat.

Die Füße schmerzten, und auf dem Rücken breitete sich eine fast angenehme Wärme aus – Blut. Er tastete sich weiter vor und suchte nach einem Ausweg. Er atmete tief ein, beugte sich, so tief es nur ging, und griff mit den Fingern in das Eis. Der Frost befreite ihn. Seine Lider wurden schwerer, er schlief kurz ein. Vielleicht halluzinierte er. Nur nicht einschlafen!

Er bekam einen Draht zwischen die Finger. Ein Elektrokabel, das die Maschine im Betrieb hielt, die Temperatur einstellte und wohl auch das Schloss sicherte. Er wusste, dass es wahrscheinlich einem Selbstmord gleichkam, doch bohrte er trotzdem seinen Fingernagel unter das dicke Kabel und zog und zerrte daran. Nichts. Er stemmte sich mit den Füßen ab und zog mit seinem ganzen Körpergewicht.

Endlich riss das Kabel heraus. Es kam zu einem Kurzschluss. Martin bekam einige Stromschläge ab. Mit letzter Kraft richtete er sich auf. Diesmal ließ sich der Deckel öffnen. Er fiel über den Rand und blieb reglos liegen, überzeugt, dass das hier das Ende war. Dann folgte wieder Dunkelheit.

Ein trockenes Knistern weckte ihn erneut. Er wusste nicht, ob Sekunden oder Stunden vergangen waren. In einer wahnwitzigen Hoffnung gefangen, redete er sich tatsächlich ein, gerettet zu sein. Die Wand vor ihm stand in Flammen, die Drähte platzten nach und nach auf. Ein Kurzschluss jagte den nächsten. Im Dämmerlicht erkannte Martin eine Wolke vor sich. Er krümmte sich zusammen. Die Schwaden kamen vom oberen Lüftungsloch. Dort, in den Hohlräumen zwischen den Isolierschichten, zwischen den Blechen, in ungelüfteten Spalten zwischen den Pressspanplatten, loderten Flammen.

Er konnte sich keinen Millimeter bewegen. Wasser floss über den Boden, warmer Dampf stieg auf. Es schüttelte ihn, von einer noch nie gefühlten Kälte. Er fürchtete, sein rechtes Bein würde absterben. Er hustete, seine Augen tränten. Also war er dem Eis entkommen, um zu verbrennen.

Er wollte schreien, um Hilfe rufen, doch kein Laut kam über seine Lippen. Er fühlte, dass die *America* weiterhin fuhr, die Crew schlief wohl ihren Rausch aus, und die Passagiere schlummerten. Er durfte keine Sekunde mehr verlieren. Sein Herz schlug hart, in den Ohren dröhnte es.

Er nahm sich zusammen und machte sich langsam auf den Weg zum Maschinenraum. Keine Menschenseele. Nirgends. Er schaffte es bis zum SOS-Schrank und zog sich die orangefarbige Schwimmweste an. Er griff nach einem dünnen Eisenrohr, das am Boden lag, und stützte sich darauf ab.

Durchs Fenster erkannte er, dass der Wind zugenommen hatte, der Himmel war von Regenfäden durchschnitten. Er kam endlich zur Rezeption. Keiner da. Der Fernseher brummte. Aus der Klimaanlage strömten erste Rauchwolken.

»Feuer! Alarm! Es brennt! Es brennt!«, krächzte er.

Er umwickelte seine Faust mit einem Vorhang und schlug das Glas der Alarmanlage ein. Die Feuersirene jaulte auf.

Die Kajütentüren wurden nach und nach aufgestoßen. Verschreckte Köpfe amerikanischer Pensionisten kamen zum Vorschein. In ihren Gesichtern war Verwirrung zu lesen, keinesfalls Panik.

»Gehört das zum Programm? Exzellent!«, rief Jeffrey Rose.

Martin schüttelte ratlos den Kopf. Flammenzungen leckten zögerlich an der Decke. Aus kleinen Löchern in der Decke spritzte das Pech, die Holzspalten öffneten sich, der flüssig gewordene Lack tropfte aufs Deck. Keine Platte und kein Stück Plastik blieb vom Feuer verschont.

»Zieht die Rettungswesten an! Jeder zieht sich eine Weste an!«

»Wasser, bringt Wasser!«, schrie Atanasiu.

Die Besatzung war binnen drei Minuten mobilisiert – in einem schrecklichen Zustand. Die betrunkenen Matrosen versuchten irgendwie zu löschen. Selbst die Putzfrauen hatten ordentlich gesoffen. Die Situation war ernst, allerdings nicht völlig aussichtslos. Gábor Kelemen torkelte so besoffen daher, dass er sich automatisch ans Klavier setzte und zu klimpern begann. Martin stoppte ihn und zog ihm eigenhändig eine Weste an, denn der hätte sich nicht einmal mehr den Hosenknopf allein zumachen können.

Der Kapitän erwies sich plötzlich als ein überraschend entschlossener Mann. Mit lauter Stimme gab er Befehle, erteilte der Crew Anweisungen, schickte jemanden mit einem Funkgerät aufs Oberdeck, andere wies er an, Kübel oder sonstige Gefäße zu suchen. Inzwischen flogen die ersten Funken. Tamás packte das Löschgerät, zog den Ventilbolzen heraus, nahm den Schlauch und betätigte es. Der Schaum spritzte, doch das Feuer war zu stark.

»Setzt SOS-Funksprüche ab. Schaltet alle Alarme ein. Wasser, wir brauchen Wasser. Alle Löschgeräte, Seile und Leitern!«

Martin wünschte, diese höllische Nacht würde endlich enden, egal wie, nur enden sollte sie. Sein Gesicht war rot von der Hitze. Über die Schläfen rann ihm der Schweiß in Strömen. Die Kollegen schrien durcheinander, sie taten, was sie konnten. Die verwirrten Passagiere steigerten das Chaos. Nie hat es Martin mehr bereut, Pensionisten mit eingeschränktem Aktionsradius zu betreuen. Die meisten von ihnen taumelten nach wie vor ohne Rettungswesten herum, dafür bekreuzigten sie sich ohne Ende und spekulierten ängstlich. Er redete auf sie ein, gestikulierte, und wenn es nicht anders ging, zog er sie am Hemd und schrie aus Leibeskräften:»Weste! Weste! WESTE! Jeder! Anziehen! Jetzt gleich!«

Der lächelnde Jeff fotografierte das Geschehen. Martin stoppte ihn und forderte die Kellner auf, die Passagiere aus den Kajüten zu bringen. Emil und Sorin zogen das Löschgerät heraus: Feuerlöscher, Leitern, Feuerhaken und Eimer. Zwei Köche zielten mit langen silbernen Schläuchen auf die rauchenden Flächen. Dank dem Pumpendruck gelang es, die Wasserströme mit großer Kraft gegen die Decken zu spritzen. Die ersten Erfolge beflügelten die Besatzung. Suang setzte sich die Gasmaske auf und kletterte mit einer Axt in der Hand die Leiter hoch. Ein Mann im Sicherheitsanzug kam ihm nach. Mit Wasser waren diese Männer vertraut und konnten dagegen ankämpfen, mit Feuer ging das nicht so gut.

Ein starker Sturm brach aus. Es schüttete in Strömen und blitzte. Der Wind drehte plötzlich, trieb Martin juckenden Rauch in die Augen und ließ die Funken in den Spalten aufglühen. Das Feuer brach nun mit seiner ganzen Wut aus. Verkohlte Schnipsel flogen durch die Luft. Die Flammen bemächtigten sich der Plastiktaschen mit den Kreuzfahrtbroschüren.

Die Seeleute bildeten eine Kette, sie stellten sich im Vestibül, in den Gängen und auf den Treppen auf, reichten sich die Kübel. Viele schöpften erneut Hoffnung. Doch die Amerikaner rannten kopflos herum, manche drängten mit leeren Händen nach oben und stießen mit jenen zusammen, die vor lauter Neugier bereits hinaufgeklettert waren. Die Vernünftigeren suchten längst Töpfe und Schüsseln.

Unter Martins Füßen bebte es, als wäre dort etwas Lebendiges. Das beunruhigende Dröhnen erinnerte an einen Zug auf einer Eisenbahnbrücke. Das Geräusch wurde stetig stärker und kam aus allen Richtungen. Aus dem Maschinenraum hörte man eine ohrenbetäubende Explosion. Das Schiff wurde durchgeschüttelt, als käme dieser Schlag aus den Tiefen der Donau selbst. Die Wassertropfen landeten zusammen mit Glassplittern auf der Oberfläche. Martin wurde gegen eine Wand geschleudert. Kurz herrschte Totenstille. Dann ertönte aus allen Kehlen ein Panikgeschrei. Das Schiff wurde geflutet. Die unteren Kajüten befanden sich plötzlich auf gleicher Höhe mit dem Wasserspiegel.

Die *America* wurde zu einem einzigen Riesentumult voller Befehle, Schimpfwörter und Flüche. Matrosen rannten zu dem Leck, die Passagiere rasten kopflos in die entgegengesetzte Richtung. Tische und Bänke rutschten und rollten über das Deck und fingen sich in der Reling oder fielen ins Wasser. Der Kapitän übergab das Kommando und rannte nach unten.

Die letzten Wagemutigen aus der Besatzung, die nach unten hatten vordringen wollen, kehrten hustend und mit rot unterlaufenen Augen zurück und berichteten, man könne nichts mehr machen. Es blieb nur noch eine Hoffnung: ankern und das Schiff evakuieren.

Jetzt nur nicht hinfallen, dachte sich Martin. Er krachte irgendwo dagegen, die Menschen stießen ihn zur Seite, drängten sich in den Salon. Tamás öffnete die Verbandskästen und verteilte Pflaster und Verbände.

Am Gang herrschte ein Riesengedränge. Die Amerikaner verfluchten das Schiff und seine Besatzung. Die Südeuropäer riefen in ihren Muttersprachen den lieben Gott an, sodass ein babylonisches Gewirr entstand. Nach zehn Minuten begannen die verschmierten Männer zu murren.

»Alle bleiben auf ihren Plätzen!«, brüllte der Kapitän. »Ohne meinen Befehl verlässt niemand seine Position!«

Die strenge Kapitänsstimme brachte die Mannschaft wieder zur Vernunft; sie hörten auf, selbständig zu denken, gehorchten nur noch. Martin auch. Wer jahrelang im Drill gelebt hat, erliegt der Befehlspsychose wie einem unentrinnbaren Schicksal. Der Befehl des Kapitäns übte auf Martin eine außerordentliche Macht aus, er folgte instinktiv, war wie geblendet.

»Wir machen ein Rettungsmanöver und beginnen mit der Evakuierung«, beschloss Atanasiu und verschwand Richtung Oberdeck. Auf dem ganzen Schiff gingen die Lichter aus. Nur über dem Bartresen blinkte das Notlicht. Martin tastete sich die Gänge entlang. Der Vorhang hinter dem Rezeptionstisch fing Feuer. In einem Funkenmeer krachte die Decke herab. Innerhalb weniger Sekunden verwandelte sich der Gang in einen Hochofen.

Es donnerte, und im nächsten Augenblick schlugen irgendwo Blitze ein. Die Natur kämpfte auch gegen das Feuer. Und in der Tat, an einigen Stellen wurden die hellen Flammen gelöscht. Die Passagiere glaubten, in der Ferne Schiffe zu erkennen, die kämen, um die *America* zu retten, und als sie ihre falschen Hoffnungen begraben mussten, verfielen sie in eine noch größere Verzweiflung.

»Das Wasser ist ins gesamte Unterdeck eingedrungen und zieht uns nach unten. Wir müssen das Schiff evakuieren«, schrie Atanasiu.

Martin atmete immer schwerer. Jetzt half nicht einmal mehr das nasse Taschentuch, das er sich vor die Nase hielt. Auf den kleinen Balkons drängten sich VIP-Paare und riefen um Hilfe.

»Im Unterdeck haben sie nun fast zwei Meter Wasser gemessen. Die Pumpen gehen nicht mehr an«, meldete Sorin.

Die *America* bekam Schlagseite. Zur anderen Reling zu gelangen bedeutete, einen Aufstieg zu wagen. Durch die starke Neigung fielen die hölzernen Intarsien, die an den Wänden in der Rezeption und in den Kajüten angenagelt waren, heraus. Das Wasser drang immer höher und riss alles mit, was sich ihm in den Weg stellte.

Das Schiff sank mit unerwartet hoher Geschwindigkeit. Die Männer standen bis zu den Knien im Wasser und pumpten das Wasser quer übers Deck, wo es erneut in den Fluss fiel.

Jeff Rose machte eine Flasche Whisky auf und setzte sie an.

»Leute, hört mir gut zu«, schrie der Kapitän. »Ich befehlige dieses Schiff und verlasse mich auf euren Gehorsam. Gott stehe uns bei!«

Kaum war er fertig, drangen dutzende Wasserratten in den Gang. Wohlgenährte Körper mit langen Schwänzen rasten quietschend in alle Richtungen.

Die Menschen rannten vor den Tieren davon, stießen und drängten sich, kämpften und traten erbarmungslos aufeinander. Der Überlebenskampf in seiner primitivsten Form brach aus.

Das Schiff wurde von einem immer größer werdenden Lärm überrollt. Als würde ein tobender Riese mit einem Hammer ein Eisenwarengeschäft zertrümmern. Der Kapitän drängte die Schiffsleute weiterzukämpfen, doch die hatten längst aufgegeben. Ihre Uniformen waren zerrissen, die Ellbogen hatten sie sich blutig geschlagen, die Finger zerschunden.

Dragan verließ seinen Posten, und weitere schlossen sich ihm an. Der Kapitän schrie sie an, vergebens. Einige torkelten nur noch herum und warteten wie Kühe auf ihr nahes Ende.

Atanasiu stand vor seiner schrecklichsten Entscheidung. Nach einer kurzen Diskussion, an der Martin auch teilnahm und die zu keinem Ergebnis führte, kam schließlich der Befehl:

»Alle verlassen das Schiff!«

Die MS America verfügte über insgesamt zwölf Rettungsboote. Martin band sich mit einem Seil an der Reling fest.

»Bereiten Sie sich auf das Schlimmste vor. Wir gehen unter! Im Wasser müssen Sie so schnell es geht vom Schiff weg!«, brüllte Atanasiu.

Die Passagiere hielten sich mit letzter Kraft an der Reling fest, um nicht in den schäumenden Fluss geworfen zu werden. Tamás war durch die unmenschliche Anstrengung an den Pumpen völlig erschöpft, er hielt sich jedoch weiter aufrecht. Es gelang ihm, die ersten zwei weißen Boote mit schreienden Passagieren hinunterzulassen; sie wurden wie Nussschalen hin und her geworfen. Manche

Amerikaner legten sich auf den Boden, andere hielten sich an den Planken fest, einige setzten sich an den Rand und streckten ihre Füße aus. Martin hoffte, die Rettungswesten würden auch die Fettleibigen über Wasser halten. Vom Schiff ins Boot zu steigen war schon eine Herausforderung, für die Behinderten eine Katastrophe. Martin und Tamás trugen Arthur Breisky, doch dieser widersetzte sich, er wollte nicht, genauso wie Erwin Goldstucker.

»Lasst die Jüngeren einsteigen, ich bin ja schon alt«, rief Josephine und ließ die verschreckte Foxy vor.

»Danke«, sagte Martin. »Keine Angst, wir kümmern uns gleich um Sie.«

Bei einem entschlossenen Handeln hätten sich alle retten können, doch angesichts des Egoismus von vielen, brach der Plan bald wie ein Kartenhaus zusammen.

Im Gedränge schlugen die Menschen mit Fäusten aufeinander ein. Chaos brach aus, und das Verbindungsseil zweier Boote löste sich vorzeitig – aus Unfähigkeit, Feigheit oder es wurde einfach kurzerhand gekappt.

Die Boote klatschten aufs Wasser. Doch sie waren halb leer, während sich die Verzweifelten an Deck drängten. Zwei Seeleute sprangen geschickt in die heruntergelassenen Boote. Das vierte Boot klatschte zu Wasser und legte ab.

Zwei Ruder gingen hoch, das Boot schoss mit unerwarteter Geschwindigkeit davon. Die Flüchtenden ruderten mit voller Kraft in Richtung Sandbank. Martin schoss zweimal eine Signalpistole ab und warf zwei Rettungsringe ins Wasser.

Die Platzeinteilung in den Booten wurde vollkommen ignoriert. Weitere drei Boote wurden herabgelassen, doch sie verloren die Ruder, und die Passagiere konnten sie nicht lenken.

Die *America* neigte sich erneut und weitere Menschen fielen ins Wasser. Tamás kippte plötzlich um und wurde in die Dunkelheit gerissen.

Die Hoffnung stirbt zuletzt, dachte sich Martin. Er sah lieber nicht in den schwarzen Abgrund, der ihn nahezu magisch anzog. Der Kapitän riss das letzte Mal die Tür auf und schrie:

»Wer eine Rettungsweste hat, springt, sofort, springt! Das Schiff kann explodieren! Rettet euch! Vergesst nicht, im Wasser zu pfeifen! Rette sich wer kann!«

Seine Stimme brach ab. Er wusste, dass nun alles vorbei war, und sagte kein Wort mehr. Krampfhaft hielt er sich am Ruder fest.

Martin wies die Amerikaner an, nicht mehr länger zu warten. Die letzten Besatzungsmitglieder und Passagiere liefen schreiend an ihm vorbei und stürzten sich ins Wasser. Er war mit dem Kapitän bis zuletzt an Bord geblieben. Das Deck sank ihnen unter den Füßen weg, das Wasser reichte schon bis zur obersten Reling und riss die verbliebenen Sonnenliegen mit sich.

Er kontrollierte noch einmal seine Rettungsweste. Atmete dreimal tief ein. Dann nahm er Anlauf, stieß sich mit aller Kraft ab und sprang zum ersten Mal in seinem Leben von einem Schiff ins Wasser.

27. DER ERBE DES IMPERIUMS

Er schluckte jede Menge Wasser, etwas dermaßen Widerliches hatte er noch nie zuvor trinken müssen. Dem Ersticken nahe, wurde sein Kopf auf und ab geschleudert.

Aus alten Geschichten wusste er, dass die Donau alle Schuldigen in Fische verwandelt, zum ewigen Schwimmen verurteilt, verdammt, nie in einem Hafen anzukommen. Er versank in dunkle Wasserkatakomben, wo vergessene Schiffe und Anker rosteten, ins Unterdeck dieses Flusses, bis zu den Knochen der Ertrunkenen.

Doch schließlich spuckte die Donau Martin aus, als ob sie ihn nach vielen Jahren endlich hätte loswerden wollen. Es vergingen einige sich ewig in die Länge ziehende Augenblicke, dann hörte er wieder das Prasseln des Regens. Er schwamm los und steuerte das Ufer an.

Er drehte den Kopf nach hinten. In der Dämmerung war noch einmal kurz die Spitze des Radars zu erkennen, der sich zum letzten Mal über den Wellen drehte: ein wankendes Grabmal, die Stelle eines nassen Grabes markierend. Dann verschwand auch sie. Auf der Wasseroberfläche trieb nur noch der Schaum. Die Strudel hielten auch ein einsames Boot samt Besatzung gefangen. Über dieser schwebten mit lautem Krächzen Möwen, Pelikane und Raben.

Er hörte all die Schiffbrüchigen auf herumtreibenden Teilen und in den Booten, die alle ans Ufer kommen wollten, wie sie pfiffen, riefen und winkten. Leuchtraketen wurden in die Höhe geschossen. Mit jeder seiner Bewegungen wuchs auch die Müdigkeit, ihm war speiübel. Seine Augen trübten sich. Er konnte nur noch ans Festland denken. Der Strom zog ihn immer weiter, weg vom Ort der Katastrophe.

Die Hände gehorchten ihm nicht mehr. Er gab auf, tauchte unter und sank zum Boden. Sein letzter Blick auf die Welt war der durch einen braunen Strudel. Wo waren seine *Friends?* Er fühlte sich wie eine *Desperate Housewife* und nicht mal *Dr. House* konnte ihm helfen. Er war Britney Spears mit kahl geschorenem Kopf im Rettungswagen, die geschlagene Rihanna, die Spritze, die Michael Jackson tötete, der elektrische Stuhl des Ehepaars Rosenberg. Jetzt war er mehr als *Six Feet Under.* Marilyn Monroe am frühen Morgen des 4. August 1962, James Dean das letzte Mal in Fairmont, Kurt Cobain mit Gewehr in der Hand im Haus in Seattle, der nackte Heath Ledger, reglos im Apartment in Lower Manhattan liegend. Die Donau in Amerika.

Mit der großen Zehe verfing er sich in irgendetwas. Wahrscheinlich stieß er an einen Ast oder ein Algenbüschel, er wusste nicht, ob er nur träumte oder ob es wirklich passierte, kurze Zeit später stand er allerdings bis zu den Knien im Schlamm, mit nassen Haaren, die ihm in die Augen fielen. Er zögerte einen Augenblick, ob die Erde die Wirklichkeit war und nicht einfach nur sein Hirngespinst. Sein Magen verkrampfte sich. Er hustete schwarzes Wasser. Die Welt um ihn herum drehte sich, er allerdings fühlte sich nicht als Teil von ihr. Es schien ihm weitaus leichter zu sterben, denn zu leben. Er roch den Duft von Ethanol. Er hörte eine entfernte Stimme, die Wörter konnte er jedoch nicht verstehen. Plötzlich vernahm er ganz deutlich:

»Ich glaube, er wird wach.«

Jemand berührte seine Stirn. Martin versuchte, die Hand wegzustoßen, Schmerzen durchzuckten ihn. Er gab auf. Etwas zwickte ihn in die Hand. Das Gesicht schmerzte höllisch, und der Unterarm kribbelte. Das Wasser fraß sich an seiner verbrannten Haut fest. Er öffnete die Augen, zuerst erkannte er nur seltsame helle Punkte, dann tauchte in seinem Sichtfeld etwas auf. Eine graue Krabbe mit gehobenen Scheren, sie floh vor ihm.

»Können Sie sprechen? Hören Sie mich?«, fragte ihn die Krankenschwester.

Er nickte. Sein Herz pochte gegen den Brustkorb, der Schädel war am Explodieren, in tausend kleine Stücke. Er blutete am Kinn und an der Taille, konnte jedoch endlich seine Arme bewegen und den Mund öffnen und schließen. Er kam zum Schluss, dass er sich nichts gebrochen hatte. In der Leere über ihm schwebten Raben.

»Sagen Sie mir bitte, wie Sie heißen, und zählen Sie bis zehn.«

»Martin Roy. Einhundertzwanzig.«

»Bitte?«

»Einhundertzwanzig Passagiere und vierzig Besatzungsmitglieder. *MS America*.«

Sobald er dies ausgesprochen hatte, war ihm klar, dass er schon wieder log.

»Ich verstehe. Danke, das wissen wir schon. Können Sie atmen? Haben Sie sich etwas gebrochen?«

Ärztinnen des Roten Kreuzes begrüßten ihn.

»Ich bin in Ordnung, mehr oder weniger«, flüsterte er, »glaube ich zumindest.«

»Können Sie uns bitte sagen, wie Sie sich gerettet haben?«

»Ich weiß nicht, ich weiß gar nichts mehr ... Ich bin gesprungen ... Alles ging so schnell ... wahrscheinlich habe ich ...« Er stockte.

Er konnte sich nur schwer konzentrieren. Es dämmerte, der Regen hörte langsam auf. Der Fluss floss wie immer, beständig, majestätisch und wusste längst nichts mehr über Mona oder Martin. Die Welt um ihn herum sah aus wie in den ersten Jahrhunderten nach ihrer Entstehung, alles war spur- und erinnerungslos an ihr vorbeigegangen. Der Wind blies konstant und mit solcher Kraft, dass Himmel und Luft großen angespannten Segeln glichen.

»Ruhen Sie sich aus. Strengen Sie sich nicht zu viel an. Trinken Sie! Versuchen Sie, tief einzuatmen.«

Er biss die Zähne fest zusammen, man stützte ihn. Man gab ihm zu trinken. Bei jedem Schluck drohte er zu ersticken, sein Kehlkopf sprang auf und ab, er fing wieder an zu husten. Der Schmerz in seiner Schulter stach ihn bei jeder Bewegung, scharf wie ein Rasiermesser. Man zerschnitt die Reste seines Hemdes. Die Krankenschwester informierte die Kollegen über seinen Blutdruck, und eine andere legte ihm ein Stethoskop an die Brust, kontrollierte den schnellen Herzschlag und seinen Atem. Er verdrängte die losen Bruchstücke von Erinnerungen in seinem Bewusstsein, er wollte, dass sie verschwinden, er musste sich jetzt auf die Gegenwart konzentrieren.

Soldaten mit Hunden und Polizeigeländewagen durchsuchten beide Ufer. Die Taschenlampen und Scheinwerfer durchkämmten die schwer zugänglichen Böschungen. Uniformierte Männer mit Fernstechern observierten die Umgebung.

»Wo sind die Passagiere? Wie viele haben überlebt?«

»Nur die Ruhe, sie sind gut versorgt, wir haben ein Lager errichtet, machen Sie sich keine Sorgen, jetzt müssen Sie einfach nur tief einatmen«, antwortete die Frau, doch er ließ nicht nach, bis sie ihm die Richtung zeigte.

»Ich muss zu ihnen! Sofort. Das werden Sie nicht ...«

»Sie dürfen jetzt nicht fort. Sie sind verletzt. Es ist weit!«, warnte sie, doch Martin hörte sie nicht mehr.

Er hatte keine Zeit, sich behandeln zu lassen, schließlich ließ er sich ein paar Kompressionsverbände um Schulter und Taille fixieren. Man desinfizierte seine Wunden, er schluckte ein paar Schmerztabletten und ging los.

Er kämpfte sich durch einen Urwald, glänzende fleischige Blätter, durch Sumpf und Schlamm. Der Seewind blies Salz auf seine Lippen. Der Schlamm unter seinen Füßen gab saugende Geräusche von sich. Den rechten Fuß spürte er kaum noch, der linke blutete. Die Binsen wuchsen hier sehr dicht. Er verschreckte ein paar fette Frösche, die sofort ins Wasser sprangen.

Nach einer Viertelstunde des Laufens, Gehens, Rutschens und Fallens hörte er verzweifelte Schreie auf Englisch und versuchte noch schneller ans Ziel zu gelangen. Auf einer breiten Wiese bot sich ihm ein schrecklicher Anblick. Gruppen von Geretteten wateten durch den Matsch, sie liefen hin und her, weinten und verfluchten den Fluss.

Die Mitarbeiter des rumänischen Roten Kreuzes hatten in einem großen weißen Zelt eine Notaufnahme eingerichtet. In der Mitte des Raumes befanden sich medizinischen Geräte – ein Radiograph, Monitore für die Kontrolle der lebenswichtigen Funktionen. Rechts auf dem Tisch stand ein Laptop. Die Schwerverletzten wurden auf Tragen in einen Rettungswagen geschafft. Die sauberen und frisch gewaschenen Ärzte strahlten inmitten dieser schmutzigen und zerlumpten Masse eine überirdische Reinheit aus, doch einige hatten – bei genauerem Hinsehen – bereits Blutflecken auf ihren Mänteln. Ein Beauftragter erstellte eine Liste der Opfer. Mit eingeschalteten Sirenen und lautem Gehupe näherte sich ein Feuerwehrwagen, gefolgt von Polizeiautos mit blauen Warnsignalen. Hinter einer Absperrung drängten sich zwei Fernsehteams.

Die Leichen lagen auf Bahren. Fliegen setzten sich auf sie. Der Gestank lockte streunende Hunde an. Martin erfüllte seine letzten Pflichten gegenüber der Firma. Er beachtete die Hinweise der Mediziner, hob Decken auf, schnitt Verbände zu, legte Desinfektionstampons an. Dann sagte er:

»Die Opfer tun mir wirklich leid. Sie mögen in Frieden ruhen! Mein aufrichtiges Beileid an alle Hinterbliebenen!«

»Danke. Mögen sie in Frieden ruhen! Unser aufrichtiges Beileid«, schlossen sich die überlebenden Amerikaner an.

Einer bastelte aus einem Stück Holz ein einfaches Kreuz.

»Holen Sie bitte eine Schwester!«, rief Martin.

Zwei Krankenschwestern brachten Schüsseln mit warmem Wasser und wuschen die durchgestreckten Körper mit Schwämmen ab; danach rieben sie diese mit sauberen weißen Tüchern trocken. Sie schlossen den Toten die Augen und kämmten ihre Haare, den Kopf dabei sanft anhebend. Martin beobachtete die traurige Szenerie, diese geheimnisvollen und geübten Bewegungen der jungen und schönen Frauen.

In der nächsten Stunde gelang es den Tauchern, weitere Leichen zu bergen. Die Körper waren bis zur Unkenntlichkeit entstellt.

»Viele sind möglicherweise verbrannt, in dieser Feuersbrunst kann man das nicht ausschließen, doch viele werden auch verschollen bleiben«, stellte ein Mitarbeiter des Roten Kreuzes fest.

Manche Passagiere stritten miteinander, drohten der ADC mit Klagen und schickten sie jetzt schon in Bankrott.

Auf einer Lichtung wurden nasse Gepäckstücke gesammelt, man fand erstaunlich viele.

»Sie sollten etwas essen«, schlug ihm die Krankenschwester vor. Seine Ration bestand ausschließlich aus flüssiger Nahrung. Die Kiefer schmerzten. Dann wurde er losgeschickt, jenen Trost zu spenden, die noch auf eine Behandlung warteten; er verteilte Wasser.

Martin wusste, was er hätte sagen sollen, dass die Passagiere Helden seien, dass sie ihre Pflicht erfüllt und die Tragödie ehrenhaft überstanden hätten – manche Kollegen ließen tatsächlich diese Floskeln fallen, doch Martin kamen sie nicht über die Lippen. Solche Bemerkungen kamen ihm unappetitlich vor.

»Könnten Sie mir bitte sagen, wo Mona ist? Haben Sie Mona gesehen?«, fragte er.

Doch keiner wusste etwas, niemand hatte von ihr gehört.

»Sie haben diese Menschen gekannt, helfen Sie mir bitte, sie zu identifizieren!«, bat ihn eine Krankenschwester.

Er starrte die verkohlten Körper der Maschinentechniker, Matrosen und Passagiere an: Manche der Toten waren nicht mehr zu erkennen und wurden zur DNA-Analyse gebracht. Er suchte an den Leichen nach Erkennungsmerkmalen, leerte ihre Taschen aus und durchwühlte ihre Geldbörsen, Personalausweise und andere Dokumente. Es kam ein ganzer Haufen an Plastiktaschen und der darin aufgehobenen Gegenstände zusammen – Ausweis, Schlüsselbund, Namensschild, ein Stapel nasser Banknoten und ein Handy, das noch immer funktionierte. Er deckte die Körper mit weißen Leintüchern ab. Einer der Körper war Foxy. Den ersten Mutmaßungen nach war es gelungen, 89 Passagiere und 27 Crewmitglieder zu retten.

Der Lärm zweier Hubschrauber sägte den Himmel entzwei. Die Hubschrauber suchten nach einer Landemöglichkeit, sie schienen fast die Baumwipfel zu berühren. Die Maschinen mit ihren tosenden Motoren hingen über dem Boden und landeten schließlich im Gras.

Von den Baumkronen flogen aufgeschreckte Vögel auf und gaben ein wildes Geschrei von sich.

Den hervorkletternden Männern zerzausten die Propeller ihre Haare, die Hosen wurden aufgebläht und die Sakkos an die Brust gedrückt. Als der Pilot die Motoren ausschaltete, trat ein Moment vollkommener Stille ein, und die Gestalten erstarrten. Dann strichen sie sich die Haare glatt und traten den Passagieren entschlossen entgegen. In diesem Augenblick wurden Martins Ohren wieder klar, die Welt füllte sich erneut mit Geräuschen.

An der Spitze des Ärzteteams schritt der amerikanische Botschafter in Rumänien, Roland Hubner, die Menschen sahen zu ihm auf wie zu einem Messias. Hinter ihm beugte sich der jüngste O'Connor unter den Propellern, der Erbe dieses ganzen Imperiums, mit einer Schar seiner Diener. Der große Herr höchstpersönlich. Er sah genauso aus wie auf den Fotos, die jedes Jahr auf der dritten Seite der ADC-Kataloge glänzten. Er war fast zwei Meter groß, sehr elegant gekleidet, und die Millionen, über die er verfügte, waren sicher beträchtlich. Er sah sich um und winkte nach allen Seiten. Die marineblaue Krawatte war so gebunden, dass sie genau mit dem gestärkten Kragen abschloss, und die Ärmel zierten goldene Manschettenknöpfe. Schneeweiße Hosen leuchteten oberhalb seiner auf Hochglanz polierten Schuhe. Die sorgfältig gekämmten Haare teilte ein Scheitel. Im Ohr trug er einen Ohrstöpsel, er sprach etwas in sein Notebook.

Endlich durfte Martin den Gott der ADC-Gesellschaft in Aktion erleben. O'Connor brachte kistenweise Single Malt mit. Er ging an einem Spalier flüsternder und staunender Menschen vorbei. Er sprach unaufhörlich, versprach Entschädigungen, Ermäßigungen auf künftige Reisen, und seine Assistenten verteilten den Alkohol. Martin gab sich alle Mühe, sich zu beherrschen, um dieses arrogante Gesicht nicht auszulachen.

O'Connor blieb auch bei ihm stehen, streckte ihm die Hand entgegen, murmelte etwas und führte ihn zur Seite.

»Ich grüße Sie, Herr Direktor!«, sagte er zu ihm.

»Ich Sie auch, Herr Direktor«, antwortete Martin.

Der Chef wusste offensichtlich über ihn Bescheid. Seine hellblauen Augen betrachteten die Welt mit der zynischen Sicherheit eines Mannes, der es gewohnt war, alles auf die denkbar einfachste Art zu bekommen, für Geld nämlich.

»Ich danke Ihnen von ganzem Herzen für alles, was Sie für unsere Firma geleistet haben«, erklärte O'Connor mit dramatischem Timbre.

»Keine Ursache. Wirklich.«

»Ich hoffe sehr, junger Mann, dass Sie wissen, wie Sie sich der Presse gegenüber zu verhalten haben. Wir können dann auch gern mal über eine Gehaltserhöhung sprechen«, sagte er ernst.

»Ich bekomme gar kein Gehalt, ich lebe vom Trinkgeld.«

«Wie dem auch sei. *Good luck!* Und ... ich möchte noch wissen ... ist jemand ... kann man jemanden als Schuldigen an dieser Tragödie benennen?«

»Nein«, antwortete Martin, »ganz bestimmt nicht. Es war ein Unfall, ein unglücklicher Zufall«, betonte Martin, obwohl es ihm auf der Zunge lag: »Ich! Ich! Ich ... und du! Wir beide. Wir alle!«

»Mögen Sie eine Flasche haben?«, fragte O'Connor.

»Nein, danke.«

»Seltsam. Ich habe gehört, dass Sie schon gerne trinken, auch während der Schiffsreise, zum Beispiel bei diesem Ausflug in die Puszta ...«

»Es wird viel geredet, wenn der Tag lang ist«, sagte Martin schroff.

Am liebsten hätte er O'Connor mit der Faust ins Gesicht geschlagen. Er hatte den Eindruck, hätte er es versucht, wäre seine Faust durch O'Connor hindurchgeglitten, und drinnen hätte sich gar nichts befunden, vielleicht ein wenig Ruß, wenn überhaupt. Das Handy klingelte, und sein Gegenüber nahm das Gespräch an:

»Honey, das kann ich nicht glauben. Das kann ich absolut nicht glauben. Wie konnte das nur passieren? Und warum gerade uns? Ganz sicher treten sie mit dir in Kontakt, sie ist ein Schatz, sie wird sich sicher darum kümmern. Nein, dieses Match werde ich ganz bestimmt nicht schaffen.«

Seine Augen verengten sich und deuteten an, Martin möge etwas Verständnis haben für diesen Stress und den hoffnungslosen Kampf eines Geschäftsmannes, den dieser gegen die Bürokratie führen musste, die doch so wenig Verständnis für Unternehmer hatte. O'Connor bedeckte seinen Mund mit einer Hand, gähnte affektiert und zeigte seinen Siegelring. Der Diamant in der Mitte glitzerte im Scheinwerferlicht. Der Ärmel rutschte ein wenig hoch und enthüllte sein Armband. Er stammelte etwas von neuen Herausforderungen und beendete das Gespräch, winkte Martin mit der Würde eines Präsidenten zu und ging wieder zu den Passagieren, die ihn eifrig grüßten. Plötzlich hielt O'Connor die amerikanische Flagge in der Hand, die sich im Wind wie ein Mantel um ihn schmiegte.

»Ihr seid alle exzellent gewesen!«

Die Menschen lauschten ihm ergriffen. Ein Kamerablitz ging los, und Martin sah schon die bombastische Pressemeldung vor sich. Am meisten verblüffte ihn, dass sich sogar die Matrosen um O'Connor versammelten und ihn begrüßten, sie bedankten sich hündisch, und er klopfte ihnen auf die Schultern und plauderte belangloses Zeug – diese hündische Ergebenheit beschleunigte Martins Entfremdung. In diesem Augenblick beschloss er, keine weiteren ADC-Reisen mehr anzutreten und nie wieder in seinem Leben das Wort »exzellent« in den Mund zu nehmen.

Er fand keine Mona unter den Geretteten, weder im Krankenhauszelt noch in den umliegenden Wäldern. Er sagte sich immer wieder, dass er sich umsonst Sorgen machte, dass sie ganz sicher in ein anderes Krankenhaus gebracht worden sei. Dass sie schon längst in Sicherheit sei; es gab für ihn keine andere Möglichkeit. Der Regen hörte auf. Die Bestatter schlugen mit großen Nägeln die Sargdeckel zu und versahen diese mit Namensschildern. Beim Aufladen der Verblichenen in die diversen Fahrzeuge spielten sich schreckliche Szenen ab. Die Verwandten wollten die Körper nicht loslassen, sie hingen an den Händen der Bestatter, eine Frau zerkratzte sich vor Gram das Gesicht. Das war selbst für einen O'Connor zu viel, er versteckte sich im Hubschrauber und flog schon bald einfach davon.

»Unsere Toten bringen wir in die USA«, versprach Botschafter Hubner, »so wie es unsere Vorfahren nach allen schweren Kämpfen getan haben. Amerika ist ein freies und stolzes Land, das seine Bürger selbst in den schwersten Zeiten nicht vergisst. Ich drücke allen Familien mein herzlichstes Beileid aus, auch im Namen des Präsidenten der Vereinigten Staaten. Gleichzeitig schätze ich die Tapferkeit all jener, die bei den Rettungsarbeiten geholfen haben. Die Regierung unseres Landes wird veranlassen, dass der ganze Fall sorgfältig untersucht wird, das werde ich persönlich vor Ort beaufsichtigen. Und ich verspreche Ihnen, dass Sie schon morgen Nachmittag mit einem Spezialflugzeug in die USA gebracht werden.«

Mit den Dankbarkeitsbekundungen kehrte auch die Sonne auf die Wiese zurück. Die Gesichter der Menschen leuchteten, trotz all der tiefschwarzen Falten. Der betrunkene Jeffrey Rose stimmte ein altes Farmerlied an, hüpfte hin und her und winkte mit den Armen. Andere stimmten grölend ein.

28. DIE KOLONNIE

Am nächsten Morgen ging die Sonne schon früh auf und versprach glühende Hitze.

»Wollen sie irgendwo hingebracht werden? Wir haben hier Autobusse ...«, erkundigte sich die Krankenschwester, die ihm ein sauberes T-Shirt, ein Handtuch und seine Ersatzdokumente reichte.

»Nein, vielen Dank, die Familie hat mir bereits eine Fahrgelegenheit organisiert«, erwiderte Martin.

Er hinterließ den Vertretern der rumänischen Polizei, dem internationalen Roten Kreuz und der ADC-Gesellschaft seine Adresse und versicherte, dass sie ihn jederzeit kontaktieren könnten. Er verabschiedete sich von Passagieren und Kollegen, doch die meisten von ihnen waren mit ihren Gedanken ganz woanders. Das letzte Auto fuhr schließlich ab, und die Stille der Natur breitete sich aus. Durchs hohe Gras wanden sich schwarze Kanäle, und die Baumkronen wuchsen und zwängten sich unter den blauen Himmel. Zum letzten Mal krächzten die Raben und flogen auseinander.

Martin blieb allein auf dem Gelände zurück, mit einem kleinen Rucksack über den Schultern. Er fühlte sich verloren, unendlich verloren, aller Wege und Richtungen beraubt; niemand wartete auf ihn. Sein Oberkörper schmerzte wie eine offene Wunde.

Er schritt am Fluss entlang. Sobald er sich setzte, um auszuruhen, nickte er augenblicklich ein. Doch schreckte er auch jeden Augenblick hoch, und trotz der Affenhitze bekam er Schüttelfrost. Er kühlte sein Gesicht und setzte den Weg fort.

Die Menschen, die er ab und an traf, blickten ihn erstaunt an, doch kaum jemand wagte es, ihn anzusprechen, und er selbst sehnte sich nach keinerlei Unterhaltung. Er stieß auf einige Ochsengespanne und auf ein Auto mit italienischem Kennzeichen, ganz offensichtlich gestohlen. Auf ärmlichen Straßen plagten sich ein paar Pferdefuhrwerke und einige weiße Dacias 1300, deren Flanken mit der Aufschrift »Uzina Automobila Pitesti« versehen worden waren. In der Dämmerung wiesen Baumstämme wie uralte Monolithen nach oben, die einst irgendein vergessenes Volk errichtet hatte, um an die geheimnisvollsten Begebenheiten seiner Geschichte zu erinnern. Schließlich stieß er auf die Tafel »Spital Tichilesti«.

Er erreichte einen kleinen Gebäudekomplex, an dessen hinterem Ende eine Kapelle stand. Hinter den Fensterscheiben beobachteten ihn einige Menschen. Versehrte, mit schiefen Mündern und ohne Finger. Die Frauen hatten ihr Haar zu kleinen, festen Dutts hochgesteckt, die Gesichter waren durch allerlei Narben entstellt, an den dünnen Hälsen schimmerten Adern und Sehnen durch.

Irgendwo aus dem Inneren eines Gebäudes stieg Essensduft. Eine Frau deckte den Tisch und zog eine Weißweinflasche hervor, ohne Etikett wohlgemerkt. Sie grüßte Martin und bat ihn einzutreten. Sie gab ihm einen Teller mit Essen und reichte etwas Brot. Neben ihn stellte sie einen Krug Quellwasser und zwei Schälchen. Ihr Name war Nastasja Obolenska.

»Der Brunnen ist tot, wir trinken das lebendige Wasser des Flusses. Und Wein natürlich. Unseren eigenen.«

Sie sprach ein überaus altmodisches Russisch. Er kramte in seiner Erinnerung nach Vokabeln dieser Sprache, einst in tschechoslowakischen Schulen ein Pflichtfach. Der erste Gang, eine Art Borschtsch aus Karpfen, hatte den ganzen Tag vor sich hingeköchelt. Er löffelte die Suppe aus, und es folgten ein Schwarzbrot mit Fisch und Creme aus Fischeiern, Sonnenblumenöl, Zitronensaft und Weinessig. Er schlang alles so hektisch herunter, dass er sich selbst schämte.

Er half ihr, den Tisch abzudecken. Danach zerbrach er sich den Kopf, wie es mit ihm weitergehen sollte. Er bräuchte noch mindestens zehn Stunden, damit sein Kopf wieder halbwegs funktionierte. Nastasja begann zu erzählen. Martin befand sich in der letzten

Leprakolonie Europas. Nastasjas Mutter Dorofeja hatte mehr als 60 Jahre dort überlebt, erst im April dieses Jahres war sie verstorben. Nastasja hatte in Sibia Medizin studiert, doch hatte sie sich dafür entschieden, nach Tichilesti zu ziehen. Die Krankheit war bei ihrer Mutter während des Zweiten Weltkriegs ausgebrochen, ein paar kleine Flecken auf den Wangen, sie selbst war damals acht Jahre alt gewesen. Auch ihre Schwester erkrankte. Gemeinsam waren sie in dieses Sanatorium gekommen, sie durften nie wieder in die normale Welt zurückkehren, ohne jede Hoffnung, jemals wieder gesund zu werden. Und gemeinsam mit ihnen all die Stummen, Blinden und Fingerlosen. Nach dem Krieg hatten hier mehr als 600 Patienten gelebt, in den sechziger Jahren waren es noch gut 200 gewesen. Als dann ein Mittel gegen Lepra gefunden wurde, verlor die Krankheit ihren Schrecken. Die Insassen wurden zwar geheilt, aber kaum einer verließ die Kolonie.

Nastasja Obolenska zählte zum kleinen, allerdings überaus stolzen Volk der Lipowaner, Herrgottverbundene, die Mitte des 17. Jahrhunderts aus Russland fliehen mussten.

Manche Lipowaner verbargen sich im Baltikum vor dem Zorn Iwan des Schrecklichen, andere im Ural oder am Baikalsee und viele auch im Donaudelta. Die meisten von ihnen leben in Braila, doch auch in der Gemeinde Slava Rusa befinden sich zwei ihrer Klöster. Das Toleranzedikt von Josef II. garantierte den Lipowanern schließlich Religionsfreiheit. Martin verstand plötzlich, dass das Delta ursprünglich auch zum Habsburgerreich gezählt hatte, er fühlte sich gleich wie zu Hause.

»In unserem Glauben herrschen strenge Sitten. Ein Altgläubiger darf nur eine Altgläubige ehelichen, und wenn er eine andere zur Frau haben will, muss diese zu unserem Glauben übertreten und ihn in unserer Kirche zum Mann nehmen. Und wenn eine Altgläubige etwa einen Ukrainer geheiratet hatte, lehnte es der Priester später ab, sie zu bestatten. Heute ist natürlich längst alles anders«, erklärte sie.

Ihre Stimme beruhigte ihn. Er konnte kaum noch die Augen offen halten. Bestimmt war das Fieber wieder gestiegen. Er musste sich endlich ausschlafen.

Er wachte erst am Nachmittag auf, sein Kopf schmerzte, und der Mund war völlig ausgetrocknet. Er wollte nur liegen bleiben. Das Fieber stieg immer noch. Der Husten erstickte ihn beinahe. Er zitterte und schlief ständig ein, nur um bald wieder mit kaltem Schweiß auf der Stirn hochzuschrecken. In seine Visionen drang das Geräusch der Stöcke und Krücken, dieses furchtbare Klopf-klopf, ganz nahe war es, Klopf-klopf, und hinzu kam das unablässige Krächzen der Krähen, schließlich so nah an seinem Kopf, dass er davon wach wurde und mit weit aufgerissenen Augen in die Dunkelheit starrte.

Er lag insgesamt acht Tage lang im Bett. Nastasja fütterte ihn voller Fürsorge. Nach dieser Ruhephase verspürte er endlich wieder neue Kräfte in sich. Sein Kopf war klar, und er fühlte sich lebendig. Er wiederholte sich immer wieder, dass die Stimmen der Vergangenheit wohl leiser und leiser werden würden, bis sie irgendwann gänzlich verstummten, doch insgeheim vernahm er ganz deutlich eine Stimme, die ihm sagte, dass ihm dies nie gelingen würde, dass er auch niemals diesen Schmerz im rechten Bein loswerden würde. Er setzte sich auf die Matratze. Auf dem kleinen Tisch neben dem Bett erblickte er saftige Weintrauben. Es ging ihm hier eigentlich ganz gut.

Als er wieder ganz gesund geworden war, kamen die feuchten Septembertage. Es regnete stark und nahezu ständig. Das Dach war aufgeweicht, einige Tropfen sickerten durch die Schindeln des Hauses.

Einmal war sogar ein deutscher Journalist von *GEO* in die Leprakolonie gekommen, er blieb ganze zwei Stunden, trank vier Bier und schrieb eine lange Reportage über jenes authentische Leben in der Kolonie.

Martin kam nicht umhin, an die Donau zu denken. Sobald er sich bemühte, die Geschehnisse an Bord zu rekapitulieren, verbot er es sich. Er sehnte sich danach, nach Bratislava zurückzukehren. Er hätte nie gedacht, dass ihm eines Tages die slowakische Sprache fehlen würde. Er wollte wieder übersetzen. Er bedankte sich bei Nastasja für ihre Hilfe und eine finanzielle Unterstützung. Er würde sich, sobald er dazu in der Lage wäre, erkenntlich zeigen.

In der Leprakolonie funktionierte sogar das Internet, langsam zwar, doch es gab eine stabile Verbindung. Nach vier Wochen las er seine Mails. Unter all den Spams fand er auch die Einladung zu einer Erinnerungsfeier in Sulina, zu Ehren des Kapitäns Atanasiu Prunea. Am dortigen Friedhof würden sie ihm einen Grabstein widmen, wie er es sich gewünscht hatte.

29. DAS GEHEIMNIS DER LETZTEN SCHIFFSREISE

Nach Sulina gelangte man zweimal täglich von Tulcea aus mit einem Schiff namens *Bocxod-7*. Dieses war 1986 in der Sowjetunion gefertigt worden. 39 Seemeilen schnell, also etwa 63 Kilometer in der Stunde. Einen anderen Weg nach Sulina gab es nicht, man musste übers Wasser.

Die Linienschiffe wurden von den Einheimischen auch dazu genutzt, um die Deltagemeinden mit dem Allernötigsten zu versorgen. Es war deshalb gar nicht so einfach, an Bord der *Bocxod-7* zu gelangen. Nastasja hatte ihm per Telefon am Tag zuvor einen Platz reserviert. Die Abreise war für elf Uhr geplant, doch kannte er schließlich die Verhältnisse auf dem Balkan, im Hafen war er gut 40 Minuten früher. Vor einem schäbigen Schiff drängten sich nervöse Massen. Die meisten Leute hatten Rücksäcke umgeschnallt, karierte Taschen, die an Tischtücher erinnerten, doch gab es auch Zeltplanen, Fischernetze und Angeln. Im Hafen herrschte rege Betriebsamkeit. Möwengeschwader flogen ganz knapp über dem Wasser.

Am Eingang stand der Kassier, Reiseleiter und Aufpasser in einem. Dem Ausdruck seines zerfurchten Gesichtes nach bedauerte er zutiefst, nicht mehr in dunklen Gängen der Securitate politischen Häftlingen die Finger brechen zu dürfen.

»Guten Tag, ich bitte Sie, ich habe eine Reservierung«, sagte Martin.

»Nein, auf gar keinen Fall, wir sind absolut voll!«, fauchte der Mann, kaum dass er kurz eine Liste, die er in der Hand hielt, gemustert hatte.

»Ganz bestimmt sogar, ich habe telefonisch eine Reservierung vorgenommen«, erklärte er und nannte seinen Namen.

»Ich habe hier auf meiner Liste nichts davon stehen. Du kommst nicht an Bord. Die Liste lässt es nicht zu!«

Martin stand ganz in der Nähe des Schiffes, also wählte er eine bewährte Strategie, die er sich im Sozialismus angeeignet hatte – unter gar keinen Umständen jenen Platz in der Reihe aufzugeben, den man sich bereits erobert hatte. Trotzdem versuchte der Mann, ihn fortzuschieben.

In diesem Moment warf Martin einen Blick auf seine »Liste«. Noch nie hatte er ein so beschmiertes Stück Papier gesehen. Schiefe und mit groben Strichen skizzierte Tabellen erinnerten an ein Palimpsest voller überschäumender Angaben, Zahlen und Buchstaben.

In einer ähnlichen Situation wie Martin befanden sich auch einige andere Passagiere. Die Atmosphäre wurde immer angespannter. Alle wollten rein und keiner raus. Das Schiff war nur lose am Kai befestigt, sodass Martin befürchtete, dass in dem Gedränge noch jemand ins Wasser stürzen würde.

»Das ist doch nicht zum Aushalten!«, rief er. »Ich bin 3000 Kilometer gefahren, um endlich hier anzukommen, und dann so was? Zum Teufel mit dieser schmierigen Firma! Das hier ist die größte Enttäuschung meines Lebens! Skandal! Bodenlose Frechheit!« Er schrie dies dem Mann ins Gesicht, Worte, mit denen ihn üblicherweise unzufriedene Passagiere konfrontierten.

Der Mann zuckte mit keiner Wimper. Martin war davon überzeugt, dass er ihm einen Kinnhaken verpassen würde. Doch dieser reagierte vollkommen anders.

»Bitte, kommen Sie doch weiter, bitte sehr«, sagte er. »Machen Sie es sich bequem, dort ist Ihr Platz.« Höflich wies er ihm die Richtung, und Martin kam es sogar so vor, als würde er sich ein wenig verbeugen. Er schaute den Mann verwundert an, fast hätte er gezögert, ihm zu folgen. Erst als er sich gesetzt und der Mann sich abgewandt hatte, konnte Martin sein Lachen nicht mehr unterdrücken. Zum ersten Mal, seitdem das Schiff gesunken war, konnte er herzhaft über etwas lachen.

Er lehnte sich zurück und spürte sogleich die Knie der Frau, die hinter ihm saß, in seinem Rücken. Kaum lehnte er sich vor, folgte die Rückenlehne, flexibel wie ein Trampolin. Die abgescheuerten Sitze auf der *Bocxod-7* verfügten über eine seltsame Beweglichkeit und blieben in keinerlei Position wirklich starr. Dennoch freute er sich. Durch das offene Fenster konnte er den Schornstein des Dieselmotors sehen. Der Suliner Arm gehörte zu Rumänien. Im Jahr 1991 war das ukrainische Schiff *Rostok* bei einem Dorf namens Partizan gesunken. Für die Benutzung der Schifffahrtswege hatte man natürlich zu bezahlen, man sprach daher auch von einer Sabotageaktion. Die *Rostok* war allem Anschein nach von Ukrainern versenkt worden, damit die Schiffe fortan auf ihre Seite ausweichen mussten, auf den Cilijsko-Arm. Die Feindseligkeiten hielten an, im ganzen Delta gab es nur einen einzigen offenen Grenzübergang zwischen Rumänien und der Ukraine. Die Reise dauerte etwas mehr als eine Stunde. Am gegenüberliegenden Ufer konnte er plötzlich einen Pflock mit der Tafel »Kilometer Null« erspähen.

Sulina – das letzte europäische Städtchen, die Peripherie des Kontinents, das Ende einer Welt, von der aus man nirgendwo mehr hingelangen konnte. Von hier aus konnte man nur noch umkehren. Diese Stadt hatte er schon in seinen Träumen gesehen. Es hatte allerdings 30 Jahre lang gedauert, um bis hierher zu gelangen. Mit etwas Gänsehaut verließ er das Schiff. Nach 2857 Kilometern und zehn europäischen Staaten ergoss sich die Donau nun ins Schwarze Meer. Eine seiner Kindheitssehnsüchte war gestillt worden – endlich war er am Kopf dieser Schlange angelangt, die er so gut von den Landkarten her kannte.

Im geschäftigen Hafen wimmelte es von kleinen und größeren Fischerbooten. Es schien fast so, als hätten sich alle Suliner am Ufer versammelt. Die Träger krümmten sich unter den schweren Lasten, luden ihren Fang aus und wateten durchs Wasser. Die Marktverkäuferinnen lockten die Käufer, sie schrien sie an, sie fassten nach ihnen; inmitten der verdreckten Menge waren sie von einer beinahe wundersamen Reinlichkeit, als ob sie niemals einen Fisch berührt hätten. Die Schiffe, die zur See fuhren, überragten selbst die allergrößten Häuser. Martin legte seinen Kopf in den Nacken, damit er einen in kyrillischer Schrift notierten Namen am Rumpf lesen konnte.

In Sulina drehte sich alles um den Fluss. Das Städtchen bestand aus einigen langgezogenen Straßen, die wichtigsten und schönsten befanden sich in Ufernähe; es gab aber auch ein paar parallele Gassen, in denen sich etwa die Grundschule befand, die Post, ein Geschäft oder ein paar ärmliche und überaus niedrige Plattenbauten. Ein paar Gehsteige waren gepflastert, die anderen erinnerten an Sandbänke voller Müllhalden und Disteln. Staubige Vorgärten wechselten sich mit leeren, jedoch eingezäunten Grundstücken ab. Aus den Wohnbereichen ragten wild wuchernde Rohre – die Schornsteine der Öfen. Rund um die schäbigen Fensterrahmen gab es allerlei Ritzen, bestimmt war es im Winter schwierig, die Wärme im Inneren zu behalten. Am gegenüberliegenden Ufer breiteten sich einige rostige Eisenkonstruktionen und löchrige Rohre aus – schon lange hatte dort niemand mehr einen Fuß hingesetzt.

Hunderte von Menschen waren beim Bau des Suliner Kanals umgekommen, einem der ersten Projekte, das Europa im Jahr 1856 gemeinsam betrieben hatte. Martin lief bis ans äußerste Ende der Mole, wo die Donaukilometer bereits im Minusbereich lagen, allerdings tauchten dort ständig neue Ablagerungen auf. Jährlich lud der Fluss 80 Tonnen Treibgut ab. Die starke Strömung der Donau verdünnte das Meer und machte dieses zu Süßwasser, auch noch acht Kilometer weit von der Mündung entfernt.

Die Zeremonie sollte um vier Uhr beginnen. Er stieg auf einen alten, jedoch sehr sorgfältig restaurierten Leuchtturm, der einst der berühmten Donaukommission gehört hatte. Seine Fundamente befanden sich auf einer grünen Wiese. Oben angelangt, hielt sich Martin am Geländer eines mit Spinnweben besetzen Balkons fest. Er bewunderte die Solarspeicher, die gläsernen Prismen und stellte sich vor, wie das Leuchtfeuer einst Nacht für Nacht die Schiffe navigiert hatte.

Die sowjetische Ausstattung musste von Hand bedient werden, doch sie war schon seit Jahrzehnten nicht mehr benutzt worden.

Zum Mittagessen gab es einen Hecht, und danach ging es zum Strand. Die Badewilligen wurden in klapprigen Autobussen zum Meer transportiert. Martin ging lieber zu Fuß. Das Gelände war wie aus einem seltsamen Traum. Harter Staub peitschte einem unerbittlich ins Gesicht, Bäume, Gras, an allem nagte er und rauhte die Haut auf. Auf dem steinigen Boden wuchsen eigentümliche, dickblättrige Pflanzen, die Knollen mit Stacheln gespickt, und überall trugen sie gelbe Dornen.

Er kletterte über die letzte Düne. Schweißtropfen perlten seinen Körper hinab. Das Meer war Tausende unüberschaubare Meilen groß, die alten Perser hatten es als heilig betrachtet, und die Griechen sprachen ihm sogar einen eigenen Gott zu, einen Bruder des Zeus. Irgendwo hinter dem Horizont, am gegenüberliegenden Ufer, lagen Odessa, Sewastopol und noch weiter weg Sotschi und Batum.

Der Himmel und die Wasseroberfläche bildeten eine zusammenhängende graue Fläche. Man konnte das weiße Rauschen hören, rotweiße Bojen schlingerten durchs Wasser, und weithin war der Geruch des Salzes auszumachen. Die verwesenden Körper der Fische und Quallen lagen im Sand und überall auf den Felsen. Die salzigsüßen Wellen schluckten und fraßen Sand und Kies. In seiner näheren Umgebung lagen Melonenschalen, Holzstücke und Blechdosen. An den Stellen, wo Strandbars das heiße und verdreckte Wasser abließen, verhärtete sich der Sand zu einer festen Kruste.

Der Suliner Friedhof lag etwas abseits, einsam und verlassen zwischen Städtchen und Strand, von Dünen und Bäumchen umsäumt. Er war unbewacht, nur der Respekt der Leute schützte ihn. Es herrschte dort eine Reglosigkeit, dass man meinen konnte, niemals wieder würde auch nur irgendetwas passieren. Es gab Gräber in geraden Reihen, doch auch solche, die kreuz und quer im hohen und halb trockenen Gras angelegt waren, der Wind pfiff über sie hinweg. Eine jede Religion hatte ihren eigenen Bereich: jüdisch, muslimisch, katholisch, protestantisch und orthodox. Davidsterne, verschiedenste Kreuzarten und Halbmonde wechselten einander ab. Weiter hinten standen die massiven Grabsteine der reichen italienischen und österreichischen Bankiers der Donaukommission.

An der Gedenkveranstaltung nahmen nur sehr wenige Menschen teil, Martin sah die meisten von ihnen zum ersten Mal. Ein jüngerer Bursche stellte sich ihm als Vertreter der regionalen Niederlassung der ADC in Bukarest vor. Die rumänischen Beamten und Sänger wirkten in ihren alten und geflickten Fracks wie graue Schatten. Doch sobald die Musik aufspielte, war alles vergessen. Jeder Sänger gab sein Allerbestes.

Martin trauerte um Atanasiu, zugleich aber hatte er dieses Gefühl, dass er sich von einem Menschen verabschiedete, den er eigentlich gar nicht gekannt hatte. Die Zeremonie war schnell vorbei, allerdings durchaus würdevoll. Der Priester segnete die Stelle mit seinem Kreuz; seiner Predigt konnte Martin nicht folgen. Danach Umarmungen mit fremden Menschen.

Sie verankerten den Gedenkstein, und der Akt war zu Ende. Martin irrte zwischen den Grabsteinen umher, viele waren halb im Boden versunken oder von dichten Grasnarben bewachsen. Die Armengräber in einem entlegeneren Winkel des Friedhofs waren mit der Zeit zu unterschiedlich großen Hügelchen angewachsen. Auf vielen zerfurchten Grabplatten, die in all dem schlechten Wetter nach so vielen Jahren verwittert waren, konnte man lediglich noch Namen entziffern.

Die Ehrenplätze in der Mitte des Friedhofs gehörten den berühmten Kapitänen und Schiffsmeistern. Eugenius Magnussen, leitender Ingenieur. Giovanni Matteucci, Navigationsdirektor. Abraham Farrar, Hafenleiter in Tulcea. Giorgios Kontoguris, ein berüchtigter Donaupirat, dem sie die Aufschrift in den Grabstein ritzten: »Ein überaus guter Bürger«, hinzu kam ein Totenkopf mit gekreuzten Gebeinen.

In einem Ehrengrab ruhte die Prinzessin Ekaterina Moruzi, Herzogin von Moldawien, die einst mit ihrem Liebhaber hierhergereist

(von der Familie aus eben diesem Grund enterbt) und im Fluss ertrunken war. Der trauernde Vater hatte der Tochter schließlich ver-
geben, er sorgte für die Rente des Totengräbers und dieser wiederum
für den Einkauf frischer Rosen. Allerdings war der Mann schon ein
halbes Jahrhundert tot, und die Blüten waren längst zu Staub zerfal-
len.

An einem der Gräber blieb Martin irritiert stehen. Er musste sich
kurz die Augen reiben, doch kaum nahm er die Hand weg, war es
wieder da. Sein Hals brannte. In seinem Kopf drehte sich alles.

Gleich nebeneinander ruhten in steinernen Gräbern zwei Personen. Im Unterschied zu den meisten Friedhofsaufschriften konnte er
hier jeden Buchstaben enträtseln. Das junge Paar, ein William Webster und seine Verlobte, war 1868 nach Sulina gekommen, um dem
Vater einen Besuch abzustatten; dieser sollte seine Einwilligung zur
Heirat geben, doch war ihr Dampfer gesunken. William hatte als Erster Offizier auf einem Schiff namens *Adalia* gedient.

Martin schluckte schwer. Dies konnte kein Zufall sein. William
Webster. Für gewöhnlich vergaß er die Namen seiner Passagiere
schon nach wenigen Tagen, doch dieser hier war ihm im Gedächtnis
hängen geblieben.

Er sank auf die Knie und stützte sich mit den Händen am Grabstein ab. In seiner Erinnerung blitzten ein paar Sätze auf: »Das weiß
ich ganz bestimmt. Eine Fahrt auf der *Adalia* war es, wo ich einst die
Ehre hatte, als Erster Offizier zu dienen ... da müsstest du bis ans Ziel
gelangen, um es zu begreifen ...«

Der Webster, oder wie immer er auch heißen mochte, könnte jetzt
schon sonst wo auf der Welt unterwegs sein, vielleicht längst an
Bord eines anderen Schiffes. Er versuchte sich an Details zu erinnern, die ihm der Alte erzählt, was er genau getan hatte, doch es gelang nicht. Es überkam ihn ein jähes und ihn bis ins innerste Mark
erschütterndes Hassgefühl.

Von der orthodoxen Friedhofsecke aus wurde Martin genauer in
Augenschein genommen. Zwei Witwen näherten sich ihm und be-

gannen etwas zu erzählen. In ihren Mündern hatten sie kaum noch fünf Zähne, doch sie lächelten herzlich.

»Verzeihen Sie, kennen Sie vielleicht das Schicksal dieses Mannes?«, fragte Martin auf Russisch.

»Ein wenig. Der ist hier eine Legende, ein rätselhaftes Schicksal. Er starb bei einem Schiffsunglück auf der Donau, sie fischten ihn mit zerschundenem Gesicht heraus, viele weinten. Angeblich hatte er zwei weitere Menschen mit in sein nasses Grab genommen«, sagte die Alte. »Aber es ist doch schon so lang her …«

Lückenhaft versuchte er sich an einige Details zu erinnern. Venera, Clarc Collis. Zeiten, Orte, Abläufe. Er konnte tatsächlich dafür verantwortlich sein. Martin kam nicht darauf, warum. Das Geheimnis der letzten Schiffsreise ein tieferes war, als er es sich vorstellen konnte. Er versuchte, sich Webster noch einmal in Erinnerung zu rufen, doch anstatt des Kopfes sah er lediglich einen Totenschädel, und die Augen waren ein paar schwarze Löcher. Das Gesicht des Amerikaners hatte sich in eine abscheuliche Fratze verwandelt.

30. NEUES LEBEN

Am nächsten Tag reiste Martin Roy von Tulcea aus ab, eine Zugfahrt zweiter Klasse. In Medgidia stieg er in den Schnellzug nach Bukarest um, später fuhr er von der Station Bukarest Nord mit dem Taxi zum Flughafen Baneasa. Das einfache Betonoval wurde von Billigfliegern am Leben gehalten. Der Zoll bestand aus hölzernen Platten, hinter denen bewaffnete Soldaten gelangweilt Dokumente prüften. Er blickte durchs Fenster, sah die flache Ebene und eine Reihe von Lichtern entlang der Start- und Landebahn. Ein Autobus mit der Aufschrift »Braunschweig Hauptbahnhof« brachte ihn zu der mit laufenden Motoren wartenden Maschine. Er landete noch vor Mitternacht in Bratislava.

Martin betrat seine Wohnung und stolperte über die Werbesendungen, die sich an der Tür gesammelt hatten. Immer wieder lief er durch die Zimmer, und es überkam ihn ein Schwindelgefühl. Es kam ihm unwirklich vor, sich nach all dem, was geschehen war und was er überlebt hatte, in einer solch komfortablen Umgebung wiederzufinden. Seine Schritte hallten durch die Wohnung, taumelnd, als ob ihn plötzlich die Seekrankheit befallen hätte.

In den ersten drei Monaten konnte er sich kaum auf den Beinen halten. Sein Fuß schmerzte. Jeden Tag war er todmüde. Er schlief unruhig, hatte Albträume, und durch seinen Kopf schwirrten all seine Fehlentscheidungen und deren Folgen. Doch auch jenes vage Glücksgefühl, überlebt zu haben, verließ ihn nicht. Er befand sich wieder in dieser sicheren Stadt, in einem sicheren Haus, das in der Zwischenzeit beheizt und gestrichen worden war.

Die Teppiche, Vorhänge und Regale mussten dringend geputzt und zum Teil ausgetauscht werden. Mit mäßiger Begeisterung widmete er sich allerlei praktischen Dingen: Er reinigte die Fliesen, reparierte die Schränke, er trug schließlich zehn durchsichtige Müllsäcke und zwanzig schwere Papierstapel hinaus. Er schraubte Bücherregale zusammen, strich Wände, rief den Installateur und den Elektriker, um Rohre und Leitungen auszubessern. Er unterzog sich einer Behandlung im Krankenhaus, da er mehr hinkte als je zuvor.

Das Schmerzensgeld hatten sie ihm nicht gleich ausbezahlt. Sie übermittelten ihm zunächst die Entlassungspapiere und ein Empfehlungsschreiben, sofern er sein Glück bei einer anderen Gesellschaft versuchen wollte. Doch das interessierte ihn alles nicht mehr. Erst später wurden ihm zwei Schecks zugestellt. Wenn er alles zusammenrechnete, kam er zu dem Schluss, dass er – wenn er bescheiden bliebe – eineinhalb Jahre, vielleicht auch zwei, würde übersetzen können. Für das Geld kaufte er sich auch noch ein kleines Auto, einen Computer und einen Internetanschluss. Er konnte es kaum erwarten, bis seine Finger endlich die Tastatur berührten, um ein neues Buch zu übersetzen.

Das Unternehmen American Danube Cruises unternahm keine Fahrten mehr in Mittel- und Osteuropa, ab dem nächsten Jahr wollte es seine Flotte am Rhein, am Mohan, der Loire und weiteren Wirkungsstätten verteilen. O'Connor bot allen Anschuldigungen die Stirn, bestimmt würde er davonkommen. Im Netz war Martin aufgefallen, dass es sogar Gedenkseiten gab, die der *MS America* gewidmet waren; zudem hatten sich Passagiere und Crew in sozialen Netzwerken miteinander angefreundet. Nach der Lektüre diverser Diskussionsforen stellte er fest, dass auch Konflikte und Drohungen aufgetaucht waren; es gab auch ein paar Gerichtsstreitigkeiten um Abfindungen. Von Jonathan und Catherine erhielt er einige E-Mails, die voller aufrichtiger Trauer waren, doch er beantwortete diese nur sporadisch. Schon aus Prinzip unterhielt er keinerlei näheren Kontakte zu Passagieren.

Er nahm seinen Mut zusammen und begann mit einer Übersetzung. Seit dem Wintersemester war er Assistent an jener Italienischen Fakultät, wo er einst studiert hatte. Er träumte davon, dass ihn die Buchseiten von nun an sein Leben lang begleiten würden. In Gesprächen mit Studenten erinnerte er sich an so manche Episode aus seiner Kindheit, diese Welt, in der er aufgewachsen war; doch kam er nicht umhin zu fragen – in Anbetracht der überraschten Studentengesichter –, wie viel von dem, was für ihn noch selbstverständlich gewesen war, für diese längst Geschichte darstellte, etwas, was sie sich nicht mehr genau vorstellen konnten. Er kam sich zwar jung vor, doch im Kontakt mit den Studierenden begriff er, dass er es längst nicht mehr war.

Er fand sich in einem neuen Laufrad wieder. Morgens machte er sich Frühstück, danach eilte er in die Universität, wo ihn ein langer und anstrengender Tag erwartete, in den Pausen übersetzte er zumindest ein halbes Kapitel; er gab drei Kurse, nach dem Mittagessen ging er einkaufen, fuhr nach Hause, machte sich Abendessen, bereitete die Vorlesung für den nächsten Tag vor. Ab und an blieb ihm noch ein bisschen Zeit, um übersetzte Passagen fertigzustellen. Nachts wurde er immer wieder wach und konnte danach nur schwer einschlafen. Schläfrig und nervös begann er im Bett einen neuen italienischen Roman zu lesen, er überlegte, wie er diesen und jenen Satz wohl übersetzt hätte. Er spürte, wie ihm irgendetwas unter den Fingern zerrann.

Ein ukrainischer Milliardär und Sensationsjäger ließ für eine ordentliche Stange Geld das Flusswrack heben. Die Medien verbreiteten die Nachricht, und es hagelte reichlich phantastische und überaus ausgeschmückte Kommentare. Das internationale Taucherteam hatte mit Hilfe von Sensoren selbst die kleinsten Teile aus dem Wasser geborgen. Martin hatte seit der Katastrophe längst ein Buch fertig übersetzt und ein zweites in Arbeit, an jenem Abend jedoch konnte er sich nicht vom Fernseher losreißen. Die *MS America* ähnelte dem Leichnam eines großen, im Fluss lebenden Tieres. Das zerstörte Werk von Tausenden Arbeiterhänden mischte sich mit wilder Natur. Die Bullaugen des Schiffes erinnerten an leere Augenhöhlen, und ihre

Tränen bildeten fasrige Wasserpflanzen. Die Kamera zoomte so nah heran, dass er die aufgeplatzten Stahlnähte erkennen konnte. Die geisterhaften Kabinen wirkten wie ausgebrannte Kulissen aus einem Horrorfilm.

Seit der Schiffskatastrophe waren mehr als drei Jahre vergangen. Martin dachte oft an Mona, was wohl aus ihr geworden war und ob sie überhaupt noch lebte. Bald schon sollte sie sich bei ihm melden.

EPILOG

»Wenn du kannst, dann besuch mich doch in Regensburg. Je eher, desto besser!«, schrieb ihm Mona, und am Ende der SMS hinterließ sie ihre Adresse. Er las die Nachricht immer und immer wieder und fühlte sofort, dass sie diese ganz schnell getippt hatte, irgendwo in einer Bahn oder im Auto. Er wusste nicht, woher sie seine Nummer hatte. Zehn-, nein zwanzigmal las er den Text.

Er unterbrach die Übersetzung, die er gerade ausarbeitete, und entschloss sich, hinzufahren. Schnell packte er die nötigsten Sachen. Er surfte durch die Angebote der Reisebüros, doch ein Flugticket nach München kostete so kurzfristig eine astronomische Summe; und er hätte auch noch mit dem Zug weiterfahren müssen. Also druckte er sich eine Wegbeschreibung aus. Er nahm einen kleinen Rucksack in die Hand und begab sich zum Auto.

Nachdem er den Stadtverkehr hinter sich gelassen hatte, fuhr er auf die erste Autobahn auf, eine von vielen, die ihn an sein Ziel bringen sollte. Es nieselte, und er wusste, ungefähr drei Stunden lang würde es noch hell sein, dann käme die Dunkelheit. Er achtete nicht auf seine Umgebung, vielmehr konzentrierte er sich auf den monotonen Rhythmus der weißen Fahrbahnstreifen und die Lichter anderer Fahrzeuge. Er war ungeduldig, die Zeit schien stillzustehen. Die Scheibenwischer kämpften synchron gegen die Regentropfen. Er musste aufpassen, denn das prasselnde Wasser schläferte ein wie Wellenrauschen. Der frühe Abend verschwand im Zwielicht, und das Zwielicht wurde zur Nacht.

Er konnte nur an Mona denken. Er hatte keine Vorstellung davon, was unterdessen im Ausland mit ihr passiert war; er wusste auch nicht, wie sie erneut in Bayern landen konnte. Er wollte von ihr erfahren, wie sie sich hatte retten können, mit wem sie noch in Kontakt war, und ihr noch eine ganze Reihe weiterer Fragen stellen. Schließlich verfiel er in eine dieser langen und sinnlosen Meditationen, die nur dann auftraten, wenn ein Mensch zu lange allein Auto fährt. Bei gelegentlichen Ausblicken auf die Donau überkam ihn Gänsehaut.

Einen ersten Halt legte er bei Linz ein, einen weiteren bei Passau. Vor einem mit Neonlichtern versehenen Buffet neben einer Tankstelle standen ein vier Meter hoher Weihnachtsbaum, eine hölzerne Pyramide (die bestimmt zwei Tonnen wog) und ein zweieinhalb Meter großer Nussknacker. Martin bebte vor Kälte und fühlte sich viel zu weit von zu Hause entfernt. Dennoch setzte er die Reise fort. Er konnte es kaum noch erwarten, Mona zu sehen.

Vor Regensburg blieb er eine Weile auf einer Raststätte stehen, doch er stieg nicht aus, lieber studierte er auf der Karte noch einmal die Wegbeschreibung. Er versuchte sich den Wirrwarr an Abzweigungen und Straßennamen und Plätze einzuprägen. Dennoch kreiste er in engen dunklen Gässchen, hinter denen die Mauern zweier beleuchteter Kathedraltürme in den Himmel ragten. Der Nachtverkehr setzte sich hauptsächlich aus cremefarbenen Taxiwägen zusammen. Nach vielen Jahren war er wieder mal in der Donaumetropole angelangt. Zwischen den Häusern schaukelten ein paar Weihnachtsgirlanden wie im Wind aufgehängte Tannenzweige.

Die Anschrift »Am Wiedfang«, gleich in der Flussnähe, fand er schließlich. Zur Rechten befand sich die steinerne Brücke, die er schon unzählige Male unterquert hatte. Am Türschild las er Monas Namen. Einen Augenblick lang blieb er regungslos stehen. Dann drückte er auf die Klingel. Nach dem dritten Mal ertönte eine heisere Männerstimme aus dem kreisrunden Lautsprecher, die irgendwie vertraut klang. Die Wohnung hatte ein grobes Eisengitter vor der Tür.

»Hallo! Was machst du hier?«, fragte die schlaftrunkene Mona, kaum dass sie ihn mit seinem Rucksack in der Hand auf der Schwelle erkannt hatte. Sie schaute ihn entgeistert an. Sie trug lediglich ein T-Shirt. In den Händen hielt sie ein weinendes Kind, eingerollt in eine gelbe Decke.

»Hallo! Ich bin hier, weil du mir geschrieben hast. Es war angeblich sehr wichtig.«

»Wirklich? Wann? Ich hab das wohl vergessen. Komm nur rein, wenn du schon da bist.«

»Danke. Wessen Kind ist das?«

»Meins. Willst du was trinken?«

»Wieso deins? Warum hast du mir nichts gesagt?«

»Ich dachte, du weißt das.«

»Woher?«

»Wie soll ich das wissen?! Ich hab's wohl vergessen.«

»Vergessen? Wie alt ist es denn?«

»Vier Monate. Ich stell dich lieber mal vor. Dragan, das ist Martin. Wir gingen mal gemeinsam zur Schule. Er kommt grad aus Bratislava. Das ist die Stadt, in der ich geboren wurde. Martin, das ist Dragan.«

Dragan trat in Unterhosen in den Gang. Martin sah erneut, dass sein Körper von Tätowierungen übersät war. Er kratzte sich im Schritt.

»Aber wir kennen uns doch längst«, sagte Martin.

»Das bezweifle ich.«

»Na vom Schiff her! Von der *America*! Aber egal. Tut mir leid, dass ich euch beide, eigentlich euch alle geweckt habe.«

»Mich nicht, ich wollte gerade los«, sagte Dragan.

»Mitten in der Nacht?«, fragte Martin.

»Hey, ich muss was erledigen«, antwortete er. »Hier, wenn du willst ... nach der langen Fahrt«, fügte er hinzu und reichte ihm eine abgegriffene silbrige Pfeife, die streng roch.

»Nein danke, ich bin sehr müde, ich leg mich lieber gleich hin«, entgegnete er verdutzt.

»Wie du willst, ich kann ohne gar nicht ins Bett. Weder so noch so«, lachte Dragan, und er machte mit der Hand eine eindeutige Geste, die er mit seiner Zunge noch unterstrich. Er streifte sich eine Jeans über, zog eine Jacke über den nackten Oberkörper, sonst nichts, und eine Minute später schon war er verschwunden. Mona fütterte unterdessen in der Küche den Säugling. Das kleine Mädchen hieß Nora.

Die Wohnung zeichnete sich durch Einfachheit aus. An einer Wand (und bist zur Hälfte einer zweiten) lagen Kartons gestapelt. Auf dem Boden lag alles Mögliche herum. Schon lange hatte hier keiner mehr Staub gesaugt. Im nächsten Raum befand sich gar nichts, nicht einmal Möbel, keine Matratze, nur eine Glühbirne.

»Warum ist die Milch denn so schwarz?«, fragte Martin nach.

»Das ist keine Milch, sondern Cola«, schnitt sie ihm das Wort ab.

»Du lässt sie Cola trinken?«

»Es ist Cola light!«

Die vornübergebeugte Mona blieb sitzen. Die Haut im Gesicht hatte ihre Spannkraft verloren. Martin fühlte sich von ihr angezogen und konnte nicht widerstehen, er beugte sich zu ihr und küsste sie. Sie zuckte zurück, seufzte und schluckte zwei Tabletten, die sie aus einer Alufolie gewickelt hatte.

»Wie geht es deinen Eltern?«

»Ich wollte dich auch danach fragen. Was ist mit ihnen? Ich habe sie schon Jahre nicht gesehen«, antwortete sie.

»Schau mal, Mona, ich habe unten ein Auto stehen. Wenn du willst, können wir die Stiegen runtergehen, einsteigen und von hier verschwinden. Gemeinsam. Dragan wird uns nicht aufhalten. Pack deine und Noras Sachen zusammen, und morgen schon sind wir zu Hause. Ich fahre sofort los. Wirklich.«

»Wovon sprichst du? Ich bin doch zu Hause! Du bist komisch. Ich verstehe nicht. Willst du nicht etwas trinken?«

»Was ist mit dir passiert?«

»Nichts. Was soll denn passiert sein? Eigentlich ... es sind so viele Sachen passiert. Ich habe geheiratet und ...«

»Was? Ich dachte, du bist vielleicht zum Studieren hergekommen oder so etwas Ähnliches.«

»Ja, ursprünglich. Hey, ich habe Dragan wiedergetroffen, weißt du, er ist so toll ...«, antwortete sie und war mit den Gedanken längst woanders.

Er erzählte Mona davon, was er in den letzten drei Jahren gemacht, welche Bücher er übersetzt und wie sich seine Karriere an der Universität entwickelt hatte. Sie fragte ihn nichts. Der stumpfe Blick blieb ins Nichts geheftet. Ihr fehlte ein Fingernagel. Am Schenkel hatte sie blaue Flecken.

Dragan kam nach Hause, und ein wenig später gingen alle schlafen. Martin schlief bei Nora im Kinderzimmer, während Dragan und Mona im Nebenzimmer lautstark Sex hatten. Vor vielen Jahren hatten auch sie sich geliebt, doch hatte sie dabei nie so geschrien. Er konnte kein Auge zumachen und starrte ins Mondlicht. Die Nacht nahm kein Ende. Jeder seiner Muskeln war angespannt, bereit loszuschlagen. Er atmete tief und regelmäßig wie ein Schlafender und beobachtete das Kind. Das Gestöhne nahm kein Ende; er begriff schließlich, dass es aus dem Fernseher kam, wo unentwegt Pornos liefen. Langsam wurde es wieder hell. Nach einer weiteren Stunde stand er leise auf und blickte auf den Fluss. Das Frühstück hatten Mona und Dragan relativ gerecht aufgeteilt, Nora bekam etwas Weißwein aus dem Tetrapack in ihr Babyfläschchen.

»Sie schläft dann sofort ein«, lachte Dragan und bot ihm ein Röhrchen und etwas Koks auf einer Kreditkarte an.

»Ich hab grad keine Lust. Vielleicht später.«

»Bei mir ist das Zeug auch wirkungslos, aber Dragan behauptet immer, wenn ich danach eine ganze Flasche Whisky auf Ex austrinken täte, dass dies meine Chancen ums zehnfache erhöhen würde, glücklich und stolz auf mich zu sein.«

Beide lachten los.

»Weißt du was, ich nehm die Kleine lieber mit auf einen Spaziergang«, schlug Martin vor.

»Das wäre super. Aber wir haben keinen Kinderwagen. Du musst sie tragen.«

Mona war wie verwandelt. Ihr Anblick ließ ihn erneut an den Geschmack des schwarzen Deltawassers denken.

»Dein Klassenkamerad ist aber wirklich merkwürdig«, stellte Dragan fest.

Monas Mobiltelefon klingelte, doch sie nahm es nicht mehr wahr. Das Klingeln wollte und wollte nicht aufhören.

»Das Telefon!«, sagte Martin.

»Bitte?«, fragte sie.

Martin hielt es nicht mehr aus und nahm das Handy, um das Gespräch abzuweisen.

»Mona, wenn du nicht sprechen kannst, dann gib mir irgendein Zeichen ... Bist du freiwillig hier? Hier in dieser Wohnung? Mit diesem Mann? Oder halten sie dich gewaltsam fest?«

»Was quatscht du da?«, erwiderte sie. Plötzlich meinte sie noch in einem völlig anderen Tonfall: »Ganz nebenbei, damit du es weißt, sie waren falsch.«

»Ich verstehe nicht!«

»Die Banknoten im Koffer, damals auf dem Schiff«, antwortete sie. »Furchtbar, schrecklich, ein richtiger Pfusch.«

»Mona, ich möchte, dass du dich auf eine Frage konzentrierst, die ich dir jetzt stellen werde. Erinnerst du dich an einen bestimmten Passagier, der William Webster hieß?«

»Der Typ, der sich zunächst mit Venera verloben wollte und anschließend mit mir? Na, den kann man nicht so leicht vergessen! Wie viel Uhr ist es? Ich muss mich mal hinlegen. Es ist schon verdammt spät.«

Sie wollte noch irgendetwas sagen, doch es gelang ihr nicht mehr; eine Weile saß sie apathisch herum und kam gar nicht mehr zu sich. Hundert Sachen blieben unausgesprochen, doch er musste jetzt alles zurücklassen. Er hatte noch nie ein Kind getragen. Es überraschte ihn, wie leicht Nora war.

Die Weihnachtsmärkte breiteten sich in allen Fußgängerzonen aus. Den Stadtplatz dominierte eine fünfeinhalb Meter hohe Tanne, die mit künstlichem Schnee und 300 Christbaumkugeln bestückt war. Der Platz war von 80.000 Glühbirnen und vier Kilometern Lichtgirlanden beleuchtet. Die Stände waren mit 900 Adventskränzen geschmückt. Die Bayern hatten offenbar auch während der Weihnachtstage etwas für Zahlen übrig, die ununterbrochen von der Platzsprecherin wiederholt wurden. Feiertage wie Mathematik, das zählen wir dir zusammen, hier hast du verloren, blitzte es in seinem müden Kopf auf. Zimtduft lag in der Luft, Zitronenrinde, Honigschnitten und Muskatnuss.

Martin ging einen Weg entlang, dessen Pflastersteine an Katzenköpfe erinnerten, überall Häuser mit Satteldächern. Er konzentrierte sich wieder auf den Säugling. Nora war wach geworden und knabberte an ihrer Miniaturhand, die tatsächlich ganz in ihren Mund passte. Oft quiekte sie vor sich hin, einmal rief sie sogar etwas, sie weinte kaum noch.

Zum ersten Mal fiel ihm auf, was für eine Aufmerksamkeit einem einsamen Mann mit Säugling zuteil wird. An den Ständen bekam er Grog, ohne bezahlen zu müssen, ebenso geröstete Mandeln, zwei Lebkuchen und Nusskuchen. In der öffentlichen Toilette half ihm eine Frau dabei, das Baby zu wickeln. Seine Unbeholfenheit fand sie sogar noch niedlich. Noras Beinchen strampelten wie die eines umgedrehten Käfers.

»Es ist etwas ganz Besonderes, dass sie schon lächeln kann. Meistens lernen sie das erst viel später«, sagte die Frau.

»Sie wächst bei Leuten auf, die sehr fröhlich sind«, antwortete Martin.

Er überlegte nicht mehr lange, es stellte sich dieses Gefühl ein, es tun zu müssen. Er wog auch nicht mehr ab, ob es richtig, ehrenvoll oder strafbar wäre, ob man es nicht vielleicht irgendwie anders hätte lösen können. Er dachte nur noch eines: was zu tun war, um das Ziel zu erreichen.

Er blieb vor einem Laden mit Kindersachen stehen. Er kaufte einen Autokindersitz. Er ging in die Drogerie, wo ihn die Verkäuferinnen in ihren Weihnachtskostümchen so zuvorkommend behandelten wie noch nie zuvor. Er erklärte ihnen, dass er eine ganze Reiseausstattung bräuchte, Hygieneartikel et cetera, sie berieten ihn und gaben Nora sogar das Fläschchen. Er legte das Baby auf den Rücksitz und befestigte es mit einem Sicherheitsreißverschluss und einem Gurt. Seinen Rucksack holte er nicht mehr bei Mona ab. Auf der vollen Autobahn fuhr er schnell, aber besonnen, bei riskanten Abschnitten ließ er sich überholen. Obwohl er das Auto heizte, war ihm kalt.

Er hielt regelmäßig an, alle zwei Stunden. In den jeweils dafür vorgesehenen Bereichen auf den Raststätten wechselte er unbeholfen die Windeln. Nora saugte eifrig am Fläschchen, während sie mit ihren Handflächen Martins Finger umklammerte.

Er traute sich nicht, in einem Stück durchzufahren. Ein bisschen fürchtete er auch die Staatsgrenze. In der Nähe Wiens nächtigte er in einem Hotel. Sobald er mit der Kreditkarte bezahlt hatte, erhielt er eine Rechnung aus dem Automaten, die einen Strichcode enthielt, mit dem er anschließend die Tür öffnen konnte. In einem kleinen, menschenleeren Restaurant bestellte er eine Kleinigkeit zum Essen, aß schnell und legte sich danach gleich hin. Nora weckte ihn im Verlauf dieser Nacht alle zwei Stunden.

Er brach früh auf, ein ganz normaler Fahrzeuglenker im dichten Feiertagsverkehr. Es war noch dunkel. Jeder Laternenmast war wie ein Alarmsignal. Die letzten 60 Kilometer legte er in einer Stunde zurück. In Kittsee wurde er von niemandem kontrolliert. In Bratislava warteten Bodenfrost und Schneefall auf ihn. Er parkte, und mit dem Baby im Arm betrat er das Haus.

In der Wohnung legte er seine Jacke ab, trank einen Kaffee und entschied sich, Nora gleich seinen Platz am Fluss zu zeigen. Die Sonne schien schwach mit einem Licht, dem man sofort ansah, dass das Jahr zu Ende ging. Das Ufer war mit einer dünnen Eisschicht bedeckt.

Es schien ihm fast so, als könnte er in der flimmernden Luft die *America* sehen. Stolz ragte sie aus dem Wasser, und auf ihrem oberen Deck stand die versammelte Schiffsmannschaft. Er trat noch einen Schritt vor, und das Bild verschwand.

DANK

Mein großer Dank gilt Roman Cangár, der mich als Erster auf das Donauschiff mitgenommen hat; er ist mir bei diesem Romanprojekt stets hilfreich gewesen. Jana Cviková und Tom Kraushaar danke ich für die Unterstützung, kritische Lektüre und liebevolle Textbearbeitung. Zora Jesenská, Ján Rozner, Jarmila Samcová, Ján und Pavel Vilikovský, Miroslava und Stanislav Vallo, Ján Zambor, *Alma Münz* und Michaela Jurovská danke ich für ihre besondere Leistung im literarischen Übersetzen ins Slowakische und für die inspirativen theoretischen Betrachtungen zu diesem Thema. Valentin Gheorghe navigierte mich durch das Donaudelta und dolmetschte dabei fleißig. István Pinter erinnerte mich an viele Gespräche mit den Passagieren. Die bekannten slowakischen Donaukapitäne Pavol Buzgovič und Július Ilka vermittelten mir an Bord ihre Erfahrungen aus drei Jahrzehnten. Michael Szatmáry beantwortete ausführlich meine Fragen zum jüdischen Leben im alten Bratislava. Für das Ergebnis ist allein der Autor verantwortlich. Alle Figuren und Firmen sind erfunden.